L'ŒIL DU LAPIN

François Cavanna est né en 1923 à Nogent-sur-Marne, de père italien et de mère nivernaise. Son enfance, c'est la banlieue des bords de Marne, la chaleur de la communauté italienne, la liberté — il l'évoque dans *Les Ritals* (1978).
A seize ans : premier emploi, trieur de lettres aux P.T.T. La guerre, l'exode, le retour à Paris où il devient vendeur de légumes et de poissons sur les marchés, puis apprenti maçon. La suite, il la raconte dans *Les Russkoffs* (Prix Interallié 1979), le S.T.O., l'apocalypse de la fin de la guerre à Berlin, etc. *Bête et méchant* est le troisième volet de son autobiographie. Le quatrième est *Les Yeux plus grands que le ventre,* le cinquième : *Maria,* le sixième (qui fait retour sur son enfance à Nogent) : *L'Œil du lapin.*
A partir de 1945, début de sa carrière de journaliste. En 1949, il devient dessinateur humoristique. En 1960, il crée avec des camarades *Hara-Kiri,* « journal bête et méchant ». En 1968, c'est l'hebdo qui connaît le succès que l'on sait et qui devient en 1970 *Charlie-Hebdo,* disparu en janvier 1982.
Depuis 1985, Cavanna a presque entièrement renoncé au journalisme pour se consacrer à l'écriture.

DU MÊME AUTEUR

Paru dans Le Livre de Poche :

LES RITALS.
LES RUSSKOFFS.
BÊTE ET MÉCHANT.
LES ÉCRITURES.
LES YEUX PLUS GRANDS QUE LE VENTRE.
... ET LE SINGE DEVINT CON.
LE CON SE SURPASSE.
MARIA.
LES FOSSES CAROLINES.

Chez Pierre Belfond :

LES RITALS LES RUSSKOFFS.
BÊTE ET MÉCHANT.
LES YEUX PLUS GRANDS QUE LE VENTRE.
MARIA LES ECRITURES.
LOUISE LA PÉTROLEUSE (théâtre).
... ET LE SINGE DEVINT CON (L'Aurore de l'Humanité I).
LE CON SE SURPASSE (L'Aurore de l'Humanité II).
NAPOLÉON.

Aux Éditions du Square :

LE SAVIEZ-VOUS ? LE SAVIEZ-VOUS ? (2e fournée).
L'AURORE DE L'HUMANITÉ.
LES AVENTURES DE NAPOLÉON.
LES AVENTURES DE DIEU.
LES AVENTURES DU PETIT JÉSUS.

Aux Éditions Hara-Kiri :

4, RUE CHORON.

Chez Jean-Jacques Pauvert :

STOP-CRÈVE.
DROITE-GAUCHE, PIÈGE A CONS.

Aux Éditions Julliard :
(Collection « Humour secret »)

CAVANNA.

Chez 10/18 :

JE L'AI PAS LU, JE L'AI PAS VU, MAIS J'EN AI ENTENDU CAUSER (1969-1970).

Aux Editions L'Ecole des Loisirs :
(adapté en vers français par Cavanna)

MAX ET MORITZ, de Wilhelm Busch
CRASSE-TIGNASSE (Der Struwwelpeter).

CAVANNA

L'Œil du lapin

PIERRE BELFOND

J'ai eu une enfance merveilleuse. Oui, toutes les enfances le sont, mais celle-là plus que ça, beaucoup plus. Et je m'en rendais compte. Comment dire ? J'étais heureux et je me regardais être heureux. Je me racontais mon bonheur. Je disais à mes copains, les autres petits Ritals de ma rue : « Qu'est-ce qu'on se marre, les mecs ! Qu'est-ce qu'on a comme pot, nous autres ! » Les copains en étaient bien d'accord. Ils n'y auraient pas pensé tout seuls, eux se contentaient de vivre, et à pleines mâchoires, mais à partir de là eux aussi se sont regardés être heureux, du coup ils l'étaient encore plus, heureux. Je leur faisais le commentaire du match, en somme. Se regarder vivre et se le raconter, c'est là tout le vice littéraire. Déjà. Un vice de naissance.

Un jour, à la biblio de l'école, je suis tombé sur La Guerre des Boutons. *Eh bien, voilà. C'était ça. Je raconterais notre guerre des boutons à nous, tellement plus marrante, oh là là, dans le grouillement des ruelles à Ritals et les immensités sauvages du Fort de Nogent. On rigolerait dix fois par page. Pour les épisodes cocasses et les anecdotes incroyables y avait qu'à taper dans le tas... Picaresque, c'est le mot, je crois. J'en piaffais. La main me démangeait.*

Et puis, il y a eu la vie. Comme tout le monde. Mon bouquin m'est resté coincé dans un repli de la tête, longtemps, très longtemps. Au vrai, je n'y pensais même plus. Pourquoi, la cinquantaine venue, s'est-il mis à gigoter dans le coin secret où il hibernait pour soudain exiger d'exister noir sur blanc ? Va savoir... Comme ces trains électriques qu'on n'a pas eus et qu'on s'achète à l'âge de la retraite... Bon, je m'y suis mis, incapable de faire autre chose, et ce fut Les Ritals.

Seulement, là, il s'est passé quelque chose. Le récit que je voulais pimpant, marrant, « picaresque », s'est mis à cavaler tout seul sur ses petites pattes, où il a voulu, comme il a voulu. Quelqu'un avait surgi et avait pris toute la place, quelqu'un que je n'attendais pas : papa. Campé sur ses jarrets trapus, les deux poings enfoncés dans ses poches de veste, il s'est mis à rire son rire, et voilà, il n'y en avait plus que pour lui. La Guerre des Boutons *était devenue le livre de papa.*

Du coup, maman paraissait bien falote. Je n'avais pas voulu ça. Fasciné par l'image de ce père adorable que je redécouvrais, ou plutôt, hélas, que je découvrais au fur et à mesure, la gorge serrée par une émotion tellement violente que je ne savais pas si c'était bon ou si ça faisait mal, je m'étais laissé porter. Maman apparaît, bien sûr, dans Les Ritals *et dans la suite, mais peut-être ne lui ai-je pas donné la place qu'elle mérite, ne l'ai-je pas éclairée suffisamment.*

C'est qu'il ne tient pas en un trait, le portrait de maman ! Autant papa était simple, lumineux, tout entier dans un regard de ses yeux d'enfant, autant maman était secrète, bien cachée derrière ses sourcils froncés, ses bougonneries, son activité fracassante. Maman, il fallait se donner la peine. Aller la chercher par-delà ses défenses. Et l'on trouvait des trésors. Mais qui se donne la peine de chercher les trésors trop bien cachés ?

Maman orgueilleuse jusqu'à l'ascèse. Maman solitaire parmi ses rêves en ruine. Maman bourreau d'elle-même. Maman faisant des ménages, mais comme une reine en exil. Maman portant sa pauvreté comme le manteau du sacre. Maman étouffant d'amour rentré. Maman qui n'avait trouvé qu'une passion digne d'elle : son fils...

Ceci est le livre de ma mère comme Les Ritals *est celui de mon père. Si vous avez lu* Les Ritals, *vous y retrouverez tout le monde et quelques autres.*

Pourquoi j'ai intitulé ça L'Œil du lapin *? Vous le verrez bien, pourquoi. Lisez seulement jusqu'au bout.*

1926-1929

LA MATERNELLE

GISÈLE BÉNOTET

C'est pas dur : j'étais dans la classe de Madame Grenier. La plus grande classe de l'école maternelle. Alors, voilà, j'avais cinq ans. La maternelle, c'est jusqu'à cinq ans. L'année que t'attrapes six ans, tu entres à la grande école, l'école des garçons de la rue Baüyn-de-Perreuse où qu'on t'appelle plus par ton petit nom, seulement le nom de famille, tout sec. Moi, le premier jour, à la grande école, qu'est-ce que j'ai pleuré ! Maman m'avait accompagné jusqu'à la porte, je pleurais tellement qu'elle pleurait aussi, et même qu'elle était pour me remmener à la maison, elle avait trop de chagrin, alors un monsieur qui entrait lui a dit « Allons, madame, il faut qu'il s'aguerrisse, ne soyez pas plus faible que lui ! » et puis il m'a enlevé de dans les bras de maman et il m'a poussé dans l'ombre du grand portail, et voilà, j'étais dans la cour, autour de moi hurlaient et tourbillonnaient trente-six mille diables en galoches et pèlerines noires, bérets basques enfoncés bien plus bas que les oreilles.

Mais ça, c'était l'année d'après, quand j'ai eu mes

six ans. Là, donc, j'en avais cinq, j'étais dans la classe de Madame Grenier.

Gisèle, elle s'appelait. Gisèle Bénotet. Elle avait cinq ans aussi, bien sûr, puisqu'on était dans la même classe, elle était toute blonde, toute transparente, fragile comme une porcelaine, avec des yeux très bleus et un gros nœud dans les cheveux. Bleu aussi, le nœud. Ou mauve, des fois.

L'année d'avant, déjà, on était ensemble dans la classe de Madame Salomon. A la même table, on était. C'étaient des tables à deux places, comme les tables de la grande école, pareil, mais toutes petites. Il n'y avait pas d'encrier dans les trous faits exprès, parce que chez Madame Salomon on n'écrivait pas encore à l'encre, seulement au crayon, ou bien sur l'ardoise, au crayon d'ardoise. C'est seulement chez Madame Grenier qu'on écrivait à l'encre.

Pendant tout le temps, chez Madame Salomon, je la sentais à côté de moi, et ça me faisait tout content en dedans. J'avais pas besoin de la regarder, je savais qu'elle était là, de temps en temps je regardais quand même, vite vite, parce qu'elle était tellement sérieuse, elle aurait levé le doigt et elle aurait dit « Madame ! Il me regarde ! Il fait rien que de me regarder ! » Les filles, c'est comme ça. Alors les autres se seraient mis à ricaner, et à faire les cornes, et à dire « Ahou le regardeu-reu ! », et peut-être que Madame Salomon m'aurait fait changer de place. Ah, ça, non, je voulais pas !

Alors je la regardais sans avoir l'air, je voyais sa joue à peine rose et son petit nez bien sage, et si elle était en train de lire à haute voix parce que c'était son tour je voyais ses longs cils faire de l'ombre sur ses joues, qu'est-ce qu'ils étaient longs, ses cils, et blonds, et transparents ! La lumière bleue de la fenêtre passait à travers et ressortait blonde de l'autre côté. Avant, je savais pas que des cils pouvaient être blonds.

Gisèle Bénotet. J'aimais bien dire son nom. Son nom tout entier, avec le nom de famille. Rien que de le prononcer dans ma tête me faisait un gros bonheur. Gisèleu Bé-no-tet.

J'osais pas lui parler. Si je lui parlais, elle haussait les épaules, regardait de l'autre côté et ne répondait pas. Alors, j'osais pas.

C'était une bonne élève. Très bonne, même. Pas autant que moi, bien sûr, mais vraiment très bonne. De la sentir là, près de moi, ça me faisait pétiller la tête, je comprenais tout avant tout le monde, à peine la maîtresse posait une question je levais le doigt pour répondre, je le levais vite vite, pas qu'un autre le lève avant moi, je voulais briller, briller comme le soleil, briller devant Gisèle Bénotet.

J'étais très bête, je le vois bien, maintenant. J'aurais dû la laisser répondre la première, de temps en temps. J'aurais dû. C'est même pas parce que j'avais cinq ans, c'est parce que je savais pas m'y prendre avec les filles, et que j'ai jamais su, et que je saurai jamais. C'est un instinct. Tu l'as ou tu l'as pas.

Les filles, ce qu'elles veulent, c'est pas qu'on les aime, ni qu'on fasse des exploits pour elles, ni même qu'on soit beau. Ce qu'elles veulent, les filles, j'en sais rien. Sans ça, tu penses...

Elle me faisait la gueule depuis le commencement, depuis le jour où Madame Salomon nous avait placés côte à côte à la même table. Elle, Gisèle, ce qu'elle aurait voulu, je m'en suis bien rendu compte après, ç'aurait été d'être assise à côté de Pierre Grenier, le fils de Madame Grenier, la maîtresse de la grande classe.

Pierre Grenier était blond aussi, encore plus

blond que Gisèle Bénotet, même, sa peau était comme du lait, si transparente qu'on voyait les veines bleues courir dessous. Il avait un visage très fin, très distingué, un vrai visage de petit prince du temps des princes, avec une frange bien lisse jusqu'aux yeux. Madame Salomon l'avait mis à une table juste devant son bureau à elle, juste bien au milieu, et à la même table elle avait mis Yolande Salomon, sa fille à elle, parce que naturellement c'étaient tous les deux des enfants de maîtresses. Yolande Salomon était grande et costaude, avec beaucoup de cheveux tout bouclés, blonds un peu rouges, qui lui faisaient une grosse tête. Elle avait des grandes dents de lapin qui dépassaient loin devant, des bonnes joues rouges et un caractère en or. Pierre Grenier, à côté d'elle, avait beau se tenir très droit très convenable, elle le dépassait de toute sa grosse tête de lion frisé. Elle faisait très attention pour ne pas l'écraser avec ses grands gestes brutaux, parce que, imagine, Madame Salomon n'aurait pas su quoi dire à Madame Grenier en lui rendant son fils tout écrasé.

Pierre Grenier était un excellent élève. Très intelligent, très fin, on voyait bien qu'il avait une maman maîtresse et un papa instituteur, ce qui est encore plus. Il aurait dû être le premier de la classe. C'est vraiment pas de chance que j'aie été là.

*

Aux récréations, Madame Salomon nous faisait nous tenir par la main et on dansait des rondes. J'aimais bien les rondes, c'est très joli. Toutes les rondes elle nous les a apprises, on les connaissait toutes, même les plus compliquées, comme « Chevaliers de la Marjolaine », « Où est la Marguerite ? » ou bien « Biquette ne veut pas sortir du chou ». On les emportait avec nous dans nos têtes et, les soirs d'été, dans la rue Sainte-Anne, tandis que les pères soûls de grosse fatigue, à califourchon sur les chaises dossier devant, commentaient en dialetto sonore les nouvelles du pays, les petits jouaient de tout leur cœur, avec une gravité extrême, les belles rondes françaises de la maternelle.

A l'école, avant d'entrer en classe, nous nous mettions en rang deux par deux, table par table, et, naturellement, pour les rondes, les voisins de table se tenaient par la main. Lorsqu'elle fixait les places, au début de l'année, Madame Salomon, c'était de véritables mariages qu'elle célébrait, des mariages indissolubles du 1er octobre jusqu'au 14 juillet.

Quand j'avais dans ma main la petite main de Gisèle Bénotet, je ne savais pas si j'étais heureux ou si j'étais malade. Le cœur me cognait, les oreilles me brûlaient comme quand on se sent devenir tout rouge, la tête me tournait un peu, comme quand on va se trouver mal ou qu'on va avoir mal au cœur. Et en même temps c'était très bon, je pensais des pensées bleues et fraîches, sans haut ni bas, sans limites, des pensées comme le ciel. Je planais dans le ciel. J'étais le ciel.

Un midi, nous sortions de l'école en rang, deux par deux, nous tenant par la main, moi forcément tenant la main de Gisèle Bénotet. Sur le trottoir maman était là, et aussi la maman de Gisèle, Madame Bénotet, chacune avec un parapluie pour pas qu'on se mouille, il pleuvait. Madame Bénotet se met à rire et dit à maman :

— Voilà les deux petits fiancés !

Maman rit aussi et dit :

— Sont-y pas mignons !

Madame Catherine Taravella, la maman d'Antoine, qui habite le logement au-dessus de nous, rit aussi et dit :

— Foudra fare bientôt la noce, madama Louvi, qué l'm'Antoine i fara le garchon d'honneur !

Gisèle Bénotet m'a arraché sa main de dans la mienne, elle était toute blanche, les larmes lui coulaient, elle a couru toute seule sous la pluie, sa maman a crié :

— Gisèle ! Gisèle ! Mais qu'est-ce qui te prend ? Tu vas être trempée !

Et elle s'est mise à lui courir après avec le parapluie. J'ai compris que Gisèle avait honte parce que les choses de fiancés c'est des histoires d'amoureux pour faire rigoler toute la classe, en plus que pour nous c'était même pas vrai. Moi aussi, j'avais honte. Qu'est-ce que ça peut être con, des fois, les grandes personnes ! Antoine Taravella ricanait. Tu peux être sûr que cette vache-là irait raconter partout que j'avais une fiancée, rien que pour se foutre de ma gueule.

*

Je gagnais plein de bons points, il y en avait des verts et des rouges. Les rouges étaient plus forts, ils valaient chacun deux verts. Quand on répondait juste, ou quand on avait bon à son addition, ou quand on avait écrit bien comme il faut la ligne d'écriture sur l'ardoise, Madame Salomon nous donnait un bon point, un vert. Si c'était une question difficile, elle donnait un rouge. Quand on avait dix verts, ou cinq rouges, elle les échangeait contre une image de la Phosphatine Fallière, c'étaient les Belles Chansons de Notre Belle France, tout en couleurs, très jolies, sauf que les gens étaient habillés en habits pas vrais, les messieurs avaient des pantalons coupés aux genoux, comme nos culottes de petits garçons, à nous, et serrés serrés, et tout brillants comme de la soie, avec des couleurs que, dans la vraie vie, y a que les dames qui portent des couleurs pareilles, les dames riches. Et ils avaient des bas, comme des femmes, des bas blancs, et des vestes faites comme des jupons, et plein de dentelles sur la poitrine mais pas de cravate, et aussi un drôle de chapeau avec trois cornes. Les petites filles portaient des robes jusqu'en bas des pieds, rondes comme des cloches à fromage, mais bien plus grandes, oh là là, bien plus. C'est comme ça que les gens sont habillés dans les chansons.

Il y avait aussi les images du Chocolat Nestlé, celles-là c'étaient les Animaux du Monde, très très beaux, nous c'est celles qu'on préférait, surtout le Lion, le Tigre et l'Éléphant parce que c'est les plus forts. Le Cochon, personne en voulait, celui qui l'avait pleurait et disait « J'en veux pas ! », alors Madame Salomon le grondait, mais elle lui changeait quand même. Les filles aimaient mieux les Chatons, la Poule et ses Poussins, le Lapin, l'Écureuil. Les filles, ça connaît rien.

Ça fait que celui qui avait le plus d'images ça voulait dire qu'il avait mieux travaillé que tout le monde, et alors, à la fin de la semaine, il pouvait échanger ses images contre un billet de satisfaction, vert avec « Billet de Satisfaction » écrit en grandes belles lettres d'argent toutes tortillées, ou, s'il en avait vraiment beaucoup et s'il avait été très sage, contre un billet d'honneur, rouge avec « Billet d'Honneur » écrit en or. Quand t'en rapportais un à la maison, t'étais vachement fier, tiens !

Mais les images, surtout celles des Animaux, on aimait mieux se les garder, ou alors il y avait des garçons qui les échangeaient contre des billes, mais ça c'était très mal, Madame Salomon les appelait « mauvais sujets ».

Et puis il y avait la dictée. Tous les samedis matin, Madame Salomon nous faisait faire une dictée. Une petite dictée pas dure, je le vois bien maintenant, n'empêche, qu'est-ce qu'on avait peur ! On corrigeait la dictée, et celui qui avait zéro faute Madame Salomon lui donnait la Croix d'Honneur, elle lui attachait la croix sur le tablier, toute dorée avec de l'émail blanc et « Croix d'Honneur » écrit au milieu. Ceux qui avaient presque pas de fautes ils avaient la Croix de Mérite, celle-là était en argent avec de l'émail bleu. Moi, j'avais toujours la Croix d'Honneur, à tous les coups, parce que j'avais toujours zéro faute, et à chaque fois Madame Salomon disait « Je ne sais pas si tu la mérites vraiment. Tu es tellement bavard ! » Mais elle me la donnait quand même, parce que sans ça ç'aurait été une Injustice.

Les mauvais sujets n'avaient jamais de croix, ni de billets, rien, alors ils se foutaient de notre gueule, ils nous appelaient « Croix d'Horreur » et « Croix de Marmite » pour nous faire pleurer.

Le samedi midi, à la sortie, du bout du couloir je voyais maman qui attendait sur le trottoir avec les autres mères, et moi j'avais ma croix qui dansait sur mon tablier au bout de son beau ruban, et alors je courais tout le long du couloir, tout le long, en criant « Maman ! Maman ! J'ai zéro faute ! J'ai zéro faute ! » Maman, vachement fière, tiens. Elle avait fait un petit Rital, et voilà, il était plus fort que tous les Français. Ça la vengeait de tout, maman.

Mais Gisèle Bénotet, elle s'en foutait pas mal que j'aie zéro faute et que j'aie la Croix d'Honneur. Même, j'avais voulu lui donner des images que j'avais gagnées, pas échanger, donner pour rien, en cadeau, quoi, et des belles, des que je savais qu'elle aimerait parce que j'avais bien vu ses yeux quand elle les regardait et qu'elle savait que je la voyais, eh bien, elle en avait pas voulu. Elle m'avait même pas répondu ! Elle avait juste haussé les épaules et tourné la tête vers le mur. Ça m'avait fait de la peine. Mais je me disais à force à force elle verra comme je suis gentil avec elle, et alors elle aussi elle sera gentille avec moi, c'est forcé, on peut pas bouder toujours, c'est fatigant.

Eh bien, Gisèle Bénotet, plus ça allait, plus elle boudait. Toute l'année, elle a boudé. Quand elle était avec ses copines, les autres filles rigolaient sournois en regardant de mon côté, on voyait bien qu'elles se foutaient de sa gueule, à Gisèle, qu'elles lui disaient que j'étais son fiancé-eu, son amoureu-eux, alors elle se mettait en colère, elle s'en allait toute seule à part, et les autres ricanaient méchant. J'aurais bien voulu aller la consoler, mais j'osais pas, les méchantes filles me regardaient, elles attendaient ce que j'allais faire pour se mettre à ricaner encore plus fort, je les entendais d'avance, et moi j'aime pas qu'on ricane sur moi, ni sur Gisèle Bénotet, ça me fait monter la colère rouge, je peux me mettre à taper sur les filles de toutes mes forces ou bien me trouver mal, ça dépend, on peut pas savoir d'avance. Le docteur Ricci dit que je suis très émotif. Madame Salomon dit que je suis teigneux.

*

L'année d'après, tous ceux qui étaient dans la classe de Madame Salomon on s'est retrouvés chez Madame Grenier. Madame Grenier nous a fait passer un petit examen pour voir si on était forts ou pas forts. Naturellement, j'étais plus fort que tout le monde, même que son Pierrot, et j'ai bien vu que ça lui faisait pas trop plaisir. Mais Madame Grenier était juste, alors elle m'a mis à la première table du premier rang, tout à fait à gauche. J'avais le cœur qui battait fort. Je connaissais pas les résultats, Madame Grenier n'avait rien dit, mais je savais bien que le deuxième ne pouvait être que Pierre Grenier ou Gisèle Bénotet. Et voilà Madame Grenier qui dit :

— Gisèle !

Et elle montre du doigt la place à côté de moi.

Gisèle Bénotet a baissé la tête et elle a pas bougé. Madame Grenier a cru qu'elle avait pas entendu.

— Allons, Gisèle ! Assieds-toi là, à côté de François.

Moi, ça m'a fait comme si ma poitrine devenait grande, grande, et toute chaude en dedans. Et en même temps j'avais de la peine parce que je voyais bien que Gisèle Bénotet n'était pas contente d'être encore une fois assise à côté de moi pendant toute l'année, pas contente du tout. C'est drôle, ça, d'être en même temps heureux et malheureux, on sait plus où on en est, on a peur, on a envie de se cacher la figure derrière les bras, comme quand on croit qu'on va recevoir une baffe.

Gisèle Bénotet restait là, la tête baissée, comme un chien quand il veut pas obéir. Madame Grenier l'a prise par la main et l'a menée jusqu'à sa place, à côté de moi. Gisèle Bénotet se laissait tirer, mais on voyait bien qu'elle avait pas envie. Madame Grenier lui demande, un peu énervée :

— Enfin, Gisèle, veux-tu me dire ce que tu as ?

Mais, moi, à mon avis, elle s'en doutait, Madame Grenier, de ce qu'elle avait, Gisèle Bénotet. Et de toute façon, elle entendait bien les autres mômes ricaner, et même des qui disaient :

— C'est son fiancé-eu ! C'est son fiancé-eu !

Alors Gisèle Bénotet s'est mise à pleurer. Madame Grenier lui dit :

— Enfin, Gisèle, c'est ta place, ici. Tu as la meilleure note des filles, tu es donc à côté du meilleur des garçons. Il faut qu'à chaque table il y ait une fille et un garçon. Qu'est-ce qui ne te plaît pas ?

Gisèle a pleuré encore plus fort, elle a caché sa figure dans ses mains parce qu'elle osait pas regarder la maîtresse, et puis elle a dit, pas bien fort mais moi j'étais juste à côté, alors j'ai entendu :

— Je croyais que je serais à côté de Pierre Grenier.

Madame Grenier a fait l'étonnée.

— De Pierre ? Mais voyons, à côté de Pierre, c'est la place de Madeleine Bergonzi. Il faut de l'ordre, dans une classe, sans quoi c'est la pagaille. Allons, assieds-toi là, François est très gentil, bien qu'un peu dissipé.

Gisèle Bénotet a sangloté :

— Je le sais, madame, j'étais à la même table que lui l'année dernière.

— Eh bien, tu vois, il ne t'a pas mangée.

Pendant tout ce temps-là, les autres se marraient et chantaient « Ouah, les fiancé-eus ! ».

Moi, qu'elle me fasse la gueule, ça me faisait de la peine, surtout qu'elle était tout le temps si gracieuse avec Pierre Grenier, mais elle était pas la seule, Pierre Grenier, des filles, y en avait toujours plein autour de lui parce que naturellement il était tellement joli, comme un petit prince en porcelaine, avec des gestes gracieux, et tellement bien élevé. Gisèle Bénotet, je sais même pas si il la voyait, Pierre Grenier. Mais, n'empêche, je savais qu'elle était à côté de moi, elle voulait pas me causer, bon, elle me prenait pour une merde de chien, bon, je lui causais pas, je la touchais pas, mais je savais qu'elle était là, j'avais pas besoin de regarder, elle était là et moi ça me faisait chaud et bon. Une fois elle a eu la bronchite, elle a manqué pendant longtemps, au moins une semaine, qu'est-ce que j'ai été malheureux !

*

J'étais très bavard, très dissipé. Comme je pouvais pas causer à Gisèle Bénotet, je racontais des conneries à mon voisin de la table juste derrière : c'était Antoine Taravella, celui qui habite à l'étage au-dessus de chez nous, rue Sainte-Anne, et lui aussi me disait des trucs pour me faire marrer, alors on se marrait tous les deux, lui il se planquait derrière moi, la maîtresse le voyait pas, mais moi, au premier rang, à tous les coups je me faisais avoir. Madame Grenier était très gentille et très douce, mais, n'est-ce pas, il faut de la discipline, dans une classe, sans ça les bons élèves ne peuvent pas travailler, alors Madame Grenier me disait :

— Encore toi ! Tu as donc le diable au corps ? Allez, sous le bureau !

— Mais, m'dame...

— Sous le bureau !

Tous les autres se marraient parce que c'est vachement honteux d'aller sous le bureau. C'est la plus grande honte, y a pas plus pire. Madame Grenier donnait un coup de règle sur son bureau en regardant sévèrement la classe, et moi, encore plus honteux que le jour où j'avais fait caca dans ma culotte, j'allais en pleurant me mettre à quatre pattes sous le bureau.

Le premier moment, j'avais tellement honte que je pensais qu'à ma honte, et je pleurais, et je me morvais tout mon tablier. Et puis après j'avais mal à la tête d'avoir pleuré et je commençais à penser à autre chose. J'avais peur, déjà, parce que c'était tout noir, là-dessous. Mais bientôt je voyais du blanc, de plus en plus blanc, je ne voyais plus que ce blanc-là. Et ce blanc, c'étaient les cuisses de Madame Grenier.

J'avais jamais vu des cuisses de dames, seulement des cuisses de petites filles quand on joue brutal et qu'on voit leur culotte, alors j'en revenais pas qu'elles soient si grosses. Grosses, et rondes, et blanches, et toutes lisses. J'avais envie de toucher pour sentir comme c'était lisse. Plus bas il y avait ses bas, plus haut je voyais pas bien, mais ça sentait bon, comme de l'eau de Cologne, avec en plus une odeur de vivant, une odeur comme maman le soir quand elle se déshabille pour se laver dans la cuisine. Une odeur qui te prend dans ses bras et qui te chante une berceuse. J'étais bien comme tout, là, surtout qu'au bout d'un moment j'oubliais d'avoir honte. Et puis je me mettais à penser à Gisèle Bénotet. Pourquoi les cuisses de Madame Grenier me faisaient penser à Gisèle Bénotet, ça, je savais pas. Il n'y avait rien de commun entre Gisèle Bénotet, qui était une jolie petite fille blonde avec un nœud dans les cheveux, et les grosses belles cuisses blanches de Madame Grenier qui sentait si bon, rien du tout, et pourtant, voilà, j'y pensais, ça allait ensemble, ça me faisait pareil, chaud et doux, comme si c'était juste la même chose. J'étais encore un tout petit garçon, même pour mes cinq ans... Je faisais bien attention de ne pas bouger pour pas cogner les jambes de Madame Grenier, j'espérais qu'elle oublierait que j'étais là, mais elle finissait toujours par me dire :

— Allons, sors de là, mauvais sujet. J'espère que tu seras sage, maintenant.

Et bon, je retournais à ma place en clignant des yeux, et toute la classe ricanait en me voyant, et Gisèle Bénotet me faisait une figure de très grand mépris parce qu'il faut mépriser ceux qui ont été punis.

Une fois, la Directrice est passée dans la classe. Elle a dit qu'elle voulait qu'on lui dessine tous quelque chose, et qu'elle donnerait un bonbon à ceux qui lui dessineraient un bateau. On s'y est tous mis en tirant la langue. Mais moi, c'était un chien que j'avais envie de dessiner. Un bateau, c'est trop facile, hé, même les tout petits bébés savent dessiner des bateaux. Un chien, ça, c'est dur. Et puis j'avais envie, na. Je voyais un chien dans ma tête, je voulais le dessiner, ce chien. Je me suis donné du mal. Qu'est-ce qu'il était beau, mon chien ! Pas un chien de dessin de môme, une espèce de patate avec quatre bâtons pour faire les pattes, non, un chien comme sur les vrais dessins dans les illustrés, qui courait à toute vitesse avec la queue en l'air et les yeux tout contents tout brillants. J'étais très fier de mon chien, les gosses autour venaient le regarder et ils disaient « Mince, alors ! » La Directrice est passée dans les rangs, elle a regardé mon dessin, elle a dit « Ah, tu as fait un chien ? Moi, je ne prends que les bateaux. » Elle est passée, elle a laissé mon chien et j'ai pas eu de bonbon. Gisèle Bénotet n'a rien dit, elle avait juste des yeux qui haussaient les épaules.

*

C'est rue Paul-Bert qu'elle habitait, Gisèle Bénotet. Nous, les mômes de la rue Sainte-Anne, on cavale partout, alors j'allais souvent faire un tour par la rue Paul-Bert, qui est tout près. Je passais devant sa maison, je me disais elle va sortir, je lui dirai... Je savais pas ce que je lui dirais, et qu'est-ce que tu veux dire ? Je rougirais, ça, c'est sûr. Et elle, quoi ? Elle rentrerait vite chez elle, ou bien elle ferait celle qui me voit pas... Eh bien, je l'ai jamais vue, jamais en dehors de l'école. Sûrement sa mère devait lui défendre de descendre dans la rue. N'empêche, je passais devant sa maison, et ça me faisait battre le cœur, rien que de passer devant, j'espérais je sais pas quoi et en même temps j'avais un peu peur, c'était très bon.

A partir du mois d'avril, toutes les maîtresses préparaient la grande Fête de la Distribution des Prix. Il fallait que ce soit très beau, très réussi, pour que les parents soient contents et fiers de leurs enfants. Les maîtresses inventaient des pièces de théâtre où tous les enfants avaient un rôle. Par exemple, l'année d'avant, la classe de Madame Salomon avait joué la Ronde des Heures, Gisèle Bénotet était en oiseau et moi aussi, je sais plus très bien ce que faisaient ces oiseaux dans la Ronde des Heures. Cette année, la classe de Madame Grenier ferait les Chansons de France, moi je devais jouer Cadet-Rousselle, Pierre Grenier Meunier-tu-Dors et

Gisèle Bénotet une fermière dans une chanson où il y a une fermière.

C'est un gros travail. Toute l'école est en révolution. Il faut apprendre les rôles, chanter bien ensemble, danser, et puis il y a les costumes, les décors, tout ça. Madame Salomon fait faire les costumes en classe, par les enfants, dans du papier crépon. Mais Madame Grenier veut des vrais costumes, en tissu, et alors les mamans les font à la maison, et quand c'est trop dur, comme par exemple moi avec mon Cadet-Rousselle, elles les font faire par une couturière, et dame, ça coûte de l'argent. Madame Grenier avait dit à maman que si c'est trop de dépense, madame Cavanna, n'ayez pas peur de me le dire, je sais ce que c'est, patati patata. Maman, tu penses, fière comme elle est, elle a raclé ses économies et m'a fait faire un habit de Cadet-Rousselle beau comme un soleil. J'avais une redingote verte dans un tissu brillant comme de la soie avec deux queues par-derrière, une culotte jaune, un gilet rouge, des bas blancs, des souliers neufs avec des grosses boucles dessus mais les boucles on pouvait les enlever après, c'était juste pour la Fête, et aussi un chapeau de chanson à trois cornes et un gros lorgnon avec un manche, c'est comme ça dans la chanson de Cadet-Rousselle.

J'ai joué comme j'ai pu, j'avais très peur à cause de tous ces gens qui regardaient, mais Madame Grenier m'a dit que c'était très bien, même si j'étais un peu intimidé. Après, on a fait la Photo. On s'est mis en rang en se tenant la main deux par deux, une fille-un garçon, ça a pris beaucoup de temps parce qu'il fallait que tous les enfants soient bien visibles et souriants. Je tenais la main de Gisèle Bénotet, je pensais à la photo et qu'on serait tous les deux dessus et que je pourrais la regarder tant que je voudrais à la maison, maman achète chaque année la photo avec le cadre pour l'accrocher au mur dans la salle à manger. Papa regarderait la photo bien bien, et puis il mettrait son gros doigt sur Gisèle Bénotet et il dirait :

— Sta fille-là, il est la ta counnaissance !

Et il rirait, tout content.

Quand la photo a été finie, le monsieur est sorti de sous son chiffon noir, et moi, avant de lâcher la main de Gisèle Bénotet, je l'ai serrée un petit peu dans la mienne, oh, à peine à peine... J'ai osé la regarder en face, je la verrais plus jusqu'au 1er octobre, et là j'ai vu deux grosses larmes qui coulaient de ses yeux. J'ai compris que c'était parce qu'elle serait sur la photo avec moi qui la tenais par la main, et qu'elle avait honte.

A ce moment-là, la grosse Madame Casse, celle qui fait la cantine et qui nous garde dans le préau jusqu'à tard le soir quand nos mères travaillent au loin, Madame Casse lui dit :

— Eh bien, ma petite, tu pleures ? Tu devrais être heureuse, tu es avec ton fiancé !

Gisèle Bénotet a arraché sa petite main de dans la mienne, elle a couru jusqu'à sa mère, elle s'est blottie contre sa jupe comme si elle voulait s'enfoncer dedans et elle a crié de toutes ses forces :

— C'est pas mon fiancé ! C'est un sale Macaroniiiii... !

Je m'en fous, je l'aimerai quand même toute ma vie.

A QUOI ÇA SERT ?

— Papa, pourquoi il y a des choses qui servent à rien ? Tu le sais, toi ?

On marche tous les deux le long de cette vieille route stratégique, on a dépassé le Fort, il souffle ce vent aigre qui doit me donner de bonnes joues rouges et un appétit d'ogre, c'est ce qu'a dit maman, c'est pour ça qu'on est là, ma main dans la main de papa, mais j'ai idée qu'au lieu d'obliquer à main droite vers les solitudes herbues du Fort on va continuer mine de rien jusqu'à Fontenay, on va se retrouver comme par hasard dans le sous-sol du pavillon pas fini de mon oncle Jean, à boire du vin chaud bien sucré en écoutant sans les écouter les histoires de rhumatismes de ma tante Dominique. Pour l'instant, on marche. Papa tourne et retourne ma question sous son chapeau. Il est fier d'avoir un garçon pas bête dans la sa tête, mais ce genre de garçon-là ça pose toujours des questions que même une grande personne, des fois, elle doit faire attention et bien réfléchir avant de répondre, des fois. Papa s'arrête pour me regarder bien en face :

— Qu'osse qu'il est, sta çojes-là qui servent à rien ? Mva, ze les connaisse pas, mva. Toutes i servent. Toutes. Même si tva tou le sas pas à quva qu'ï servent, les çojes, elles, i savent, les çojes.

— Quand même, il y a des choses qui servent à rien. Tiens, la saleté, par exemple, hein, à quoi ça sert, la saleté ? Ça sert à rien, à rien du tout, et en plus ça salit les chaussures. Faut tout le temps nettoyer, et après ça se resalit tout de suite, t'as beau faire attention. Tu vas pas me dire que c'est utile ! Si y avait pas la saleté, on serait vachement plus heureux, moi je trouve.

— 'Coute oun po'. La saleté, qu'osse qu'il est, la saleté ?

— Ben, c'est de la boue, quoi, de la bouillasse.

— Eh, si ! Et la boue, i fait pousser les légoumes pour nous, et même l'herbe pour les vaces et pour les moutons. Et si tou l'as pas les légoumes, et le blé, et la viande, allora tou vas mourir la faim, ecco. Fout penser dans la sa tête avant de causer.

— Mais, papa, cette boue-là, sur le trottoir, elle fait rien pousser du tout ! C'est juste de la boue, de la boue dégueulasse, et moi je vais encore me faire engueuler par maman à cause que mes godasses elles sont toutes sales.

— Pourquoi tou fas pas 'tenchion ? Mva, les mes çoussoures i sont propres pareil comme quouante qué ze souis sorti la maijon.

— Oui, mais toi t'es une grande personne, moi je suis un petit garçon, j'ai le droit. La saleté, elle a qu'à rester dans les champs et dans les jardins pour faire pousser les choses. Mais pas venir sur les trottoirs. Là, elle sert à rien, qu'à embêter les enfants et à les faire gronder.

— Ma pit'êt' qué dans sta boue-là il est des bêtes pétites, tante pétites qué les voir tou le peux pas, même 'vec les lounettes, et allora sta bêtes-là, dans la boue, i trouvent la leur pétite vie, des çojes à manzer...

— Et alors ? A quoi elles servent, tes petites bêtes, puisqu'on les voit même pas ?

— Pit'êt' qu'i servent à quoualqué çoje, mva ze souis pas savante assez pour te le pouvoir dire, ma même si i servent à rien, sta bêtes-là, elles ont le droit de vivre, i déranzent personne. Tout le monde il a le droit de vivre, Françva.

— Même les puces ? Même les rats ? Même les vipères ?

— Eh, si ! Tout le monde. Çacun i fait la sa vie coumme i peut, si qu'il a les ailes i vole en l'air, si qu'il a les zambes i court dans l'herbe, si qu'il a rien dou tout i rampe par terre 'vec le ventre, i se débrouille, quva. Mva ze souis contente savar qu'il est tellement tellement des bêtes vivantes toute partout tout autour, ça me fait plaijir savar ça, même si ze les vois pas.

— Mais si la vipère te pique, tu meurs !

— La vipère, il est faite coumme ça. Si ze la vois le primière, ze la tuve 'vec le baston, paur' bête, pourquoi mva, mourir, ze le veux pas. Ma après, ze la 'gvarde qu'il est là par terre toute morte, et ça me donne le çagrin, pourquoi mva, la morte, ze l'aime pas, mva.

— Mais les vipères, c'est méchant, papa !

— Oh, ma, no ! Qu'osse tou dises là ? Miçantes, les bêtes, il est pas. Zamais. I tuvent pour manzer quouante qu'il est faite coumme ça qué l'herbe il la peut pas digirir coumme les vaces et les moutons, o les nvasettes coumme sta bête-là qu'i saute dans les arbres et qu'il a les pvals toutes rouzes, pareil coumme ton cousin Antoine de la Marie.

— L'écureuil ?

— Sarà çvi-là, si tou le dises tva qué tou vas l'école. Ma les bêtes qui peut pas manzer l'herbe ou les nvasettes, coumme qu'i fa manzer, eh ? Bisoin qu'i tuvent les autres bêtes pour avar la viande, ecco. Pourquoi eux, le boucer, ils l'ont pas, le boucer, pour tuver les bêtes à la leur place. Nous autres, on va cez le boucer, on donne les sous, on s'en va la maijon 'vec la viande, qui c'est qui tuve les bêtes tou le sais pas, tou le vois même pas, ça te donne pas le çagrin dans le cœur, c'est coummode et bien propre.

— Mais les vipères, ça mange pas les gens, les vipères !

— No ! Pourquoi la vipère il est tante pétite et nous on est tante grandes, ma i manze boucoup les rats, les souris, les vaseaux, tout ça qu'i peut 'traper et qui peut rentrer dans la sa gueule.

— Alors, pourquoi elles nous piquent, nous, les vipères ? C'est bien par méchanceté, non ?

— Oh, ma no ! I te pique pourquoi il a peur, valà pourquoi qu'i te pique. Quouante qué tou loui marces sour la sa queue 'vec ton pied, la vipère il a peur pourquoi tva i te voit grande comme la maijon, ma il est courazeuge boucoup, et pit'êt' qu'il est oune mamma vipère qu'il a les pétites jenfants vipères, allora i te pique pour difendre les ses jenfants, ecco. Ma miçante il est pas, pas dou tout. Oun miçante, l'est oun qué fare du mal aux autres ça loui fait plaijir à loui. Ma la vipère, no, qu'il est pas miçante. C'est pas sa faute si le bon dieu l'a donné le pvason à sta bête-là, tou comprendes ?

— Oui, ben, alors, des méchants, y en a pas ? Personne est méchant ? C'est ça ?

Papa s'arrête. Il secoue la tête. Il est triste. Il a ses yeux de chien triste.

— Des miçantes, il est boucoup. Vraiment boucoup. Mais zamais les bêtes, zamais. Qué les bêtes, miçantes, i peut pas être.

— Et les gens ?

— Les zens, si. Les zens, i peut être miçantes ou pas miçantes. Ma souvent i sont miçantes. Souvent.

Papa secoue encore deux ou trois fois la tête, et puis il hausse les épaules et s'enfonce dans la bouche une solide chique pour se consoler. On marche un bout de temps en silence, chacun médite sur ces choses compliquées. J'ai pas de chique, alors je donne des coups de pied dans les cailloux. Un pissenlit jaune comme le soleil fait le faraud entre deux flaques. Papa se campe devant le pissenlit.

— 'Gvarde oun po', Françva. Tou le sai qu'osse qu'il est, çvi-là ?

— Ben, oui, p'pa. C'est un pissenlit. Mais il est pas bon à manger, il est trop vieux, c'est toi qui me l'as dit, quand ils sont en fleur il est déjà trop tard, ils sont durs, on peut pas faire la salade.

— Allora, i serve à rien. Foute-loui oun coup de pied.

— Ah, non, papa ! Il est trop beau !

— L'est beau, l'est beau ! A quoi qu'i serve, esse beau ?

— Je sais pas, moi ! Ça fait plaisir. Ça fait du bien. Je suis content de le regarder.

— Allora, si te fait plaijir le voir, i serve à te faire plaijir, valà à quva qu'i serve. Tou dépenses les sous pour aller le chinéma, qué c'est mvoins beau coumme sta fleur-là, et çvi-là tou la peux 'gvarder tante longtemps coumme tou veux et i te coûte rien, pas oun sou.

— Papa, pourquoi elles sont belles, les fleurs ? Pas toutes, mais beaucoup. Pourquoi, dis ?

— Mah... 'Coute oun po'. Mva ze me pense coumme ça dans la ma tête qué pit'êt' bien que les çojes i sont ni belles ni pas belles. C'est nous qu'on les voit coumme ça, tou comprendes ? La beauté, sara quoualqué çoje qu'il est dans la notre tête.

— Alors, les bêtes, elles, elles savent pas si c'est beau ou si c'est pas beau ? Elles s'en foutent, alors ?

— 'Coute oun po'. Cez nous, en Italie, il est boucoup sta vaseaux-là qui çantent tout la nvit, coumme tou l'appelles ?

— Ah, des rossignols ?

— Si, sara çvi-là. Quouante qui çante st'oussignol-là, toutes les zens i vient dihors pour 'couter, et l'est tellement beau, tellement beau, qué t'empêcer plorer tou peux pas. Toutes i sont là dihors et i plorent tellement qu'il est beau. Ma les ciens et les çats, eux, i plorent pas, i 'coutent même pas, i s'en fout. Et même les vaces, et même les cevals, et les moutons, toutes les bêtes i s'en fout de st'oussignol-là qu'al çante tellement beau.

— Ben, oui, quoi, ça veut dire que les bêtes elles sentent pas ce qu'est beau. Ça les intéressse pas.

— Mah... Va savar !... Mva ze dise qué pit'êt' les bêtes ils le sentent oussi qu'osse qu'il est beau, solement pit-êt' ça sara pas la même çoje coumme pour nous autres. Quouante qué ze souis habillé en dimance, 'vec le çapeau et le costoume, le cien de messieur Moreau, la Diane, qu'il est oun cien qu'il m'aime boucoup et qui me vient trouver et qui remuve la queue tellement qu'il est contente me voir, allora sta Diane-là, loui i trouve qué ze souis pas beau, i me grogne, i me fat voir les dents... Vol'dire qué loui, ça loui plaise pas, à loui, no ?

Je réfléchis à tout ça. Mais papa est lancé :

— Cez nous, en Italie, il est oun vaseau qu'il est oun voleur.

— Un oiseau voleur ?

— Si. Ze le sais pas coumme tou le'pelles en français, nous autres on dit la gazza[1]. Sta vaseau-là, i vient dans la maijon et i vole toute qu'osse qui coûte boucoup les sous, coumme les bizoux, la montre, les cvillères en arzent, enfin, bon, toute qu'osse qu'il est en or, ou en arzent, ou en diamant, ou les billets de mille lires, et il le porte toute là-vaut dans l'arbre douve qu'il est le son nid. Et si tou mettes les çojes dans le tirvar et qué tou fermes 'vec la clef, allora i se prende la colère, sta vaseau-là, i cerce la clef toute partout dans la maijon zousqu'il la trouve, ou si tou gardes la clef dans la poce, allora i te pique dans la tête 'vec le bec, i te pique dans la figoure, i te veut crever les yeux zousqu'à tou loui donnes la clef à loui pour qu'i peut ouvrir le tirvar. L'est oun vaseau coumme ça. Et si tou vendes les cvillères en arzent et qué tou l'açètes les cvillères en fer, allora loui i te fait oun grosse caca sour sta cvillères-là et i casse tout dans la maijon. Allora, qu'osse tou n'en penses, tva, de sta vaseau-là ? Loui, il le sait qu'osse qu'il est beau, no ?

Là, il m'a épaté, papa. Vachement. Je le regarde du coin de l'œil. Sérieux comme pas un, papa. Je dis, prudent :

— Je vais demander au maître si c'est vrai.

— Come, si c'est vrai ? Bien soûr, qué c'est vrai !

1. Gazza : la pie.

Demande à tout le monde qu'osse qu'il est la gazza ladra, toutes i te le diront qu'il est coumme ça !

— Papa, pourquoi c'est pas beau, la boue sur les chaussures ?

— Pourquoi la boue, il est sale. Et oun qu'il a les çoussoures sales, il est oun fignant.

— Moi, je trouve que c'est beau.

— Pit'êt' t'as raijon. Oun il aime le rouze, oun il aime le bleu. Oun il aime les çoussoures propres, tva tou les aimes sales. Sta çojes-là i se discoutent pas. Ma t'es pas toute sole au monde, fout voir cosse qu'i disent les autres, et si tout le monde i dise qué t'es sale et qué tva toute sole tou dises qué c'est beau, tou te faras rigoler par-derrière.

— Alors, comme ça, pour savoir si quelque chose est beau, faut d'abord demander aux autres ? Et si moi je trouve pas beau ce que eux ils trouvent beau ? Tiens, la patronne de maman, elle a fait tondre son petit chien. Avant, il avait plein de poils frisés tout partout, il était très beau, je l'aimais bien. Maintenant il est tout rasé avec juste une touffe de poils sur la tête, une autre au bout de la queue, une à chaque patte et aussi autour de la moustache. Moche comme tout ! Et con, et ridicule ! Il a pas l'air d'un chien naturel, il a l'air, je sais pas, moi, d'un truc en peluche, d'un chien de cirque... Et je suis sûr qu'il le sait, il a honte, il ose même plus aboyer... Et les arbres de la place de la Mairie, t'as vu, ils les ont taillés en boules et en machins pointus, c'est moche, c'est dégueulasse ! Et c'est triste. Un arbre naturel, c'est beau, non ? Pourquoi faut toujours qu'ils esquintent tout ?

Papa rit.

— Eh, c'est leur idée coumme ça !

— Mais c'est moche ! C'est des idées de vieux cons ! Si les gens veulent que les arbres aient l'air d'être en tôle, ils ont qu'à en faire des en tôle plutôt que de faire souffrir des vrais arbres en arbre ! Et les chiens, ils ont qu'à en acheter des en peluche ! Tu crois pas ?

— 'Coute oun po'. Les ciens, i s'en fout, i se voient pas, les ciens. Toute qu'osse qu'i veut, c'est esse 'vec son patron, ecco. Dou moment qué le son patron il est là 'vec loui, le cien il est contente. Et le patron oussi il est contente quouante qu'il est 'vec le son cien. Sont contentes toutes les deux, allora, ça va ! L'est oun miracle qu'il esiste les ciens.

— Oh, oui, p'pa ! Ça, c'est vrai ! Si y avait pas les chiens, et aussi les chats, qu'est-ce que ça serait triste, la vie, merde ! Quand je serai grand, j'en aurai plein.

— Tou vois, Françva, les bêtes, elles nous font oun grand cadeau. Tou 'mazines, si qu'i serait pas les bêtes ? Ze le veux même pas penser ! Rien que ça, les bêtes, ça ferait crvare qu'il esiste le bon dieu. Il est des zens, i disent comme ça qué le cien, il a pas la fierté pourquoi quouante qué tou le battes 'vec le baston loui i t'aime encore pareil qu'avant et i te lèce la main. Ma c'est eux, vi, çvi-là, qui sont bêtes, pourquoi i se pensent qué la tête du cien elle est faite en dedans comme la leur tête à eux, 'vec la méçanceté, la venzeance, toutes sta çojes mouvaises qu'ils ont eux. I peuvent pas comprendre qué le cien, il est bon, tellement bon qué les zens i peuvent pas esse bons pareil coumme ça. Ma les miçantes i peut pas crvoire la bonté. Pour eux, la bonté, c'est solement la bêtise et la lâceté, ecco.

Il me vient une idée.

— Dis, papa ?

— Qu'osse tou veux ?

— Tu crois pas que les bêtes c'est des anges ?

— Ma qué janzes ?

— Tu sais, les anges, avec les ailes, qui sont tellement gentils, mais qu'on voit pas ?

Papa me met la main sur l'épaule. Il y a une lumière dans les sacrés yeux bleus. Ça a l'air de lui plaire, mon idée.

— Pit'êt' bien... Pit'êt' bien... Il est deux çojes solement qui poutraient esse des janzes, pourquoi i sont tout à fait innochentes : les bêtes et les pétites jenfants... Ma les jenfants, i vient grandes, et allora i sont miçantes, zalouses, tout ça, coumme les autres, pas toutes, ma tou peux pas savar. Les bêtes, eux, i restent innochentes touzours, touzours, toute la vie.

— Même les vipères, c'est peut-être des anges ? Même les crapauds, même les araignées, même les tigres, même les crabes, même les baleines...

Je suis très content de mon idée. Je fais défiler tous ces anges l'un derrière l'autre à la queue leu leu, ils tournent la tête vers moi et me sourient au passage, et ils me font un clin d'œil, tout contents que j'aie compris leur vraie nature, et en même temps ça veut dire que c'est un secret entre nous, si les autres savaient que les animaux sont les anges ils les tueraient avec encore plus de plaisir, tu parles : « T'as été à la chasse ? » « Oh, ouais, vise un peu tous les anges que j'ai descendus ! » D'accord, je dirai rien.

— Faut pas le dire, hein, papa.

— Quva ?

— Que les anges, c'est les bêtes.

— Ma, no ! Mva, ze dise rien personne, mva.

La main de papa est chaude autour de la mienne. Une grande toile d'araignée tendue entre deux branches m'oblige à baisser la tête, l'araignée court, suspendue entre ses pattes à ressort, et va se cacher dans un coin, ça fait trembloter des gouttes de pluie prises dans la toile, le monde est tellement beau que j'ai envie de pleurer, comme les Italiens du village de papa quand ils écoutent le rossignol. J'ai jamais entendu chanter de rossignol. J'ai jamais vu de baleine. Le rossignol et la baleine sont dans mon cœur, avec l'araignée, avec l'oiseau voleur, avec la vipère, avec le chien, avec le chat, avec le pissenlit, avec le ciel et les étoiles. Avec papa. Pour toujours.

MAMAN JEUNE MARIÉE

Comment papa et maman se sont connus, ils me l'ont jamais dit. Même entre eux ils en parlent jamais. Il aurait peut-être suffi que je demande, mais voilà, ça m'est pas venu à l'idée. Ils sont là, comme le soleil est là-haut, comme mes jambes sont sous moi, c'est comme ça, je les ai toujours vus là, est-ce qu'on se demande pourquoi les choses sont comme elles sont ?

Des fois, quand même, je remarque des choses. J'en entends, aussi. Quand maman pleure, ou quand elle parle tout haut dans la nuit. Des choses qui donnent à penser. J'entrevois un ratage terrible, comme dans les romans tristes, un ratage qui ne s'arrangera jamais. J'ai le cœur serré, j'ai envie de pleurer, je me sens coupable, de je ne sais quoi mais coupable, quand j'étais plus petit j'avais peur, j'avais envie de courir jusqu'au lit-cage où dort maman, de la prendre dans mes bras et de lui dire « Maman, maman, ma petite maman, ne pleure pas, je suis là, ne pleure pas, je t'en supplie ! » J'avais envie, pourtant je restais là, ma peur était plus forte, je me blottissais contre le dos de papa, le grand large dos de papa, j'enfonçais mes genoux pointus dans le pli de ses jarrets, je m'encapuchonnais la tête sous les couvertures pour ne plus entendre cette voix qui me faisait peur mais qui, surtout, me disait que ma mère était malheureuse, et je voulais pas avoir peur, je voulais pas être malheureux parce qu'elle était malheureuse, je voulais pas m'en mêler, je sentais au fond de moi que si l'on met le bout du petit doigt dans la gueule du malheur il vous dévore tout entier, et alors je m'enfonçais dans papa jusqu'à ce qu'il cesse soudain de ronfler et me grogne :

— Ma valala !

Les « Valala ! » de papa ramenaient toutes choses à leur vraie dimension. « Valala », ça voulait dire que la nuit est faite pour dormir, qu'hier a été dur, que demain sera encore pire, et que tout le reste n'est que vague à l'âme de bonne femme qui ne sait pas se contenter de la vie telle qu'elle est.

Plus tard, j'ai tout compris. Enfin, l'essentiel. Les détails ne sont que détails. Les lambeaux se complétaient tant bien que mal.

*

Les premiers temps de son mariage, maman, le dimanche après-midi, sa maison en ordre et sa vaisselle lavée, s'habillait pour sortir. J'ai vu une photo. Elle était très jolie, maman, très Parisienne. Elle portait un tailleur à la mode, des gants en dentelle, des bottines à talons et un chapeau très chic. On la reconnaît tout à fait bien, malgré les années et les chagrins, avec cette bouche un peu moqueuse — un peu sur ses gardes, la même qu'ont mes oncles et mes tantes Charvin. Un petit visage de chat sauvage aux gros sourcils toujours prêts à se froncer. Pas commode, non... Je me demande comment papa a trouvé le courage de s'y frotter... Et donc le dimanche elle se faisait belle, se mettait un peu d'eau de Cologne sur le mouchoir, prenait son sac à main et disait à papa de l'emmener faire une promenade, c'est comme ça qu'elle voyait le mariage dans ses rêves de petite fille, on a bien travaillé toute la semaine, alors le dimanche on se fait beau et, bras dessus bras dessous, on va faire une promenade.

Papa, c'est sûr, ronchonnait. Elle l'avait forcé à se laver, à changer de linge, à mettre le costume. Son costume de mariage, qu'elle lui avait acheté avec ses économies à elle. Elle lui avait ciré ses bottines fines, avait brossé costume et chapeau, lui avait fait le nœud de cravate. Lui s'était laissé habiller en grognant des « Valala ! », je le vois d'ici. Elle, sans se laisser rebuter. Ne voyant pas, ne voulant pas voir, qu'elle l'emmerdait prodigieusement. Les voilà partis.

Maman, toute fiérote au bras de son homme. C'est qu'il avait de l'allure, papa, j'ai vu des photos. Se promener, à Nogent, c'est le Bois de Vincennes, ou les bords de Marne, ou le Fort. Un triangle. Tu choisis quel sommet. Tous aussi loin du centre, du vieux Nogent pouilleux blotti au pied de son clocher, là où grouillent les nids de Ritals. Papa, le bon air, tu parles, il l'avait toute la semaine sur l'échafaudage. Marcher pour marcher, ça lui paraissait pas la récompense rêvée pour un qui s'est coltiné des sacs de plâtre sur des échelles à pic. Il ronchonnait, ça c'est sûr, il ronchonnait de plus en plus. Et puis, il aurait bien voulu chiquer, mais devant maman, oh là là, pas question.

Au Bois, qu'est-ce qu'on fait, quand on n'a rien à faire ? On regarde les canards, on regarde les joueurs de boules, et puis on revient. On peut aussi faire un tour en barque, mais je vois mal papa dans le rôle du canotier galant. Et puis, quand t'as fait une fois un tour de lac, tu les as tous faits.

Papa devait tirer de sa poche, de la poche du costume des dimanches, des os de poulet qu'il y avait subrepticement glissés pour quelque chien de rencontre, et justement voilà un chien.

— Tiens, mon Pataud, l'est pour tva ! T'es contente, eh ? Dis-le, que t'es contente ! Valà. Ouh, ma, l'est oun bel Pataud, çvi-là !

Maman, les chiens, elle a rien contre, mais, là, les os dans la poche, je suis sûr que ça lui faisait pas plaisir. Je suis sûr aussi que papa, à un moment ou l'autre, finissait par se carrer une bonne grosse chique dans la joue et à cracher droit devant lui de fulgurants jets brun-rouge, et ça, évidemment, marquait la fin de la jolie promenade élégante des jeunes mariés. Maman plantant là l'indécrottable, filant droit chez elle, la tête bien droite et les yeux pleins de larmes. Peut-être même, alentour, ricanements et éclats de rire.

Je vois aussi papa proposant à maman d'aller prendre un rafraîchissement, maman tout émue se souvenant de son heureux âge, des temps où, petite bonne sans souci chez des bourgeois du XVIe, elle allait avec la femme de chambre et la cuisinière prendre une glace à la terrasse d'un café fleuri... Elle se retrouve dans un bistrot d'Italiens, noir bouiboui au fond d'une noire sentine, assise bien droite sur l'extrême bord d'un banc épais, suffoquant dans l'épouvantable puanteur des cigares toscans tordus comme des doigts de rhumatisants, les yeux rivés à son verre de limonade-grenadine —

c'est ça ou du vin rouge — pour ne pas rencontrer les regards effrontés des jeunes gars au sang bouillant — croiser le regard, c'est consentir —, et papa lui tournant le dos, papa qui joue à la scopa ou à la briscola, qui démolit la table de terrifiants coups de poing pour abattre sa carte, et qui hurle ces choses qui traditionnellement se hurlent. Des Italiens jouant aux cartes, il faut avoir vu ça : c'est l'émeute, c'est la guerre, c'est la haine, la rage, le désespoir, les cheveux arrachés à poignée, la mère de Dieu plongée et replongée dans les fosses d'aisances de tous les bordels du monde, tout ça en dialetto, évidemment.

Maman là-dedans, bien droite à son bout de banc, seule femme en ces lieux à part la serveuse — la femme italienne ne va pas au bistrot —, souriant poliment quand un nouveau venu lui dit « Bonzour, madama Louvi », ou, ça arrive, « Bonzour, madama Vidgeon ». Comme ça jusqu'à ce que le jeu s'arrête parce qu'il est l'heure de la soupe largement passée et que « doumain, il est pas dimance, doumain ».

Et quand soudain, va savoir pourquoi, ils se mettent à chanter, tous ensemble, les yeux dans les yeux, à voix formidables, très attentifs à ce que ce soit parfait — un Rital ne supporte pas la moindre erreur, la plus légère dissonance —, ces chants paysans tellement peu français, aux harmonies hardies et disciplinées où alternent clameurs et roucoulements, dans cette langue « de sauvages » dont elle ne comprend pas un mot, comme elle doit se sentir seule, ma maman, comme elle doit sentir qu'elle est de trop... De trop comme femme dans cet antre de mâles, de trop comme Française, de trop comme épouse qui colle au cul de son mari et lui fait honte devant les copains.

Je vois même ces sinistres dimanches s'achever

par d'horribles rentrées. Papa bourré, titubant de mur à mur dans les ruelles étroites, chantant, hoquetant, dégueulant sur le beau costume, maman morte de honte mais s'obstinant à le relever, l'appuyant sur elle, si frêle, car abandonner son homme dans le caniveau serait une honte pire. Maman à travers ses larmes :

— Allons, Louis, appuie-toi sur moi. A-t-on idée de se mettre dans des états pareils ! Allons, viens, maintenant.

Et papa, tonitruant ses « Ma valala ! », envoyant promener l'emmerdeuse et, les étages grimpés, redégringolés puis regrimpés à grand fracas, s'affalant sur le lit, sur la jolie courtepointe, cadeau d'une patronne, avec ses souliers empoissés d'ordure, et ronflant aussitôt, le chapeau sur les yeux.

*

Pourquoi, alors ? Pourquoi ce mariage ? Elle savait où elle allait, papa n'est pas le genre de type à avoir fait le joli cœur et le civilisé juste le temps d'amener la fille devant le maire et le curé, il aurait été bien incapable et du calcul, et de l'exécution. Non, je pense qu'elle savait où elle allait mais qu'elle se croyait assez forte pour gratter la croûte et faire de cette belle brute, au demeurant un garçon gai et bon, un cavalier accompli. Pari perdu d'avance. Il aurait fallu arracher papa à son milieu de montagnards rugueux, à ses grossiers plaisirs, à ses habitudes de célibataire insoucieux. Les Ritals vivaient en ghetto, venaient tous de la même vallée, travaillaient tous dans le bâtiment, en somme n'avaient jamais quitté leur village, qu'ils trimbalaient partout avec eux. Pour la plupart illettrés, baragouinant à grand-peine le français, ils n'avaient de chance de trouver du travail et un logement que chez des entrepreneurs et des propriétaires qui avaient été, *là-bas*, leurs copains d'enfance. Papa était bien le plus rital de tous les Ritals, le moins capable d'évoluer. Et puis, il n'était plus tout jeune, il avait quarante ans sonnés lorsqu'ils s'étaient connus, les habitudes du vieux sanglier s'étaient faites aussi coriaces que la corne de ses gros doigts. Maman s'y est cassé les dents, c'était fatal.

Je crois avoir compris que maman a connu dans sa jeunesse un grand chagrin d'amour. Quelque chose de lié à la guerre. C'était l'époque où les fiancés prenaient le train à la gare de l'Est, la fleur au fusil, et ne revenaient plus. La boue de l'Argonne les avait mangés. C'est peut-être l'explication. Maman fiancée inconsolable, domestique en « grande maison », et la brave laveuse à domicile, italienne, qui la prend en pitié et lui présente son frère, papa, donc, qu'elle voudrait bien voir casé. Maman, avec son goût pour l'impossible, ce sacré orgueil qui la ferait crever sur place plutôt que renoncer, se lance. Et pourquoi pas, quand il n'y a plus que le désespoir ? Et voilà...

Si maman était restée la petite pauvresse nivernaise qui gardait les cochons et « pieuchait les truffes », ça aurait peut-être pu coller. Après tout, les gars de par là-bas sont bien aussi glaiseux que papa, le grand cœur en moins. Mais maman avait été placée toute jeune « en maison bourgeoise » à Paris, elle y avait appris les belles manières et, comme dit ma tante Dominique, « elle s'estimait au-dessus de sa condition ». Une fois mariée, elle n'était plus la soubrette coquette et fiérote qui prenait modèle sur ses patrons, le ghetto rital l'avait happée, elle était devenue femme de ménage et laveuse à domicile, comme les paysannes à fichu noir dégringolées de l'Apennin aride et vomies par la gare de Lyon sur le pavé de la banlieue Est.

Son insatiable besoin d'aimer, son besoin, surtout, de créer, de façonner de ses mains, maman l'a reporté sur moi. Son fils. Son cadeau du ciel. Maman n'a eu qu'un grand amour dans sa chienne de vie : moi. Elle avait son fils, elle n'avait plus besoin de rien d'autre. Je n'ai pas de frères ni de sœurs. Je pense que, aussitôt ma naissance assurée, elle a laissé à papa le grand lit et s'est exilée dans le lit-cage, mécanique hideuse et sournoise qu'il faut replier chaque matin en se pinçant cruellement les doigts et repousser, sur ses quatre ridicules roulettes au bout de ses pattes de poule, contre le mur, pour pouvoir circuler dans le logement.

J'ai été l'amour fou de maman. Je dis « j'ai été » et pas « je suis », car un jour j'ai cessé d'être un petit enfant. Si toute passion est vouée au désespoir, l'amour maternel devenu passion est la plus désespérée de toutes, les temps venus. J'étais sa consolation, sa raison de vivre et sa fierté, la fleur qu'elle faisait pousser sur le fumier de la rue Sainte-Anne (je suis sûr qu'elle se parlait comme ça dans sa tête, elle était très roman-feuilleton). Il fallait que je sois le plus beau, le plus coquet, le mieux tenu.

— Qué le vostre Françva, on dirait qu'il est oun fils de rice, madama Louvi ! Qué ça se voit bien qué vous avez qué çvi là, pourquva quouante qu'i sont boucoup, les enfants, ça se pot pas les fare toutes tante belles comme ça, pourquva l'arzent, i pousse pas sour les arbres, l'arzent, et il est milior aceter la poulainte coumme d'aceter i zabits. Qué la poulainte, i remplisse le ventre, la poulainte[1]. Ma pit-êt' qué des sous vous en gagnez plous coumme nous aut', madama Louvi, pourquva vous travaillez, tout la zournée et même la svar, qué nous aut' paur' femmes on pot pas, pourquva quouante qu'il est boucoup les enfants la femme i doit rester la maijon, allora valà : les enfants, i te coûtent cer nourrir, et en plous i t'empêcent aller gagner les sous. Oïmé[2] !

Maman, tout ça lui était hommage. Elle me menait à la crèche des sœurs de la rue Cabit, pleurait en se séparant de moi, accablait la bonne vieille sœur Emmanuelle de recommandations, me reprenait le soir avec une avidité de louve, comme si tout au long de la journée elle n'y avait pas cru, à son enfant merveilleux, comme si, se réveillant d'un cauchemar, elle retrouvait la certitude vivante de mon existence. Elle sentait la poussière figée par la sueur, l'encaustique, le savon et l'eau de Javel. J'aimais cette odeur, c'était l'odeur de maman. Moi aussi j'avais eu peur de l'avoir perdue, j'avais pleuré très fort. Elle m'emmaillotait dans une couverture et m'emportait dans ses bras comme une voleuse, elle me serrait contre sa poitrine, elle me disait « Mon trésor, ma beauté », elle courait vite vite dans la nuit d'hiver me mettre à l'abri, ses pas claquaient sur le pavé, elle n'avait même pas pris le temps de se changer, elle avait encore aux pieds ses sabots de lessive.

A deux ans, les enfants de pauvres entraient à la Maternelle. Ils y apprenaient à danser des rondes, à faire des ouvrages de papier tressé et de perles

1. La poulainte : la polenta (bouillie de semoule de maïs). Prononciation piacentine.

2. « Oïmé ! » : contraction de « Guai a me ! » « Malheur à moi ! Quel malheur ! »

enfilées, à dessiner des chats assis sur leur queue et, dès qu'ils avaient quatre ans, à tracer des rangées de bâtons. A six ans, ils savaient à peu près lire et écrire, ils faisaient des petites dictées, des additions en comptant sur les doigts et même des soustractions à plusieurs chiffres — je pose deux, je retiens un — qui sont vachement difficiles, tiens ! Maman me menait le matin à l'école, boulevard Galliéni, avant d'aller à son travail, et revenait me chercher tard le soir, l'école maternelle avait une garderie pour ces cas-là.

Bien sûr, là encore il fallait que je sois le plus beau. Et voilà que je m'étais mis à être le plus intelligent, celui qui travaillait le mieux ! Confirmation du Ciel ! Maman était fière, fallait voir. Mais pas surprise. Pas du tout. C'était tout naturel : j'étais son fils. Elle avait toujours su qu'elle était vouée à un amour extraordinaire. Jusque-là, elle s'était trompée. Trompée de destinataire, trompée d'amour. Cette fois, enfin, sa certitude était confirmée, sa longue attente récompensée. Elle comprenait tout. Ses déceptions, ses chagrins n'avaient été que mises à l'épreuve. Elle avait tenu le coup, elle s'était montrée digne. Son fils la vengeait de tout. Elle savait pourquoi elle vivait. Elle serait adoration et dévouement. J'ai été le dieu de maman.

*

Je me souviens d'une fête. Une Fête-Dieu, je crois. Ce jour-là, il y a procession dans les rues avec bannières, encens, cantiques, et aussi — est-ce une tradition locale nogentaise ? — des petits enfants, vraiment tout petits, qui jettent à poignée sur la foule des pétales de roses. J'avais trois ou quatre ans, j'étais un de ces enfants. Maman m'avait tout vêtu de blanc, chaussettes blanches, sandales blanches, col de dentelle, on m'avait posé sur les cheveux, que j'avais alors blonds et bouclés, une couronne de roses, on avait pendu à mon cou par un ruban un petit panier plat en osier garni d'une espèce de tissu blanc brillant, peut-être bien du satin. Ce panier était rempli de pétales de roses. J'y puisais tout en marchant les pétales que j'étais censé semer à larges gestes. Je me souviens surtout de l'abominable peur qui me tordait le ventre. Les chants lourdement scandés — « Sauvez, sauvez la France, au nom du Sacré-Cœur ! » —, l'enivrante fumée de l'encens submergeant le parfum des roses, les immenses bannières avec leurs franges dorées oscillant tout là-haut, et cette foule partout autour de moi, cette forêt de jambes de pantalons comme des troncs serrés serrés qui ne laissaient rien voir au-delà, et m'enserraient, et m'étouffaient... Je me suis mis à pleurer, à hurler, à appeler maman. Je ne la voyais plus, j'étais perdu, le monde méchant m'avait dévoré... Du coup, les autres enfants, jusque-là figés et bien convenables, se sont rendu compte qu'ils avaient peur, eux aussi. Tous se sont mis à hurler, à pleurer, à morver, à appeler leur mère. Les jolis paniers furent piétinés, les mères se précipitaient. La mienne était là la première, elle ne s'était jamais trouvée bien loin, un mètre à peine, j'étais trop petit pour la voir, elle m'avait accompagné pas à pas, extasiée, j'étais plus beau que l'Enfant Jésus mais elle ne me laisserait pas clouer sur une croix, elle, oh non ! Déjà j'étais dans ses bras, elle m'emportait comme si elle m'arrachait aux flammes d'un incendie, et moi je me cramponnais à son cou, je hoquetais mes derniers sanglots, plus jamais je n'aurai aussi peur, quoi qu'il puisse m'arriver.

Chaque fois que je sens l'odeur des roses, chaque fois, aussitôt, aussitôt j'ai trois ans, c'est la Fête-Dieu, mes doigts plongent dans les pétales de mon petit panier et quelque chose d'horrible va m'arriver. Ça ne dure pas, juste un éclair, mais cette peur de je ne sais quoi me mord jusqu'à l'os.

*

— Vous le gâtez de trop, vot' fils, madama Louvi. Il est pas bon gâter les enfants. Qué après, i sont bitoués la belle vie, allora i veut plous travailler, i dit comme ça qué la terre il est troppe basse et qué la pelle il est troppe lourde. Les enfants, faut les dresser, pourquva la vie il est pas des roses, madama Louvi.

— A qui le dites-vous, madame Draghi ! Si y a quelqu'un qui le sait, que c'est pas des roses, c'est bien mes pauv' bras. Mais justement, je veux pas que mon fils connaisse la misère comme moi je la connais. Je veux qu'il ait un métier un peu plus intéressant que de faire le maçon. N'ayez pas peur, je le dresse, je le laisse pas à rien faire, même qu'il m'aide bien à la maison. Et j'ai encore quelque chose à vous dire : mêlez-vous donc de vos affaires. Et toc !

Maman disait « Et toc ! » Et quand ensuite elle racontait la conversation, elle ne manquait pas de conclure : « Et toc ! Tel que. Elle en est restée : bleue. »

C'est que si on la cherchait, dame, on la trouvait, maman. Surtout si l'on s'avisait de critiquer sa façon d'élever son fils. D'ailleurs, elle ne me « gâtait » pas. J'étais toujours bien propre bien coquet, c'est vrai, j'emportais pour mon quatre-heures dans mon petit panier un petit pain au lait et une grosse tablette de chocolat avec de la crème dedans, verte ou rose, la crème, et aussi une banane, alors que les autres n'avaient qu'un quignon de pain et deux morceaux de sucre, ou parfois un carré de gros chocolat tout noir. A part ça, je menais une vie beaucoup plus laborieuse que la plupart de mes petits copains. Sans parler des commissions, du charbon à remonter de la cave sitôt que j'ai été assez fort, maman m'obligeait à l'aider au ménage le dimanche matin, à laver par terre, à astiquer les casseroles en cuivre — sa fierté ! —, à frotter les couteaux à la poudre rose avec un bouchon pour ôter le noir que si tu l'enlèves pas tout de suite ça devient de la rouille qui dévore la lame, à mettre le couvert, à essuyer la vaisselle, à tordre les draps sortant de la lessive, à les plier pour les ranger dans l'armoire... Pendant ce temps-là, j'entendais les autres gosses jouer dans la rue, ça gueulait à voix aiguës, ça cavalait grosses galoches, ça tapait dans des ballons, ça embêtait les filles qui couinaient « Je vais appeler maman, tu vas voir si je le fais pas, tiens ! Maman ! Maman ! », ça jouait aux billes, ça se tabassait, ça dansait des rondes... Je trépignais de ne pas y être, moi. Et maman qui se félicitait :

— T'es-t'y pas mieux là avec moi que de courir dans ces caniveaux dégoûtants pleins de pisse avec tous ces petits chieux pour attraper des vilaines manières et des maladies ? Dis-le voir que t'es bien mieux là avec moi.

Je disais « Oh, oui, m'man ! » et j'avais qu'une idée en tête : dès qu'elle tournerait le dos, me faufiler par la porte et dégringoler les trois étages. J'étais pas le moins enragé de la rue.

*

Je découvrais jour après jour que la vie est une chose terriblement dangereuse et que si t'en réchappes t'as bien de la chance. En plus, il faut faire drôlement gaffe, toujours, à chaque instant, mais si t'as pas la chance t'auras beau faire t'auras beau, elle t'aura, la salope.

Par exemple, la maladie. C'est vachement difficile à éviter, la maladie, presque impossible. La plus terrible, c'est le chaud-et-froid. Celui-là, il te guette partout, toujours prêt à te sauter dessus, l'été parce qu'il fait tellement chaud, l'hiver parce qu'il fait tellement froid, et entre les deux parce que les changements de saison y a rien de plus traître. Si je renâclais pour mettre un cache-nez, maman me citait la triste histoire du mitron du boulanger de la Grande-Rue, un garçon pourtant rouge et costaud, on lui aurait acheté sa santé, eh bien, pas plus tard que l'autre jour il était sorti un instant sur le pas de la porte, il fait tellement chaud dans le fournil, n'est-ce pas, alors il est venu prendre l'air, oh, à peine une minute, à peine à peine, il était en sueur, crac, aussitôt il a senti le chaud-et-froid lui tomber dessus.

— Il est tombé par terre ? je demande.

— Oh, pas tout de suite ! Le chaud-et-froid, ça va pas si vite que ça. Mais il a bien senti qu'il lui était rentré dans les os, il est retourné dans le fournil, il a dit « C'est drôle, je me sens tout chose », dans la nuit la fièvre l'a pris, plus de quarante, quand on m'a dit ça je me suis dit en moi-même « Mon pauv' vieux, te v'là bien mal parti ! » et je m'étais pas trompée : le docteur a dit qu'il a une belle congexion pulmonaire, y a rien de plus mauvais au monde, si t'en meurs pas tu restes poitrinaire jusqu'à la fin de tes jours.

Et donc il faut toujours porter une flanelle à même la peau, sous la chemise, ça te gratte la couenne mais, contre le chaud-et-froid, y a rien de plus souverain... Et aussi avoir toujours une petite laine à portée de la main, t'es pas obligé de la porter si t'as trop chaud, mais suppose que tu te mets à transpirer et qu'il y a un courant d'air, tu seras bien content de la trouver, ta petite laine, que la transpiration gelée y a rien de plus mauvais, ça te donne la fluxion de poitrine.

Rien que le nom, j'avais la fièvre...

Je connaissais pas la vérole, pas encore, ni la chaude-pisse, ces désastres d'en dessous de la ceinture n'accaparaient pas nos conversations de la Maternelle, et c'est pas à la maison qu'on m'aurait renseigné. Le chaud-et-froid aux dents verdâtres suffisait à me terroriser. J'oubliais d'ailleurs l'ordre des événements, il fallait que je recalcule à chaque fois dans ma tête si c'était avoir froid d'abord et chaud après qui vous envoyait au tombeau ou bien l'inverse. J'essayais de me rappeler papa qui répétait, sentencieux :

— Le froide et le çaude, çvi-là, vi, qu'il est bon. L'est le çaude et le froide qu'il est la morte. Fout fare bien 'tenchion. Ecco.

Au moindre signe de rhume, maman me posait les ventouses. Toute l'année elles attendaient que revienne l'hiver, les suceuses de sang, elles guettaient leur proie depuis le haut de l'armoire, tapies dans un carton à chaussures comme des vampires dans leur cercueil. J'avais très peur des ventouses. C'est pas que ça fasse mal, ça serait même plutôt chouette cette sensation de gros suçons sur ton dos, mais il y a les préparatifs, solennels comme une veillée funèbre. La bougie allumée, les petits cotons tout prêts au fond des ventouses de verre bien alignées, la teinture d'iode pour barbouiller le dos après, et moi, appuyé sur les coudes, tendant mon dos nu et suppliant :

— C'est pas la peine, m'man, je tousse déjà presque plus... !

— Si ça te fait pas de bien, ça peut pas te faire de mal. Qu'est-ce que tu dirais si c'étaient des escarifiées !

Elle m'avait un jour décrit les ventouses « escarifiées », avec cette saloperie de lame de rasoir à l'intérieur qui te coupe la peau en croix, tchiac, à la vitesse de l'éclair, et le gros sang noir qui jaillit de l'enflure congestionnée... Une boucherie.

— Ah, t'en avais pas besoin ? triomphe maman. Et comment, que t'en avais besoin ! Elles sont toutes noires ! C'est ça qui va te faire du bien ! Plus elles sont noires, plus c'est le mal qui sort.

Il y avait plein d'autres maladies terrifiantes, moins quand même que le chaud-et-froid assassin. Par exemple, la descente d'estomac. Quand, disons, t'as dévoré d'un seul coup la grosse cocotte en chocolat avec dedans les plus petites cocottes et les œufs de toutes les couleurs qu'on t'a donnée pour Pâques, quand tu t'es goinfré tout ça, eh bien, t'as l'estomac descendu. Ça veut dire que ça te fait comme un cheval qui serait assis sur ton estomac, un gros cheval, lourd, lourd, et en même temps t'as envie de rendre, t'as très mal à la tête et maman s'écrie « Mon Dieu ! Mais qu'est-ce que tu as ? Tu es tout vert ! Je parie que tu me fais encore une descente d'estomac... »

La descente d'estomac, c'est comme ça : ou bien tu vomis tout le chocolat, ou bien il faut appeler le docteur Ricci. J'avais une trouille panique de vomir. J'étais sûr que mourir est moins pire. Quand, après d'épouvantables minutes, l'estomac enfin se retournait, l'horrible flot acide qui me balayait la bouche et le nez d'arrière en avant, l'horrible flot au puissant goût de chocolat, de chocolat devenu infect et puant, me bouleversait d'horreur et me faisait vomir, si bien que, le vomi appelant le vomi, je me disais avec épouvante que ça ne finirait jamais, de spasme en spasme, comme ça jusqu'à la fin des temps ou plutôt jusqu'à ma mort, car au bout de tout ça il ne pouvait y avoir que la mort.

Pour les descentes d'estomac, les mères ritales savaient ce qu'il faut faire. Il faut emmener l'enfant chez la vieille qui sait les Paroles. Elles ne disaient pas « la strega », la sorcière, il y a des mots qui ne se prononcent pas. La vieille pose une image bénite sur l'estomac douloureux, elle fait les Signes, elle marmonne les Mots, elle trempe le bout de son doigt dans un peu de Fernet Branca et le passe sur les lèvres du gosse, qui fait « Pfff ! » et crache violemment, et puis elle dit en dialetto : « Va-t'en. Tu es guéri. » La mère dit : « Tou recoummenceras manzer des çojes qui fout pas ? » ou bien « ... manzer troppe vite pour aller zouer 'vec les tes coupains ? » Et puis « Dis merchi alla signora. » Le gosse disait « 'rci, m'dame ! » et courait rejoindre la bande, guéri. Mah !...

Il y avait encore la paralysie enfantine qui te fait un bras ou une jambe tout petits qui grandissent pas, la maladie qu'a pas de nom — on dit seulement, à voix basse, « Il s'en va de la poitrine », en hochant la tête —, la maladie du sang qui se tourne en eau, la maladie des femmes qui saignent blanc au lieu de saigner rouge — celle-là aussi, on en parle en baissant la voix —, la gourme qui te fout des croûtes dégueulasses plein autour de la bouche, le croup, mais celle-là, on s'en fout, on est tous vaccinés à l'école, et encore la maladie du sang trop fort, la maladie du vin blanc qui te donne la tremblote, la maladie d'être malade du cœur que tu peux t'écrouler d'un seul coup dans la rue, plâf, même en plein devant l'autobus, mais ça, c'est des maladies de vieux, ça, ça nous fait pas peur, on sera jamais vieux, nous, faut être con pour être vieux, voilà ce qu'on se dit.

Ah, il y a encore la maladie du clou rouillé. Celle-là, elle est terrible, celle-là. Tu marches sur un vieux clou tout rouillé, déjà que ça fait vachement mal, et après, quand c'est cicatrisé que t'y penses même plus, voilà ton sang qui devient du poison, un empoisonnement du sang ça s'appelle. Rien qu'un tout petit peu tout petit peu à peine à peine de poison dans ta bouche tu tombes raide mort, alors imagine, tout ton sang en poison, t'es plein de poison des pieds à la tête comme un sac plein de poison, c'est ça qui fait peur, tiens ! Les clous rouillés, il faut faire très attention, toujours bien regarder par terre quand on marche. Si tu marches dessus sans faire exprès parce qu'il était caché dans la poussière, alors, là, c'est pas ta faute, mais n'empêche il faut tout de suite tout de suite aller le dire à la maîtresse, elle te met dessus de l'eau oxygénée qui pique très fort, alors tu pleures, et comme t'aimes pas pleurer t'y vas pas, et alors tant pis pour toi, ton sang va s'empoisonner et tu vas mourir. Bien fait.

*

Un samedi midi, j'accours comme tous les samedis vers maman qui m'attend sur le trottoir, devant la Maternelle, je crie « Maman ! J'ai zéro faute ! », ma croix d'honneur sautille sur mon tablier. Maman fait la modeste, mais l'orgueil lui sort par les yeux. Il y a là les autres mères, qui voudraient bien avoir elles aussi un enfant qui fait zéro faute, mais leurs enfants, à elles, arrivent en traînant les pieds et en baissant la tête. Madame Catherine Taravella, la maman d'Antoine, elle est fière aussi. Alors elle demande rien à Antoine, elle voit bien que la réponse ne lui ferait pas honneur, elle le prend par la main et elle s'en va avec lui, elle lui demandera combien de fautes à la maison, et peut-être qu'Antoine recevra une gifle, et une autre par son père, ce soir. Si bien que je suis pas sûr que c'est si bien que ça d'avoir zéro faute et la croix d'honneur à tous les coups. Ça fait que les autres ont beau se donner du mal, ils font toujours moins bien que moi, même si c'est assez bien, et alors leurs mères ont honte, elles sont jalouses, elles leur foutent des baffes et leur disent :

— Coumment qué ça se fa qué sta François del Gros Vidgeon, qu'il est oun homme qu'al sa même pas signer le son nom, coumment que ça se fa qu'il est touzours primière et que tva tou l'es touzours lvouin derrière lvi ? Dimm'oun po' ?

Et vlan, la baffe.

Du coup, les autres me regardent de travers, faut les comprendre. Je peux quand même pas faire des fautes exprès, d'abord ça serait pas marrant, moi ce que j'aime c'est trouver la bonne réponse, ça, oui, c'est marrant, c'est comme un jeu. Quand tu joues, par exemple aux cartes, ou aux billes, si tu essaies pas de gagner, ou si tu fais exprès de perdre, c'est pas marrant, tu t'emmerdes. Là, pareil.

Madame Rocca aussi attend son fils, mais elle sait bien qu'il aura pas zéro faute, ni même cinq fautes. Au moins dix fautes il a, une par mot, chaque fois. Alors elle regarde maman, et elle lui dit :

— Vous avez de la çanche, vous, madama Louvi, qué le vot' fils il est tante tellizente. La semain prouçain, i passera le chertificat, no ?

Là, Madame Rocca ricane, parce que c'est une méchanceté qu'elle vient de dire, mais comme elle l'a pas dit avec la voix de la méchanceté elle se figure que maman comprendra pas que c'est une méchanceté, ou bien, si elle comprend, qu'elle saura pas quoi répondre. Mais maman, aussi sec :

— Oh, mais madame, le certificat ? Vous voulez rire ? J'espère bien que la semaine prochaine il sera reçu à son bachot !

Qu'est-ce qu'elle est contente d'avoir répondu ça, maman ! Elle va raconter ça partout, et encore des années après elle le racontera.

— J'espère bien que la semaine prochaine il aura le bachot ! Je lui ai sorti ça tel que. Et toc, attrape donc celle-là, ma vieille ! Elle en est restée : bleue.

SUR LE FORT

C'est dimanche. Il fait beau. Ce matin, j'ai aidé maman au ménage pendant que papa, sur l'appui de la fenêtre de la chambre, réparait une casserole de maman, la belle en cuivre étamée en dedans qui lui vient de sa patronne quand elle était jeune fille qu'elle travaillait cuisinière chez la comtesse. Elle y tient vachement, maman, à sa belle casserole, que des comme ça tu peux toujours courir pour en trouver, des comme ça, au jour d'aujourd'hui, du travail de quand les gens savaient travailler au lieu de penser rien qu'à la rigolade et toujours l'œil sur la pendule comme voilà maintenant, et tout ce qu'on voudra, l'aluminium, c'est peut-être moins lourd aux pauvres vieux bras de la cuisinière, j'en disconviens pas, mais ça vaudra jamais le cuivre, jamais, d'abord ça n'a pas le même goût, ça n'a même pas de goût du tout, enfin, bon, la belle casserole en cuivre a un trou, quel malheur, alors papa a dit « Donne-mva ça », il a regardé le trou bien bien, avec le front plissé, comme quand le docteur Ricci me regarde les amygdales, il a levé la casserole en l'air pour voir le soleil par le trou, si on voit pas le soleil c'est pas un vrai trou, et puis il s'est tassé une chique neuve dans la joue et il a amené son petit fourbi d'outils près de la fenêtre, il chantonne, c'est bon signe, ça veut dire qu'il a compris ce qu'il faut lui faire, à la casserole, et que c'est un travail tout à fait facile, il va te régler ça en moins de deux. Papa, il sait tout faire. Là, il a choisi un boulon dans sa boîte à boulons, il en a essayé plusieurs avant de tomber sur le bon, un qui rentre dans le trou, ils étaient tous trop gros, si la vis du boulon est trop grosse elle rentre pas dans le trou, faudrait agrandir le trou, mais quand on est parti pour boucher un trou on commence pas par l'agrandir, no ? Fout savar qu'osse qu'on veut, dans la vie, ecco. Une fois trouvé le juste bon boulon, papa a enfilé dessus une rondelle en fer, et puis il a enfoncé le boulon dans le trou de la casserole, il a enfilé une deuxième rondelle de l'autre côté, comme ça la casserole est coincée entre deux rondelles, il a vissé l'écrou sur le bout de la vis du boulon qui dépassait, il tirait la langue parce que c'est vachement difficile avec ses doigts tout crevassés pleins de chatterton, il a serré serré de toutes ses forces avec les tenailles qu'il en était tout rouge, et il a dit à maman « Valà, Madame. La ta casserole, il est réparé, plous forte coumme qu'il était avant. Qué si i se fait encore un autre trou, allora i se fara aut' parte, ma pas là où que z'ai réparé mva. » Maman a regardé, elle avait pas l'air aussi contente qu'on aurait cru. Elle a dit :

— C'est pas bien beau à regarder... Moi je croyais que tu ferais quelque chose qui se verrait pas. C'est tout rouillé, ton machin, là.

C'est vrai que tout ce qu'il y a dans le fourbi de papa est rouillé. C'est parce que c'est rien que des trucs qu'il ramasse par terre, des boulons, des rondelles, des clous, tout ça. Maman continue d'examiner sa casserole.

— Oh, et puis, dis donc, ça dépasse en dedans ! Comment veux-tu que je travaille, avec ça ? Quand je vais touiller avec la cuillère, je vais cogner dans ta ferraille, là !

— Eh, bien sûr qu'i dépasse ! Coumme tou fas visser, si la vis i dépasse pas ? Dis-m'oun po' coumme tou fas ?

— Et par en dessous ça fait une bosse ! Regarde-moi ça : le cul de la casserole touche même pas la plaque du fourneau, et elle danse ! Comment veux-tu que je me serve de ça ?

Papa réfléchit. Il voit bien que, là, elle a pas tout à fait tort.

— Eh, si, ze comprende. Foudrait qu'i sara trois boulons pareils, ça fara trois pieds, coumme oun tabouret...

— Laisse ma casserole tranquille ! T'as déjà fait bien assez de dégâts comme ça.

— Ma qué, dégâts ? Mette de l'eau dedans, tou vas var, i va pas dihors, l'eau. Pas oune goutte. Tou veux qu'i coule plus, c'est ça qué tou veux, no ? Mva je l'ai fatte qu'osse qué tou veux, ecco. Ma tva, contente, tou le saras zamais, contente. Ma valala !

C'est un beau dimanche. Pour midi maman nous a préparé un frichti du dimanche, c'était du mouton avec des salsifis, papa aurait préféré avec de la poulainte, et moi aussi j'aurais préféré, j'aime bien quand la poulainte épaisse épaisse comme du béton boit le jus de mouton, et puis c'est toujours moi qui coupe les tranches de poulainte avec le fil, c'est marrant comme tout, mais maman a dit aujourd'hui on mange français, les salsifis c'est de la cuisine française, et très chic très distinguée, même. Après on a eu de la crème renversée, papa adore ça, il la mange avec une cuillère à soupe, ça fait drôlement râler maman, elle dit que ça la dégoûte et que ça lui coupe l'appétit un goinfre pareil, mais au fond elle est flattée qu'on aime ce qu'elle fait, la preuve : elle en a préparé deux, des crèmes renversées, avec plein de bon caramel autour.

Après, elle a fait la vaisselle, fini de rincer sa lessive qu'elle avait commencée ce matin, et puis elle s'est habillée belle, elle s'est mis de l'eau de Cologne et on est partis se promener au Fort tous les deux, maman et moi.

Maman avait arrêté de se faire belle le dimanche puisqu'elle allait plus se promener avec papa, rester assise dans le bistrot à regarder les Italiens jouer aux cartes c'était pas de la vraie promenade, et bon, elle restait à la maison, elle rattrapait son retard de raccommodage ou bien elle répondait aux lettres de bonne année de mes oncles et de mes tantes qui attendaient sur le coin du buffet depuis le mois de janvier, la bonne année c'est la politesse sacrée, on peut répondre en retard quand on n'a pas que ça à faire mais on répond, c'est l'essentiel, sinon c'est le déshonneur. Des fois elle invitait Marie Draghi, celle d'Arthur, qui habite au troisième, à venir prendre le thé avec des gâteaux secs, Marie aurait préféré du café, en Italie, le thé, ils savent même pas ce que c'est, mais maman trouve que le thé fait plus chic et plus français, quand on est une étrangère il faut faire un effort pour s'élever jusqu'au peuple civilisé qui vous accueille. Maman retirait son tablier et se donnait un coup de peigne, mais elle se faisait pas belle, pas vraiment, pas comme quand on va se promener dehors dans les rues avec tout le monde habillé en dimanche qui vous regarde.

Et puis j'étais venu au monde, du coup c'était plus pareil. Elle s'était remise à se faire belle pour

LIBRAIRIE ARTHAUD
23, GRANDE RUE - B.P. 207
38013 GRENOBLE CEDEX
TEL 76 42 49 81

1 OEIL DU LAPIN	31,00 F
1 BETE ET MECHANT	28,00 F

CO
Caisse : E
Tic. 491 du 17 9 92 Total 59,00 F

Reglement
en LIQUIDE : 59,00 F

MERCI DE VOTRE VISITE

aller se promener avec moi. Les premiers temps elle me portait dans ses bras parce que nous autres, les voitures d'enfant, on connaît pas ça, c'est des trucs de riches. Maintenant, je suis grand, j'ai quatre ans et demi, je marche à côté d'elle, elle me tient par la main et elle me parle. Moi je porte mon ballon sous mon bras, celui que mon cousin Silvio m'avait commandé au Père Noël, un gros ballon, rouge avec des étoiles blanches, le Père Noël s'est trompé, il l'a apporté dans les souliers de mon cousin Silvio parce que, naturellement, un cousin, on croit que c'est un petit garçon, mais mon cousin Silvio est une grande personne, et même un bel homme, comme dit maman, ça veut dire qu'il est costaud et qu'il a plein de poils sur les bras, mais en plus, lui, il est joli de figure, et le dimanche, vachement chic, tiens, la cravate, la gomina sur les cheveux et le pantalon avec le pli, maman dit qu'il a du mérite à se tenir comme ça bien propre bien coquet, un homme tout seul qui fait le maçon toute la semaine, sa femme et ses gosses sont restés là-bas, il attend qu'ils soient grands pour les faire venir, comme ça ils pourront travailler et gagner des sous, en attendant, le dimanche après-midi, il va au bal chez Pianetti, il danse avec des pas-grand-chose, si c'est pas malheureux de voir ça, comme dit maman, des pas-grand-chose ça veut dire des dames françaises très belles et qui sentent bon, avec du rouge à lèvres et de la poudre de riz et des jupes très courtes pour qu'on voie bien qu'elles ont des bas en soie, pas en coton. Mon cousin Silvio, il m'a apporté le ballon en riant à cause du Père Noël qui s'était trompé, on a joué un peu au ballon dans la chambre mais maman a dit en riant qu'on allait casser les carreaux, alors mon cousin Silvio l'a prise dans ses bras et il lui a chanté « Si tu veux faire mon bonheur, Marguerite, Marguerite, si tu veux faire mon bonheur, Marguerite, donne-moi ton cœur ! » et justement, cette chanson-là, je la connais, alors j'ai chanté aussi, et tout en chantant et en riant mon cousin Silvio essayait d'embrasser maman, il la poussait contre le lit, maman riait aussi et elle disait « Voyons, voyons, Silvio, soyez sérieux ! » et puis elle ne riait plus, et puis elle lui a donné une gifle, mais ça devait être pour de rire parce qu'il lui a pas rendue.

C'est loin, le Fort, pour y aller ça monte tout le temps, quand on arrive je suis déjà fatigué. A peine je vois l'herbe, je veux m'asseoir dessus, mais maman me dit allons, allons, paresseux, tu vas salir toute verte ta belle culotte blanche, allons, encore un effort, on va aller jusqu'où il y a le bon air, je mettrai la couverture par terre et on pourra s'asseoir dessus, on sera bien. Moi je fais la grimace, je me laisse tirer, mais au fond je sais bien qu'elle a raison, maman, pour avoir le bon air il faut aller plus loin dans l'herbe, là-bas il y a le bon air parce que les autos ne le salissent pas.

Quand c'est pas maman qui m'emmène promener parce qu'elle a pas le temps, je vais avec papa, il faut absolument que je respire le bon air pour me fortifier, c'est le docteur Ricci qui l'a dit. Mais papa s'habille pas en dimanche. Il ronchonne parce qu'il aimerait mieux aller au bistrot, et des fois au lieu d'aller sur le Fort il m'emmène au Bois, seulement faut pas le dire à maman, elle l'engueulerait, le Bois c'est pas du bon air, surtout le dimanche avec toutes ces bagnoles et ces marchands de glaces, mais au Bois il y a les vieux messieurs qui jouent aux boules, papa aime bien les regarder, il rit très fort quand il y en a un qui a bien visé, les boules se cognent et sautent en l'air avec un bruit terrible, papa dit « Bravo ! », après on va donner du pain aux canards du lac, mais à tous les coups j'ai oublié le pain, et papa aussi.

Sur le Fort, loin loin dans l'herbe, je joue au ballon avec maman. On est bien tranquilles, les gens ordinaires ne vont pas si loin, ils restent tous sur la première herbe, les uns à côté des autres, chaque famille sur sa couverture, à peine arrivés ils se mettent à manger des œufs durs et des petits-beurre en buvant de la limonade, c'est parce que c'est des gens ordinaires. Maman se respecte bien trop pour faire comme eux. Quand on est fatigués de courir après le ballon, on s'assoit, maman me donne mon quatre heures et je bois de l'eau rougie de vin que maman a mise dans ma petite gourde de mes quatre heures de la Maternelle, c'est bien plus sain que toutes leurs limonades que c'est rien que de la chimie pas naturelle et du gaz qui vous fait gonfler l'estomac qu'il y a rien de plus malsain.

Je demande à maman le nom des fleurs qu'il y a autour de nous dans l'herbe, plein, il y en a, des bleues toutes petites, des grandes bleues faites comme des marguerites mais c'est pas des marguerites, des jaunes, des violettes, des mauves, de toutes les couleurs. Maman me dit c'est un bouton d'or, ou un pissenlit, ou du trèfle blanc, du trèfle rouge, de la luzerne, de la folle avoine, du pain d'alouette, du mouron, du séneçon... Mais souvent elle sait pas, alors elle dit « Ça ? C'est une mauvaise herbe ! C'est rien du tout. Pourquoi veux-tu que ça ait un nom ? » Alors, moi, je fais un bouquet rien que de ces fleurs-là, les fleurs sans nom, et c'est un très joli bouquet sans nom, mais je me suis piqué aux orties, ça brûle, je demande à maman pourquoi les orties piquent et pourquoi il y a des choses méchantes. Maman me répond que c'est parce qu'il faut qu'on n'ait rien sans mal, c'est la Justice, chaque plaisir doit être payé par une peine, et c'est très bien comme ça. Je mets tout ça dans ma petite tête.

— Bonjour, madame Louis.

C'est un bonhomme, il a le costume noir avec le gilet et la chaîne de montre, il porte deux doigts à son chapeau à bord roulé, il est pas habillé en monsieur, pas tout à fait, plutôt en maçon en costume du dimanche, celui du mariage qu'on finit d'user, d'ailleurs je le connais, ce monsieur, enfin je l'ai déjà vu, c'est un de Nogent. Il a presque pas l'accent, à peine à peine sur « Bonzour » et sur « Lou-is », mais c'est pas le « Louvi » des gens de la rue Sainte-Anne. Maman dit « Bonjour, monsieur ». Alors lui, quel beau temps pour se promener, ah, vous êtes venue respirer le bon air avec ce grand garçon, qu'est-ce qu'il est grand, quel âge qu'il a, c'est pas possible, et ça continue comme ça, le genre de trucs que se racontent les grandes personnes et que moi je suis trop petit pour comprendre, c'est pour ça que je m'embête.

Maman répond bien poliment, tout à fait dame, alors moi je veux retourner cueillir des fleurs, les plus sans nom que je pourrai, mais maman me dit de rester près d'elle, j'ai bien assez tournaillé comme ça, je suis tout en nage, et bon. Le monsieur se remet à causer, maintenant il est accroupi sur les talons, c'est plus commode, et il mordille un brin d'herbe, du pain d'alouette, ça s'appelle. Il parle pas fort, d'abord j'écoute pas, des mots m'arrivent par-ci par-là, qu'il est chef de chantier, belle situation, qu'il est très sérieux, jamais le bistrot, qu'il a jamais trouvé une femme aussi comme ceci comme cela, j'ai pas compris quel genre de femme, ah, voilà, il dit qu'une femme comme maman, oui, là, une comme ça ferait le bonheur d'un homme, mais un qui saurait apprécier, maman est toute flattée, elle dit rien mais moi je la connais, alors il s'assoit carrément sur notre couverture, quel culot, il parle plus bas, là j'entends presque plus rien, ça se voit que Vidgeon l'est pas un homme pour vous, madame Lou-is, une femme si distinguée, si instruite, Vidgeon, son bonheur, il le connaît même pas, confiture aux cochons, comme on dit par chez nous, sauf votre respect, madame Lou-is, une femme comme vous qui va faire des ménages et des lessives, c'est un crime, que ze dis, moi, madame Lou-is, un crime, que vous s'devriez avoir le pavillon avec le jardin au bon air, zustement ze connais un petit terrain tout près d'ici, pas trop cher, ze me le peux acheter tout de suite, ze mets les sous sur la table même demain si vous dites oui... Et patati et patata, des conneries sans queue ni tête, quoi... Pensez un peu à tout ça, Marguerite. Vous permettez que ze vous appelle Marguerite ?

— Non, je permets pas.

— Ah, non ?

Il a l'air étonné.

— Non. Et je vous ferai remarquer que voilà une demi-heure que vous parlez à une dame avec votre chapeau sur la tête. Vos boniments, je les ai pas entendus, je sais même pas ce que vous avez bien pu raconter. Viens, François, il est l'heure de rentrer.

Le monsieur se lève et puis s'en va, sans un mot. Il a même pas porté les deux doigts au chapeau, preuve que la première fois il s'était forcé. Maman range les affaires dans son sac, elle marmonne je sais pas quoi de pas content entre ses dents, peut-être contre le monsieur, peut-être contre papa, « ... si aussi il me laissait pas tout le temps toute seule, l'autre je-m'en-foutiste... »

A ce moment-là arrive un monsieur, un autre, sauf que c'est pas un vrai monsieur, celui-là, juste un bonhomme mal habillé, en machin bleu tout boutonné tout sale comme ceux qui travaillent dans les garages. Mais lui, boutonné, il l'est pas. Il a ouvert sa braguette et il y a sa quéquette qui sort, j'avais jamais vu une quéquette de grande personne, qu'est-ce que c'est grand ! Ça pend, tout mou tout blanc, et ce type la fait sauter dans sa main, c'est un long type mou et blanc comme sa quéquette, il a des drôles de zyeux, il regarde tout partout à la fois et il dit :

— Elle est belle, ma bite, madame, n'est-ce pas qu'elle est belle, ma bite ?

Il répète tout le temps ça et il la fait gigoter comme un gros asticot. Maman bondit sur moi, me met les mains sur les yeux et dit :

— Voulez-vous bien foutre le camp, espèce de cochon ? On vient respirer le bon air, et faut qu'on voie des saletés pareilles ! Des bonnes femmes qui demanderaient pas mieux que de vous satisfaire, c'est pourtant pas ce qui manque ! Allons, foutez-moi le camp ! Foutez le camp, ou je crie !

A travers les doigts de maman, je vois le type qui referme sa braguette et qui s'en va. Maman ôte ses mains de sur mes yeux. Mais voilà le monsieur de tout à l'heure, celui au chapeau, qui arrive en courant, il attrape l'autre par le col et il se met à cogner dessus, d'abord à coups de poing dans la gueule, mais l'autre se cache la figure derrière ses bras, alors des coups de pied dans le ventre, à toute volée, tellement fort que l'autre se met à pleurer, et puis tombe par terre. Le monsieur cogne de plus en plus fort, il a des yeux terribles, il dit des choses épouvantables entre ses dents, il me fait peur, je crie « Non ! Non ! Non ! », c'est tout ce que j'arrive à dire, je crie à m'en arracher la gorge. Maman se met à crier aussi « Arrêtez ! Vous allez le tuer ! Arrêtez ! Vous êtes fou ! Arrêtez ! »

Il finit par s'arrêter. L'autre rampe à quatre pattes un peu plus loin, et puis il se met debout en gémissant et il se sauve à toutes jambes comme un grand polichinelle cassé. Maman m'essuie les larmes et me berce la tête contre son ventre pour me calmer les sanglots. Le monsieur ramasse son chapeau et se le remet bien soigneusement sur la tête, un peu de côté. Il est essoufflé. Il dit :

— Hein, madame Lou-is, si j'aurais pas-t-été là...

Maman, aussi sec :

— Je me tirais très bien d'affaire toute seule. La dignité, ça suffit. Il a tout de suite vu à qui il avait affaire. Il était déjà en train de s'en aller. A quoi ça rime de cogner dessus comme ça ? Vous voilà bien avancé, ma foi ! A croire que vous aimez ça.

— Vous faites la crâneuse maintenant, mais, sans moi, je sais pas comment que ça aurait tourné.

— Ça aurait tourné rien du tout ! J'ai pas besoin de vous ni de personne, moi. Je l'aurais pas laissé toucher à mon fils, ah, ça, non !

— Peut-être que s'il vous avait touchée, à vous, ça vous aurait pas déplu...

— Oh, mais, dites donc, vous ! Vous y mettez peut-être plus de manières, mais au fond c'est bien la même chose que lui que vous me proposiez, non ? Lui, ce pauvre malheureux, il montre tout de suite son bazar, vous, vous le cachez derrière le pavillon, le jardin, la belle situation, mais ce qui vous pousse, c'est bien la même chose, non ? C'est le vice, voilà ce que c'est !

— Vous causez pas bien, madame Lou-is, vous me faites de la peine...

— Je cause comme j'ai envie de causer, et ce que j'ai à vous dire je vous le dis en face. Et si je vous fais de la peine, mettez-la dans votre poche et votre mouchoir par-dessus. Et toc.

Elle a dit « Et toc ».

DUCE ! DUCE ! DUCE !

— Mva, ze me le pense comme ça dans la ma tête que' c't' homme-là l'est pas oun homme, ma qué sara oun diable. Ou alors, sara oun diable qu'il est venou se mettre dans la sa peau, à çvi-là, et valà, maintenant l'est sta diable-là qui commande, la fat marcer les ses bras à lvi, les ses zambes, la fat parler, tou te crvois qué l'est lvi qui parle, sta Moussolini-là, ma no, l' est le diable qui parle 'vec la bouche del Moussolini. Mva, ze me le crvois que sara quoualqué çoje coumme ça, mva.

— Alors, il est vraiment très méchant, Mussolini, papa ?

— Heu là ! Ze comprende qu'il est miçante ! 'vec les ses fascistes...

— Qu'est-ce que c'est, les fascistes, p'pa ?

— Les fascistes, il est des vayous. Des fignants. Des qui veut pas travailler et qui te prende les tes sous qué t'as gagné 'vec le ton travail. I sont 'billés 'vec la cemige tout nvare et les coulottes larzes et les bottes bien cirées que tou te vois dedans, et pendant ce temps-là le paur' diable qui travaille i marce 'vec les ses pieds sour la caillasse pvointue sans soussures. Et sour la tête ils ont le çapeau, là, pareil coumme les militaires...

— Un calot ?

— Pit-êt' bien, 'vec la ficelle et la çoje au bout qu'a se balanche devant le nez...

— Ah, un pompon ?

— Et ils ont la pistole, oune pistole grosse, et i marcent toute orgolioses pourquoi i savent qué i peut faire toute qu'osse qui veut, il est personne qui le peut dire « Halte-là », personne qui le peut arrêter...

— Même pas la police ?

— Pûûû... Que' la poliche, c'est sta fascistes-là qui la va mettre en prijon, la poliche !

— Mais, papa, la police, c'est plus fort que n'importe qui !

— No. Pas cez nous. Pas en Italie. Pas dépouis le temps qu'il est là sta Moussolini-là. Lvi, l'est plous forte même que le roi, lvi.

— Hou là là ! Personne peut être plus fort que le roi, papa !

— Sta Moussolini-là, si. Pourquoi le roi, il est zentil de trop. Sta messieur Moussolini-là l'est venou 'vec les ses vayous fascistes, l'a dite al roi « Si vous se voulez pas donner à mva la plache à côté de vous et dire à les zens qué c'est mva qué ze commande et qu'i dvoit m'obédir à mva, allora mva ze dise à les mes fascistes qu'i vous foute par la finestre, et oussi la vostre femme, et oussi les genfants, et comme ça de roi il ara plous, et mva ze me fara roi mva, ecco. »

— Mais c'est un bandit, ça, p'pa ! Le roi aurait dû le faire tuer par ses soldats, et tous les fascistes avec !

— Eh no ! Pourquoi le roi il est tante zentil, allora i se dise comme ça dans la sa tête : « Si ze dise mes soldats tuver toutes sta vayous bandites fascistes-là qu'ils ont la pistole, allora i se vont difendre, ça sara la gouerra tchivile, i va mourir les zens boucoup boucoup dans toute l'Italie, et mva, ça, ze le veux pas, pourquoi i me fara dou çagrin boucoup. Milior qué ze donne qu'osse qui veut à sta messieur Moussolini-là, après i se va calmer, et allora on poutra causer. »

Allora l'a faite coumme ça. Et le Moussolini, l'a s'est mise à commander. Ma l'est outant malin coumme qu'il est miçante, pareil, et l'a fatte toute qu'osse qu'il a voulou, et le roi l'est plus rien dou tout, pareil coumme s'il est pas là.

— Mais, papa, dans le journal j'ai vu des photos, il y a le roi au milieu du balcon et Mussolini à côté. Le roi il a une grande plume sur la tête et une grosse moustache, on voit bien qu'il est le roi.

— Eh si, ma zoustement, ça te fait var coumme qu'il est malin, sta Moussolini-là. Pourquoi cez nous, en Italie, le roi, il est coumme le bon dieu, enfin, presque. Allora les zens i voit le roi à côté le Moussolini, i se pensent dans la sa tête qu'i vont bien d'accorde ensemble bien copains, tou comprendes ? Ma si tou régardes la photo bien bien, tou vois qué le roi il est toute pétite toute pétite, et que sta Moussolini-là, à côté, il est toute grande. C'est vrai qué le roi il est vraiment pétite, vraiment. C'est pour ça qu'i se mette la plume tellement grande sour la sa tête, pour fare qu'i paraît plous grande, ma les zens au contraire ça les fait rigoler. Le Moussolini, lvi, il est pétite oussi, pas tante pétite coumme le roi, ma pas boucoup grande non plous, pas assez. Allora, lvi, i se mette oune caisse en dessous les ses pieds, et au roi i donne pas de caisse. Tou comprendes, vi ? La caisse, tou la peux pas var pourquoi il est cacé par le drapeau italien qu'il est zoustement devant le balcon. Tou le vois coumme qu'il est malin, sta Moussolini-là ?

— Papa, pourquoi qu'il est aussi méchant, Mussolini ?

— Pourquoi ? Mah... Ze te le vais dire, mva, pourquoi. Quouante qu'il était pétite, à la place avar oune mamma, l'a eu oune sta bête-là qu'il est la femme del loupe, coumme tou la 'pelles ?

— La femme du loup ? Ben, une louve.

— Valà. Sa mamma, à lvi, il était pas oune femme, il était oune louve.

— Oh, dis, eh, p'pa, là tu charries !

— Ze le pense qué sarà oune femme qu'alle l'ara mise au monde, ma tout suite à peine qu'il est né elle l'a mise dans oun panier en bvois qu'il est fatte pour nazer sour l'eau, et allora l'a porté zousqu'à la la rivière qu'il est par là et l'a laissé discendre 'vec le courante. Et allora l'est 'rivé zoustement à Rome, qu'il est la ville douve qu'il est le roi...

— Ah, oui, et alors la fille du roi l'a trouvé ?

Ça me rappelle des lectures, cette histoire... Mais papa hausse les épaules.

— Ma no ! Qu'osse tou vas cercer ? L'a trouvé oune louve. Oune louve grande et forte qu'elle a eu les pétites zoustement hier. Allora sta louve-là i se dise comme ça dans la sa tête « Paur' pétite ! Ze le peux pas laisser comme ça, qué si i manze pas i va mourir. Si qu'i sara oun'tit pó plous grande, ze le manze, ma pétite coumme ça, l'est oun' bambino, z'ai pas le cœur. » Et sta louve-là l'a prise sta bambino Moussolini-là et l'a porté dans la sa maijon douve qu'i dorme et quouante qu'i coummence plorer l'a donne la pvoitrine pour qu'i boit le lait, ecco. Les deux pétites loupes i se poussent oun po', fare la place pour çvi-là, et bon, i bvoit le lait, i 'vient grande et forte plus coumme oun qui bvoit le lait de sa mamma, pourquoi le lait de la louve il est plous forte boucoup comme le lait de la femme, boucoup boucoup plous forte, heu là !

Ma, dans le même temps qu'i donne les forces, sta lait-là, i donne oussi la méçancheté, pourquoi les loupes i sont des bêtes miçantes qui tuvent toutes les moutons et même oussi les zens, quouante qu'i peut. Allora valà pourquoi qué sta Moussolini-là l'est 'venou tante miçante.

— Mais les fascistes, ils ont pas tous tété le lait de la louve ?

— 'Coute oun po'. Mva ze me pense, mva, qué sta Moussolini-là il avra 'trapé des louves boucoup, pit-êt' qu'il en avra aceté cez les Rousses, ou cez les Cinois, enfin quoualqué parte douve qu'il est des loupes boucoup, et allora sta louves-là i les tient 'fermées dans les cazes, et allora sta fascistes-là, toutes les matins i boivent oun grande verre de lait de louve, toutes les matins. Comme ça, i sont touzours bien miçantes, tou comprendes ?

Je dis rien. Je découvre les abîmes sans fond de la crapulerie humaine. Papa boit un coup. On est à table, on a fini de dîner, c'est le soir, maman fait la vaisselle. Papa secoue la tête, je vois bien qu'il a de la peine. Je dis :

— Mais enfin, il y a sûrement des gens qui sont pas d'accord, en Italie ?

Papa me regarde, il a l'air un peu découragé de voir comme je connais peu les choses de la vie.

— Tou le sais ce qu'il leur fait, à çvi-là qu'i va pas d'accorde, sta fascistes-là ? Tou le sais ? Mva ze te le vais dire, mva, 'coute oun po'. I vient cez lvi à la maijon, toutes les fascistes, et lvi il est toute sole, paur' diable, 'vec la famille, et les fascistes ils ont la pistole, et i disent tout le monde qu'i se mette contre le mour, 'vec les mains en l'air, la femme, la grand-mère, les genfants, tout le monde, et allora i prende la bouteille qué dedans il est la lvile...

— Quelle huile, papa ?

— Ma sta lvile-là qu'i fa aller le gabinette.

— Ah, l'huile de ricin ?

— Si, prop'io coula-li ! Et allora les fascistes i tient forte les bras les zambes de sta paur' diable-là, et l' n'est oune qué le ferme le nez à lvi zousqu'à ce qué le paur' diable i peut plous respirer, allora lvi il ouvre la bouce grande, sans ça i va mourir, allora sta fasciste-là il onfonche à lvi la bouteille 'vec la lvile dans la bouce, et toute la lvile il la verse, au mvoins oun litre, toute la lvile, et quouante qu'il a fini qu'il a bou toute, ils le lâcent et i restent là 'gvarder. Et aller l' gabinette ils le laissent pas, même pas se tirer le pantalon, fout qu'i reste là devant la sa famille, paur' diable, et valà qu'i commence avar mal dans le ventre, oïmé, i se retienne tante qu'i peut, i se retienne i se retienne, ma à la fin à la fin fout que la merde i sorte...

— Ah, c'est du joli ! C'est comme ça que tu éduques le petit ? Je te prierai de pas employer des mots pareils.

Ça, c'est maman, ça. On croirait qu'elle écoute pas, mais rien lui échappe. Je dis :

— T'as qu'à dire « le caca », papa. Continue !

— Allora, d'oun sol coup, le caca i sorte, vroumm, et i sorte, et i sorte, pourquoi sta lvile-là est bestiale ! Et le paur' diable il en a partout, qué ça loui coule dans les çoussoures, partout, et il arrête pas, et ça poue, et allora il a vonte...

— Pourquoi, il a honte ? Il l'a pas fait exprès ! C'est les fascistes qui devraient avoir honte.

— Il a vonte pourquoi la sa famille i le voit toute plein la merd... le caca, et l'odore, et toutes sta grosses vayous 'vec la cemige nvare qui rigolent, et pit-êt' qu'après i vont toute casser toute dans la maijon, toutes les assiettes, et pit-êt' qu'i vont aller au lit par terre 'vec sa femme ou sa fille...

— Louis ! Surveille un peu tes paroles ! Tu crois vraiment que c'est des choses à dire devant un enfant ?

— Oh, maman, je suis plus un bébé ! Je sais ce que c'est, quand même...

— Je sais pas trop ce que tu sais et je veux pas le savoir. Je sais seulement qu'il y a des choses qui sont pas de ton âge, des choses malpropres que t'apprendras où tu voudras, mais pas chez ta mère.

— Dis, p'pa, on peut en mourir, de l'huile de ricin, non ?

— Ze comprende ! Il en est qui sont mortes, boucoup. Ou qui restent malades dans le ventre pour tout la vie. Et si tou continoues aller pas d'accorde 'vec les fascistes, allora i vient encore et i te tuvent 'vec la pistole, ou i te pendent en l'air 'vec la corde pour le linze. Valà coumme qu'i sont sta fascistes-là.

— Tu crois qu'ils vont gagner la guerre, en Abyssinie, les Italiens ?

— Mva ze le peux pas dire, qué ze souis oun paur' diable de paysan qu'a sait rien dou tout. Ze peux dire solement qué les Gitaliens, la gouerra, ils l'ont zamais gagnée, zamais, zamais ! Ça m'étonnera si qu'ils vont gagner maintenant...

— Il paraît qu'ils bombardent les hôpitaux et les écoles, qu'ils sont très cruels...

— 'Coute oun po'. La gouerra, il est la gouerra. La gouerra zentille, il 'siste pas. Cvi-là qui commence la gouerra l'est oun bandite, oun assassin. Sta Moussolini-là il est le bandite plous grande dé toutes.

— Quand même, papa, l'Italie, pourquoi qu'elle

aurait pas des colonies, comme la France et l'Angleterre ? C'est pas juste qu'elle en ait pas.

— Qu'osse qu'i fa la France et l'Inguilterre, ze le veux pas savar. Qué si eux autres ils ont tuvé boucoup les Marocains et toutes sta zens-là qui sont nvars, ou zaunes, ou rouzes, ou autrement, comme des bandits, pour leur prendre toute qu'osse qu'ils ont, c'est pas oune raijon pour fare la même çoje pareil. Valà cosse qué ze dise, mva, ecco.

Ça, maman pouvait pas le laisser passer.

— Occupe-toi de ton Italie et laisse donc la France tranquille ! T'as été bien content de la trouver, la France, pour te donner du pain. Les colonies françaises ont apporté la civilisation et la politesse aux Noirs, ça leur a sûrement pas fait de mal. Le frère de ma patronne qui était missionnaire au Congo dit que c'est admirable, ce que nous avons fait là-bas. D'abord, tout ça, c'est de la politique, et je te prierai de ne pas monter la tête au petit avec tes idées d'anarchisse et de bande à Bonnot. Non, mais !

Mais moi, je veux m'instruire. Je demande :

— Il y a des journaux qui disent qu'il a fait beaucoup de bien à l'Italie, Mussolini. Les autostrades, la gare de Milan, les marais, les hydravions...

— Dou bien, faut qu'il en fait oun' tit po', sans ça les Gitaliens i font la révolouchion. Ma i fa dou mal mille fvas coumme i fa dou bien. Il s'a mis copain 'vec sta messieur Vitler qu'il est le patron de la Geallemagne, et tout le monde i dise coumme ça qué sta Vitler-là i veut fare la gouerra, ma la gouerra plous grande comme on l'a zamais voue, et la gouerra, mva, ze la connaisse, la gouerra, et ze dise qu'il est pas bon.

— Si les Italiens se mettent avec les Allemands,

dis donc, p'pa, peut-être qu'ils vont la gagner, cette guerre-là ?

— Les Gitaliens 'vec les Geallemands, i se peut pas aller. L'est pareil coumme les ciens et les çats. Sta Geallemands-là il est broutals, et i se croivent d'esse plous intellizents qué tout le monde. Quouante qu'ils ont gagné la gouerra, allora i prende oussi l'Italie. Valà coumme qu'i sont, sta Geallemands-là.

— T'as fini avec tes bêtises ? dit maman. Allez, au lit !

1929-1934

LA COMMUNALE

L'ARBRE GÉNÉALOGIQUE

Au mur, dans la classe, il y a les Rois de France. C'est comme une affiche, une grande affiche, avec un arbre au milieu, un gros arbre, il a des branches marron pleines de nœuds et de gerçures, et aussi des feuilles vertes très bien imitées, des feuilles de chêne, je crois bien. Et sur les branches il y a des ronds, avec dedans, dans chaque rond, une tête de Roi de France. On comprend tout de suite que c'est un Roi de France à cause de la couronne, toute jaune, ça veut dire qu'elle est en or, et puis les noms sont écrits dessous, chacun avec son numéro de Roi de France écrit en chiffres romains. Un arbre généalogique, ça s'appelle, ça aussi c'est écrit, en grosses lettres, tout en haut. Alors, voilà, c'est ça qui m'a donné l'idée.

Des affiches, et très belles, même, plus belles que celle-là, des vraies photos, en vraies couleurs, il y en a tout autour de la classe. C'est des Châteaux de la Loire, des Cathédrales de Reims, des Pointes du Raz, des Forêts de Fontainebleau avec le soleil couchant entre les arbres, tout rouge, très beau, enfin de ces trucs qu'on voit dans les gares sur les réclames des chemins de fer, et justement c'en est, des réclames de chemins de fer, le jour de la rentrée le maître demande tout de suite s'il y a des pères d'élèves qui travaillent dans les trains, aussitôt il y a deux ou trois cornichons qui lèvent le doigt, tout crâneurs, et bon, le maître leur dit de demander à leur père si des fois il pourrait pas leur faire avoir des affiches de notre Belle France pour mettre autour de la classe, ça ferait joli et instructif en même temps, vu que celles de l'année d'avant leurs belles couleurs sont devenues toutes pâles verdâtres, très tristes, avec plein de chiures de mouches en haut et des dessins dégueulasses et des gros mots en bas jusqu'à la hauteur que tu peux atteindre en sautant.

Ces mecs que leurs vieux bossent dans les trains, qu'est-ce qu'on donnerait pas pour être à leur place, tiens ! Nous autres, nos vieux, tout ce qu'ils pourraient nous filer, c'est une pelletée de terre glaise ou bien une brique, mais jamais le maître ne nous demandera d'apporter de la glaise ou des briques pour décorer la classe, tu peux être sûr.

Il y a aussi un grand Tableau des Poids et Mesures (Système Métrique), mais celui-là on le change jamais, il est en toile cirée, suffit de lui donner un coup d'éponge chaque année, il y a dessus le Mètre Étalon, un truc drôlement foutu, tu dirais jamais un mètre, et tout en platine qu'i y a rien de plus cher, et aussi un mètre de maçon en bois, pliant, tout jaune, comme celui de papa — dans les chemins de fer je sais pas ce qu'ils ont comme mètre, est-ce qu'ils ont seulement besoin de mètre ? —, et puis il y a le Décamètre ou Chaîne d'Arpenteur, la Borne Kilométrique à moitié rouge-à moitié blanche, et puis les Mesures de Capacité, en bois pour les Grains, en fer étamé avec une longue queue pour le Lait, il y a le Stère (avec des Bûches), il y a les Poids en Fonte et les Poids en Laiton à côté d'une Bascule pour peser les Lourds Fardeaux et d'une Balance pour les Légumes comme celles des marchands sur le marché. Il n'y a pas de balance moderne, faite comme un éventail, qui te donne le prix automatique, ce qui prouve bien que ce Tableau est là depuis longtemps, peut-être depuis le temps des rois, justement.

Les Rois de France, je suis assis juste à côté, c'est ma place, je lève un peu la tête sur ma droite je les vois, quand je cherche la solution d'un problème ou quand c'est le cours de morale j'ai les yeux qui se baladent, à tous les coups ils finissent par se faire choper par Charlemagne, ou par Philippe le Bel, ou par Louis le Hutin, me voilà parti, bouche ouverte, je sais pas trop ce qu'ils ont fait, ceux-là, sauf Charlemagne, bien sûr, comme tout le monde, mais quels noms formidables ! Être Roi de France et s'appeler Philippe Quatre le Bel, la vache !... Il n'y a pas longtemps que je sais que IV ça veut dire Quatre, que XVI ça veut dire Seize. C'est des chiffres romains. On met les numéros des Rois de France en chiffres romains parce que naturellement c'est tellement plus chic. Comme le latin à la messe, pareil. Avant, je savais pas, je les avais jamais entendus, seulement lus, alors je prononçais dans le dedans de ma tête « Louis Xi », « Charles Vii », « Henri Ive », « Louis Xive », « Louis Ixe »... Il y en avait de vraiment coton, comme par exemple Louis XV, va prononcer ça, toi ! Je me doutais bien, au fond de moi-même, qu'il devait y avoir un truc, qu'il aurait fallu être au courant, mais j'osais pas demander. Et d'abord, à qui demander ? Bon, maintenant j'ai compris les chiffres romains, on les a eus en calcul, c'est vraiment pas dur une fois qu'on est dans le coup, suffisait d'expliquer. Mais il y a quand même quelque chose qui me chiffonne : pourquoi le père roi il a un numéro plus petit que son fils ? C'est pas logique et c'est pas juste, il est plus grand, il doit avoir un plus gros numéro que le gamin, moi je dis, ou alors c'est le monde à l'envers. Enfin, faut s'y faire, quoi. Au début, on trouve les choses mystérieuses, et même injustes, des fois, et puis on s'habitue.

Un Arbre Généalogique, ça marche comme ça : tout en bas, il y a le premier Roi de France, le premier de tous, le père des pères. Il est dans son rond, en plein milieu du tronc, dans le paquet de racines. Ça veut dire que c'est lui la racine de la famille, avant lui y avait pas de Roi de France, peut-être même pas de France du tout, après les autres ont eu qu'à hériter. Tout de suite au-dessus, à droite à gauche, il y a les premières branches, c'est les fils. Celui des fils qui a été Roi de France est juste au milieu, dans un rond plus gros que ses frères, il a la couronne, on le reconnaît très bien. Après, il y a les fils de ceux-là, et puis les fils des fils, ça fait des branches de plus en plus petites, plein de branches, et les fils qui sont pas Rois de France sont seulement ducs, ou comtes, ou rois de petits pays de consolation, comme l'Angleterre, ou l'Espagne, ou même l'Anjou, qui doit être un pays vachement loin parce que je sais même pas où ça perche.

En vrai, il y a trois arbres, un grand qui tient toute la place et deux tout petits dans des cases en bas, de chaque côté. Le grand, c'est les Capétiens, les deux petits, les Mérovingiens qui sont les Rois Feignants et les Carolingiens qui devaient pas valoir grand-chose non plus puisqu'ils se sont fait dégommer par Hugues Capet, c'est lui le premier vrai Roi de France dans le gros rond des racines.

Et alors, voilà. Moi, l'idée qui m'est venue, c'est de faire l'Arbre Généalogique des Cavanna. Je collerai ensemble bien soigneusement des pages de cahier de brouillon toutes propres pour faire une grande grande feuille et là-dessus je dessinerai un arbre, mais pas un chêne comme les Rois de France, non, moi je dessinerai un pêcher, parce que c'est l'arbre de papa. Je dessinerai les têtes des Cavanna dans des ronds qui seront des pêches, c'est une idée marrante, moi je trouve. Ceux que je connais pas, par exemple mon grand-père et ma grand-mère du côté de papa, je demanderai à papa comment ils étaient, par exemple s'ils avaient des moustaches, ou des lunettes, ou un chapeau comme ceci comme cela. Louis Quatorze, c'est le Roi de France qu'on reconnaît le mieux, à cause de sa grosse perruque toute frisée, et aussi Henri Quatre à cause de sa barbe marrante en éventail, ils étaient pas cons, ces deux-là, ils ont trouvé le bon truc pour qu'on les reconnaisse du premier coup, même dix mille ans après.

Je mettrai tout bien en couleurs avec mes crayons de couleur, il me manque le bleu et le jaune mais du moment que j'ai du vert pour les feuilles, du marron pour l'arbre et du rouge pour les joues que si t'appuies pas trop fort et que tu frottes doucement avec le coin du buvard ça fait du rose de joues, juste bien rose, qu'est-ce que j'en ai à foutre du bleu et du jaune ?

Pour commencer, il faut que je me fasse un brouillon. Le maître nous a bien recommandé de toujours faire d'abord un brouillon, c'est même ça le principal et le plus difficile, qu'il a dit, mais après quand tu recopies au net ça va tout seul, t'as juste à faire bien gaffe aux taches et aux ratures pour que ça soit très propre très beau. Le brouillon, je le fais en petit, sur une seule feuille déchirée dans mon cahier, et au crayon, bien sûr, pour pouvoir gommer si je me trompe.

Au début, c'est pas dur. Je fais un rond tout en haut de l'arbre, bien au milieu, c'est une pêche, au milieu de la pêche c'est moi. C'est normal, je suis le dernier des Cavanna, comme Uncas était le Dernier des Mohicans dans le bouquin que j'ai eu en prix l'année dernière, Prix d'Honneur, attention. Tout de suite en dessous, je mets une pêche avec papa dedans. Vachement chouette ! On comprend tout de suite que papa est mon père et que je suis le fils de papa. Je cherche pas tellement la ressemblance, c'est encore qu'un brouillon, hein, suffit que moi je sache.

Ah, un problème. Les Rois de France, ils ont un numéro. Tu lis « Louis » et tout de suite derrière son numéro : Dix-Huit, tu sais que ça veut dire que ce Louis-là est le dix-huitième Louis. Papa aussi, il s'appelle Louis, justement. Mais combien il y en a eu, avant lui, des Louis Cavanna ? Les Rois de France, c'est facile, ils ont qu'à regarder dans l'Histoire de France et compter sur leurs doigts, ils savent tout de suite combien il y en a eu du même nom avant eux, et donc quel numéro ils ont. Nous autres, va savoir... Oh, et puis je me dis que ce truc des numéros ça a dû être inventé pour l'école, pour que les mômes sachent du premier coup, rien qu'en entendant le prénom et le numéro, si c'est l'Henri de la poule-au-pot ou l'Henri du coup de lance en pleine poire, juste une combine pour se rappeler quand on passe l'oral du Certificat d'Études. Peut-être que pour une famille de maçons c'est pas tellement utile... Enfin, bon, on verra. Et les surnoms ?

Ah. Les surnoms. Les Rois de France, ils en ont pas tous, mais ceux qui en ont ça a vraiment de la gueule. Une gueule terrible. « Charles le Simple », « Louis le Débonnaire », « Louis le Grand », « Louis le Hutin »... C'est quoi, un hutin ? Ça fait drôlement chic, en tout cas. Ça sonne bien. Papa, c'est pas dur, son surnom, il l'a déjà. Tout le monde l'appelle « Gros Louis ». J'ai envie de mettre « Louis le Gros » sous son portrait. C'est pas aussi chic que « le Hutin », mais il y a eu un Roi de France qui s'est appelé Louis le Gros. Un bon roi, même, il a cassé la gueule aux méchants seigneurs-brigands qui oppressaient durement le peuple, je me rappelle bien, on l'a eu y a pas longtemps. Bon, « Louis le Gros », d'accord. Ah, voilà autre chose. Je mets ça en français ou en italien ? Parce que « Gros Louis », c'est les Français qui causent comme ça. Ceux de la rue Sainte-Anne, ils disent « Vidgeon Grosso ». Oui, mais, si je commence en italien, faudra que je fasse tout en italien, et moi, l'italien, je le sais pas, juste quelques mots en dialetto, qu'est même pas de l'italien. Et puis, si je le fais en italien, maman comprendra rien parce que c'est une langue de sauvages et ça lui fera de la peine. D'accord, en français.

A droite à gauche de papa, je mets mon oncle Jean et ma tante Marie. Mon oncle Jean, je lui fais un gros pif parce que c'est vrai et ma tante Marie je la dessine toute ronde avec un petit chignon là-haut, c'est comme ça qu'elle est... Aïe, j'allais oublier maman ! Sur le Tableau des Rois de France, les femmes, les reines, quoi, sont dans des ronds plus petits, sur le côté de leur Roi, avec une combine de branches qui montre bien qu'ils sont régulièrement mariés à la mairie et quels sont leurs enfants. Vachement compliqué à faire, ça.

Ouh là là, je tire la langue... J'ai déjà tellement gommé que le papier s'en va en peluches et que ma gomme étale le crayon au lieu de l'effacer. Et puis, aussi je me rends compte que, finalement, la famille, je la connais pas des masses. C'est que, des Cavanna, il y en a tellement, plein l'immeuble, déjà, et puis plein la rue Sainte-Anne, et puis plein les autres rues autour, et plein la banlieue depuis le pont de Bry jusqu'à la gare de Lyon... Là-dedans, il y en a des nôtres, bien sûr, des Cavanna à nous, mais il y en a beaucoup plus encore qui n'ont rien à voir. Par exemple, déjà, sans chercher plus loin, les patrons, les Cavanna de « Cavanna et Taravella, entreprise générale de maçonnerie », eh bien, ceux-là, c'est pas des nôtres. Eux, c'est les Cavanna riches, nous on est les Cavanna pauvres. Bon, ça serait encore trop rien, ça, mais voilà : il y a de ces Cavanna-là qui se sont mariés avec des Cavanna à nous, par exemple les Cavanna du « Grand Cavanna », le restaurant en face le commissaire qui fait bal le dimanche. Ça fait que, du coup, on est quand même parents, mais par la porte de derrière. Papa m'avait expliqué, un jour :

— Soûrement qué, dans le temps, ça sera été oune sole famille, ma, 'vec le temps, ça se perde, ecco. Soûrement qué, si tou veux vraiment cercer, cougins on est tous, 'tit po' plous, 'pit po' mvoins, ma l'est tante lvoin tout ça qué tout le monde il a oublié, tou comprendes ? Et quouante qu'oun i 'vient pauvre, les autres ils oublient 'core plous vite. La vie, il est coumme ça.

Eh, oui. Faudrait trier, quoi. Faire une liste. J'aime pas. Moi, ce que je voudrais, ce qui me fait vachement envie, c'est de dessiner mon bel Arbre marron et vert avec ses têtes bien ressemblantes dans des pêches bien rondes, j'ai un compas à encre, mais là ça devient beaucoup moins marrant, autant dire du boulot de bureaucrate. Et puis, je peux demander qu'à papa ou à maman, et justement j'ose pas, parce que mon projet, là, mon Arbre, je sais bien que c'est pas sérieux, encore une de mes idées de poète, comme dit maman, et c'est vrai que des idées comme ça j'en ai plein, toujours, et que j'ose pas les raconter, même à mes meilleurs copains, même à Roger, parce que c'est des idées à la con, rien que du pas sérieux, alors j'en ai honte, je les garde en dedans de moi, en dedans de moi j'ai pas honte du tout, c'est seulement à cause d'eux, les autres, là, qui comprendraient pas, mais moi je les aime, mes idées, je me les raconte le soir avant de m'endormir, c'est formidable. Enfin, bon, si je parle de mon Arbre des Cavanna à papa, il lèvera les yeux au ciel, il fera « Ma valala ! Ma qué arbre ? » et maman dira « Tu ferais mieux d'apprendre ton catéchisse. » Dans un sens, ils ont raison, c'est rien que des rigolades pour perdre du temps, et eux, du temps à perdre, ils en ont pas, c'est sûr.

A propos de catéchisme, justement, dans mon caté il y a la Généalogie de Jésus depuis Adam jusqu'à sa naissance, même qu'elle y est deux fois, une fois par Saint Matthieu et une fois par Saint Luc, et que c'est pas la même chaque fois, mais ça, on s'en fout, et moi, ça m'avait renforcé l'idée de l'Arbre, à cause de la façon que c'est dit :

« Abraham engendra Isaac. Isaac engendra Jacob. Jacob engendra Juda. Juda engendra Pharès et Zara... Salathiel engendra Zorobabel... Eliakim engendra Azor... » Ces noms... ! Je sais pas pourquoi, ça me fait du bien, ça me fait rire tout seul de bonheur, comme une musique, et en même temps je vois des choses terribles, des nuages noirs qui roulent, des éclairs, des tas de choses qui font peur et qui font plaisir, j'ai honte de raconter ça, les copains, le caté ça les fait encore plus chier que l'accord des participes conjugués avec « avoir ».

Histoire de tâter le terrain, je demande à papa :

— Pourquoi on est tant que ça, nous autres, et pas les Maloberti, ni les Burgani, ni les Bocciarelli ? C'est pareil, là-bas, en Italie ? Il y a plus de Cavanna que d'autre chose ? Et pourquoi qu'on est pas de la même famille que les autres Cavanna, les patrons ? Hein, dis, papa, pourquoi ?

Papa tire de sa poche une carotte de tabac presque neuve enveloppée dans un bout de journal, d'une autre poche il tire son vieux couteau, l'ouvre, la lame est cassée du bout — « qué coumme ça, a me serve de tournaviche » —, déplie le bout de journal, juste un peu, juste la longueur de carotte qui est sa bonne mesure, il se cale le boudin de tabac noir entre les dents et il se le tranche au ras des lèvres, c'est un couteau bien aiguisé, il l'affûte sur le bord du trottoir. Il mord dans la chique deux trois coups bien à fond pour faire sortir le premier jus, le meilleur, et puis sa langue la tasse dans sa joue droite, il replie soigneusement le papier autour du reste de carotte, il se campe solide sur les reins, jambes écartées, il envoie entre deux dents un mince jus de chique qui file sans bruit comme un serpent volant, droit dans le petit trou d'une bouche d'égout, à bien trois mètres de là. Et puis il se rejette le chapeau sur la nuque, il se gratte la tête, il me regarde, et il fait :

— Mah...

« Mah »... et « Euh ! » sont deux mots très utiles en italien. Les plus utiles de tous. Si tu mets juste bien l'accent, avec ça tu fais le tour de l'Italie sans jamais te perdre, tout le monde te comprend, t'es un Rital vrai de vrai. « Mah... » c'est pour dire « Ouh là là, ça va loin ce que vous me dites là... Ça donne à penser... » ou bien « Pourquoi pas ?... C'est pas bête... » ou bien « Va savoir... » ou bien « P'têt'ben que oui, p'têt'ben que non... » enfin, des trucs avec des points de suspension au bout. Ça se prononce bref, la bouche large ouverte, mais tout est dans le ton, et aussi la mimique. L'italien ça se parle à plein gosier, à pleines joues, et en plus avec les yeux, les sourcils, les coins de la bouche, tout ce qui peut remuer dans la figure. Et les mains, bien sûr, les épaules... « Euh ! », ça, c'est pour en remettre. Difficile à traduire. Peut-être « Tu parles ! », mais en beaucoup plus fort. Ça s'assène avec l'assurance du gars que rien n'étonne. Pas confondre avec le « Heu... » français, qui marque l'hésitation, le doute. « Euh ! » c'est tout le contraire. Si je veux faire le malin, je dirai que « Mah... » est dubitatif et « Euh ! » exclamatif... Mais peut-être bien que tout ça n'est que du « dialetto », finalement.

Papa me regarde comme s'il m'avait jamais vu, et il fait :

— Mah...

On était sur la route stratégique, celle qui n'a pas de nom parce que c'est une route stratégique, justement, elle est pavée de grès brutal, il y en a comme ça tout autour de Paris, d'un fort à l'autre, une espèce de ceinture, c'était pour que les chevaux puissent courir tout droit en tirant les canons à toute vibure si l'ennemi attaquait sur ce fort-ci ou sur ce fort-là, ça se passait avant les Prussiens, les Prussiens se sont amenés comme dans du beurre, les forts n'ont pas servi à grand-chose, les routes stratégiques non plus, n'empêche qu'ils sont toujours là, les forts et les routes. Celle-ci mène au

Fort de Nogent. Maman a dit : « Emmène donc le petit respirer le bon air, regarde-moi ces joues qu'il a, toutes pâles, et ces yeux cernés, il est encore en train de me faire de la croissance, ça le fatigue, forcément, emmène-le marcher vers le Fort, ça vaudra mieux que de rester dans mes jambes pendant que je lave par terre. » C'est donc dimanche. Quand maman lave par terre, c'est qu'on est dimanche.

Papa dit :

— L'est vrai qué, des Cavanna, il est boucoup. Pourquoi ? Eh, mva ze le sais pas, mva, pourquoi. Fout demander les missieurs instruites, qui sont allés l'école. Tva que tou sas lire, tou le devrais savar, tva, pourquoi sta çoje-là soûrement i sara écrite quvalqué parte. Soûrement.

Des messieurs instruits... Bien sûr, moi j'en connais, puisque je vais à l'école. Qu'est-ce qu'il peut bien y avoir de plus instruit que le maître ? Le dirlo, pardi. Directeur, c'est plus que maître, alors c'est encore plus instruit, forcément. Mais le dirlo, il me fout vachement la trouille, hé. Je le vois une fois par mois, quand il s'amène dans la classe pour distribuer les carnets de notes à faire signer aux parents, on se met tous au garde-à-vous, il nous appelle un par un, en commençant par le dernier, le dernier c'est toujours Lanzini, ça nous fait marrer, mais Lanzini il s'en tape, il est tellement costaud, Lanzini, costaud comme trois hommes costauds, alors l'école, tout ça, qu'est-ce qu'il en a à foutre, hein, et quand c'est le tour de Litvinoff, le dirlo il dit « Et voilà la Sainte-Russie ! », à tous les coups il dit ça, et le père Caspaert, le maître, il se marre à chaque fois avec politesse parce que c'est une plaisanterie de dirlo, et une plaisanterie entre Français, en plus. Nous autres on se marre aussi, parce que qu'est-ce qu'il faut être con pour être russe, on n'a pas idée, et puis quand arrive le tour de Struzzo, ou de Bocciarelli, ou de Cavanna, et que le dirlo dit « Et voilà la Sainte-Italie ! », là on dit rien, on fait la gueule, poliment, c'est vraiment des plaisanteries bêtes et cons, et le père Caspaert qui se marre, tu parles d'un vieux lèche-cul ! Moi, mon nom, il arrive toujours en dernier, vu que je suis le premier, à tous les coups. J'ai l'impression que ça l'agace, le dirlo, et que sa « Sainte-Italie », il la ricane encore plus jaune quand c'est mon tour. Oui, ben, je vais quand même pas faire exprès d'être deuxième pour lui faire plaisir, compte pas là-dessus, j'oserais même pas rentrer à la maison. Si je suis pas premier de la classe, maman en fait une maladie. Je l'ai habituée comme ça, j'aurais pas dû, maintenant je suis coincé. C'est pas que ça me coûte, j'aime bien l'école, tous ces trucs qu'on apprend, je trouve ça marrant, choux, hiboux, joujoux, que j'arrivasse, que vous arrivassiez, c'est comme les jeux qu'il y a dans les journaux de mômes, les charades, les devinettes, les acrostiches, et puis les montagnes, les fleuves, les dicotylédones, et les Huns terribles qui arrivaient de plus loin que chez les Chinois pour tuer tout le monde, et le Soleil qui est tellement de fois plus gros que la Terre, le Ver Blanc qui devient chrysalide et puis Hanneton, tout ça, tout ça, qu'est-ce qu'il y a comme choses incroyables, il y en a pour toute la vie, pour tous les jours de la vie, et alors moi j'aime ça, c'est chouette.

Je vais déjà commencer par le maître.

Mon maître de cette année, c'est Monsieur Caspaert, donc. Qu'on appelle le père Gaspard, obligé. Je lui ai jamais parlé en dehors de lui répondre quand il m'interroge au tableau. Jusqu'à aujourd'hui il me serait pas venu à l'idée d'aller faire la causette au maître, lui demander des détails et des précisions, comme y en a des qui. Tout de suite pendus au bureau à peine que la cloche sonne, au lieu de cavaler dehors en braillant comme nous autres et de se cogner la gueule à coups de cache-nez roulés, c'est ça qui fait mal, tiens, tortillé serré serré, non, ceux-là ça papote gentil attentif pour se faire bien voir, ça montre au maître des photos qu'ils apportent de chez eux qu'il y a dessus la montagne où ils ont passé les vacances si c'est justement le jour d'une géo sur les montagnes, on voit le genre, du fils à papa, du commerçant de la Grande-Rue, du monde qui va en vacances et qu'a un appareil photo, ça apporte des fleurs au maître si c'est une maîtresse, ou des cigares, sinon. Alors, moi, rester après la classe, m'amener tout seul pour parler au maître, je suis tout gêné, tout pas habitué. Déjà que je suis timide... J'attends qu'ils soient partis, tous les autres, les fils à papa, et alors je me retrouve tout seul avec Monsieur Caspaert, qui enfile son manteau pour s'en aller, et voilà, comme prévu, je me sens tout con de ce que je vais demander, c'est pas une chose d'école et d'instruction publique, j'ai honte, je vais pour me sauver, peut-être qu'il m'a pas vu, mais voilà qu'il dit :

— Tiens, donc ! Cavanna qui vient me voir ! Ça, c'est gentil. Pas pour une mauvaise nouvelle, j'espère ?

Il croise son cache-nez de laine dans l'ouverture de son pardessus, il enfonce son trop petit chapeau sur sa trop grosse tête et il me pousse doucement vers la porte. J'ai dit, vite :

— Oh, non, m'sieur.

— Allons, tant mieux. Eh bien, qu'est-ce que tu me veux, Cavanna ? Dis-moi vite, je n'aime pas manger froid.

Là, je me suis senti rougir. Enfin, je veux dire, j'ai senti d'un seul coup mes joues me brûler, et aussi mes oreilles, si j'étais un autre je deviendrais tout rouge, mais moi, qui suis d'habitude jaune-vert, je dois rougir dans les gris-orange. J'ai quand même réussi à dire mon truc.

— Voilà, m'sieur. C'est rapport à mon nom.

— Ton nom ? Qu'est-ce qu'il a, ton nom ? Il ne te plaît pas ?

— Oh, si... Enfin, je sais pas, j'ai jamais pensé à ça, c'est mon nom, quoi... Mais je voudrais savoir pourquoi on est tant et tant de Cavanna. Peut-être que vous le savez, vous ?

Le père Caspaert ferme à clef la porte de la classe, il traverse la cour de récré, ses grands panards envoient valdinguer dans le vent des flopées de feuilles de marronniers, il marche vite, la vache, j'ai beau avoir des longues jambes, maigres mais drôlement longues, faut presque que je cavale pour rester à côté de lui. Il a relevé le col de son manteau et fourré ses mains dans ses poches, c'est frileux, les maîtres d'école, ça a rien que du sang de scribouillard dans les veines, pas du vrai beau sang rouge, du sang de maçon.

Il me dit :

— Tu trouves que vous êtes beaucoup ?... Au fait, c'est vrai, j'ai toujours au moins un Cavanna dans ma classe. Des fois, deux. Tiens, c'est curieux, ça ! Oh, ben, c'est parce que chez vous autres, les Italiens, il y a toujours tellement d'enfants... Des chauds lapins, les Italiens, eh ?

Des chauds lapins ? Qu'est-ce que ça veut dire, ça ? Comme, en même temps qu'il a dit ça, le père Caspaert a eu un de ces airs qu'ils ont quand il y a de la cochonnerie cachée derrière, je pense qu'il veut dire que les Ritals, ça baise à couilles rabattues. Alors, moi, je réponds :

— Oh, non, m'sieur. Chez nous, on est fils unique. Euh... Je veux dire : je suis fils unique.

Le père Caspaert me regarde de côté, tout en marchant, comme si j'étais une espèce de phénomène.

— C'est parce que ma mère, elle est française, je dis, tout crâneur.

C'est marrant, ça. Quand je suis dans ma rue, dans ma rue de Ritals, avec tous mes potes ritals, je me sens rital cent pour cent, pas de problème, mon papa c'est le gros Vidgeon qui parle le français plus mal que n'importe qui, les villages de la vallée de là-bas je les connais comme si j'y étais né, je sais qui est de Groppallo, et qui est de Ferrière, et qui est de la Rocca, je suis rital et j'en suis fier, et pas qu'à moitié, tiens, je méprise les Français, ces soûlards, ces feignants toujours aux Assurances, ces va-de-la-gueule qui se font même pas respecter par leurs bonnes femmes. Quand je suis rien qu'avec des Français, par exemple à l'école, je suis français à fond la caisse, je me pose même pas la question, français à pierre fendre, français comme maman, comme Jeanne d'Arc et comme Guynemer, et quand ces cons-là se mettent à me traiter de sale Macaroni faut que je me réveille, merde, c'est pourtant vrai, mais je trouve ça injuste, qu'est-ce qui leur prend, je suis aussi français avec eux que rital avec les autres, aussi naturellement, pas à me forcer, j'ai un grand-père dans la Nièvre et toute une chiée d'oncles, de tantes et de cousins qu'ont seulement jamais vu Paris, ils parlent morvandiau et mangent la soupe au pain et à la crème, ils jurent les « Crrénom de Guieu de bon Guieu de vingt Guieux de paillassé de bon Guieu de borrdel ed' marrde ! », Lanzini et les

autres, ceux qu'arrivent de la gare de Lyon avec les bas de laine noirs jusqu'en haut des cuisses, la culotte en dessous des genoux et la casquette enfoncée bien à fond pour écarter les oreilles rouges, je les vois comme des étrangers, tout juste si je les traite pas de sales Macaronis, peut-être même que je l'ai fait... Alors, pourquoi, hein ? Ou alors, ça se voit sur ma gueule ? Je me dis que je suis comme une espèce d'enfant d'un négro et d'une femme blanche — d'une pouffiasse blanche : avec un négro, la salope ! —, je suis pas assez blanc pour les uns, pas assez noir pour les autres, ils font comme si de rien mais à la première mauvaise humeur c'est ça qu'ils me jettent à la gueule, tout de suite. Je leur rentre dans le lard, bien sûr, parce que je suis teigneux, mais ça me fait mal au cœur. Je voudrais être accepté, voilà. Accepté partout. Je voudrais être aussi con qu'eux, aussi sans problème, plonger dans leur crapuleuse ricanante connerie de Parigots franchouillards, dans leur lourde épaisse connerie de montagnards de l'Apennin, je les comprends si bien, les uns et les autres, je les si bien, mieux qu'ils ne se comprennent, qu'il entent eux-mêmes, c'est sûr, mais justem rchent pas à se comprendre, y a ri c'est comme ça, et merde, ils
Je suis là, tellement co
qu'ils ne le sont eux-m
Il y a quelque chos
Papa aurait dû se m
sa sœur, ma tante
les soirs et « i to
maman qui au
mais ils aurai
pas moi, et
de questio

On est arrivés à la Grande-Rue. Le père Caspaert continue tout droit, il remonte vers la rue de Brillet, moi je tourne à gauche vers mon nid de Ritals. Je dis :

— A t't'à l'heure, m'sieur. Bon appétit, m'sieur.

L'autobus 120 nous passe au ras du pif, ses vitres tremblotent et valdinguent sur les pavés, un boucan des trente-six diables, plus fort que le moteur. Derrière, deux percherons à gros cul et poil aux pattes tirent un fardier de chez Cailleux chargé de tonneaux de pinard, les grelots de leurs colliers sonnaillent en cadence, et puis derrière encore se traîne une ribambelle de bagnoles qui klaxonnent tant que ça peut. Ça fait qu'en attendant de pouvoir traverser le père Caspaert a le temps de me gueuler dans l'oreille :

— Il y a une chose quand même que je peux te dire.

Je gueule aussi :

— Ah, ouais ? C'est quoi, m'sieur ?

— Eh bien, vois-tu, Cavanna, c'est bizarre, mais ton nom, là, Cavanna, quoi, eh bien, ça n'a pas l'air italien. Je peux me tromper, note bien, mais plus j'y pense, plus je trouve que ça n'a pas l'air italien.

Je gueule :

— Ça a l'air de quoi, alors ?

Seulement, juste là, il y a un trou dans la circulation, le père Caspaert en profite, il plonge et traverse la rue en courant, cramponné d'une main son chapeau, de l'autre à son col de pardessus remonté jusqu'aux oreilles. Il a pas eu l'air re compte qu'il me laissait tout con au trottoir. Pas italien ! Cavanna ? Ben,

*

Pas italien, Cavanna ? Qu'est-ce qu'il lui faut, au père Caspaert ? Au moins la moitié des Ritals s'appellent Cavanna, par ici !... Quand même, ça me donne à penser. C'est vrai que des noms ritals en « a », y en a pas beaucoup. Des « i », ça, oui, tant que tu veux. Aussi quelques « o ». Mais, de « a », je vois guère que les Taravella et les Rocca. Dans mon livre d'Histoire de France, que j'ai dévoré la première semaine après la rentrée parce que dedans c'est plein de batailles et d'aventures, j'aime ça, eh bien, j'ai vu des noms de Grands Hommes : Gambetta, Émile Zola, Savorgnan de Brazza, tous des Italiens qui ont choisi de servir glorieusement la France, c'est dit comme ça dans le livre, eh bien, tous des « a » ! Ça me rassure un peu. Tiens, je vais demander à Vivi.

Vivi, c'est un Taravella. Le fils de Dominique Taravella, un des deux patrons. L'autre, c'est Dominique Cavanna. Des Taravella, il y en a beaucoup aussi, presque autant que des Cavanna, mais comme les filles Taravella épousent à tous les coups des fils Cavanna et les filles Cavanna des fils Taravella, l'un dans l'autre ça se balance. La sœur de Vivi, la Marie, s'est mariée à un Cavanna, le Nino, mais c'est encore une autre race de Cavanna, celui-là je sais pas d'où il sort. Bon. Je dis à Vivi, qui a trois ans de plus que moi et qui est instruit, il a même son Certif :

— C'est vrai que Cavanna, c'est pas un nom italien ?

Vivi me répond :

— C'est drôle ce que tu me demandes là, François, parce que, figure-toi, justement j'ai entendu causer de ça y a pas longtemps.

— Qui c'est qui en causait ?

— Oh, c'était mon oncle Dominique, avec l'abbé Valensi. Ils rigolaient tous les deux, j'ai pas fait tellement attention. Pourquoi que tu lui demandes pas, à mon oncle ?

— Oh, ben...

Je veux pas dire à Vivi que j'ai la trouille d'avoir l'air con. Le grand Dominique, je le connais depuis que je suis au monde, c'est le Patron, et en plus c'est le propriétaire, il a construit la maison pour loger les ouvriers, comme ça ils peuvent faire venir d'Italie la femme et les gosses. Bref, je suis timide, et plus on est timide, plus on a honte d'avoir l'air timide. J'aime mieux demander à l'abbé Valensi.

L'abbé Valensi, je le connais un peu, il nous fait des fois le catéchisme quand l'abbé Martin se barre au diable vauvert sur sa grosse moto. Il est très doux, très gentil, on l'a mis là comme vicaire parce qu'il y a tellement d'Italiens à Nogent. Les dames italiennes seraient tout honteuses de confesser leurs péchés en français, surtout les grand-mères qui ne connaissent que le dialetto et ne mettent le nez hors de la maison qu'au petit matin pour trottiner vite vite dans les rues grises jusqu'à l'église écouter la première messe et puis rentrer vite vite se cacher au coin de la cuisinière avant que les rues soient pleines de Français.

Justement, ce jeudi, c'est l'abbé Valensi qui nous fait le caté. Il commence par nous poser des questions, voir si on a bien retenu la leçon de jeudi dernier. C'était les sacrements. Il préfère m'interroger moi, parce qu'il sait qu'à tous les coups j'aurai bon, c'est moins emmerdant pour lui, ça va plus vite, il peut passer aussi sec à la leçon du jour. Il y a combien de sacrements ? Sept, monsieur l'abbé. Récite-les. Je les récite. Qu'est-ce qu'un sacrement ? Je lui dis. Bien. Aujourd'hui, nous allons étudier le sacrement de pénitence... La routine. A onze heures et demie, l'abbé tape dans ses mains, tous les gars cavalent vers la porte en gueulant « Ouah ! » Je m'approche de l'abbé, il voit bien que je veux lui demander quelque chose, il me dit « Et alors, Cavanna ? » avec cet accent qu'il a, italien, oui, mais pas de chez nous. Distingué, je dirais, et doux, caressant.

— Ben, voilà, monsieur l'abbé, je voudrais savoir. C'est Vivi Taravella, euh... je veux dire Louis, qui m'a dit de vous demander, oh c'est pas important, c'est parce que je m'appelle comme ça, vous comprenez, alors voilà, je voudrais savoir si c'est vrai que Cavanna c'est pas un nom italien. Vous savez ça, vous ?

L'abbé sourit et joint les doigts, tous les curés font ça, il réfléchit un peu, et puis il dit :

— Tu me poses là une question intéressante. Vois-tu, je m'intéresse moi-même un peu à ces choses : d'où viennent les noms de famille, ceux qui se perdent, ceux qui se transforment, ceux qui arrivent on ne sait pas d'où... Vivi a dû te dire que, l'autre jour, j'en parlais avec son oncle, Monsieur Dominique, et, ma foi, je l'ai bien étonné, pauvre homme !

Je fais l'ignorant pas au courant :

— Ah, ouais ? Pourquoi ça, m'sieur l'abbé ?

— Eh bien, parce que, justement, je lui apprenais que son nom n'est vraisemblablement pas un nom italien.

— Oh, dites, eh, m'sieur l'abbé ! Cavanna, pas italien ? Alors y a la moitié des Italiens qui sont pas italiens !

— Tu exagères un peu, non ? Mais je t'assure, c'est vrai, Cavanna n'a pas la morphologie d'un nom italien.

L'abbé voit que je fais les yeux ronds.

— L'allure, si tu veux.

— Ben alors, l'allure de quoi, il a ?

— Je vais bien t'étonner à ton tour. Tout porte à penser que c'était autrefois un nom espagnol.

Comme deux ronds de flan, j'en reste.

— Mais, voyons, on n'est pas des Espagnols ! On vient tous de la Valle Nure, de Bettola, de Groppallo...

— Je sais, je sais. Les Cavanna sont de Groppallo, les Taravella sont de la Rocca del Ferrière, c'est leur point d'origine.

— Ben, oui. Tout ça c'est dans la Valle Nure, à même pas dix kilomètres l'un de l'autre. Alors, vous voyez bien...

— Le point d'origine, ça veut dire que c'est là qu'on trouve le nom pour la première fois, en consultant les registres de baptême et de mariage, les archives des notaires, enfin les papiers d'autrefois, tu comprends. Mais on ne peut pas remonter très loin, sauf peut-être pour les noms des seigneurs, qui avaient des titres sur parchemin et les conservaient précieusement, parce qu'alors on n'écrivait pas tout comme aujourd'hui... Les noms de famille de nos paysans, vois-tu, c'étaient presque toujours des noms de plantes, ou de bêtes, ou d'outils, ou de lieux, plus ou moins déformés.

— Comme, en français, Dupont, Dubois ou Leloup ?

— Voilà. C'est ça.

— Et Cavanna, qu'est-ce que ça veut dire ?

— Ah, voilà ! Cavanna, ça ne veut rien dire. Rien du tout. Ça ne se raccroche à rien.

— A rien du tout ?

— Eh, non. J'ai bien pensé à « cavallo », « cavalla », le cheval, la jument, mais des « L » n'auraient pas donné des « N ».

— Ah, non ? Vous êtes sûr ?

— Tout à fait. Et puis, je te le répète, ça ne sonne pas italien.

Espagnol... Je retourne ça dans ma tête. L'abbé me met la main sur l'épaule et me dit :

— Tiens, Cavanna, assieds-toi un instant, je vais t'apprendre quelque chose.

Qu'est-ce qu'il va me raconter, encore ? Qu'on est des extra-terrestres venus d'une étoile lointaine dans une fusée, comme les jaunâtres de « Luc Bradefer » dans les bandes dessinées de « Robinson » ?

— Écoute un peu, Cavanna. D'abord, dis-moi : qui a découvert l'Amérique ?

L'Amérique ? Qu'est-ce qu'elle vient foutre, l'Amérique ?

— Allons, dis-moi. Mais peut-être que tu ne le sais pas ?

Hé, attention. On est au caté, ici, pas à l'école. Je suis branché sur les choses de la religion, pas sur les choses d'histoire-géo, grammaire, calcul, robinets, kilomètres, prix d'achat, Marignan et tout ça... C'est pas dans la même boîte de ma tête. Me faut le temps de me retourner, de fermer une boîte et d'ouvrir l'autre, de quitter les anges, le ciel, toute cette lumière, pour atterrir à ma place sur mon banc devant la vieille table de chêne toute tailladée avec dans son trou l'encrier blanc baveux d'encre noire, au mur le Système Métrique, les Images de Notre Belle France et l'Arbre des Capétiens, ça y est, j'y suis, voilà.

— Christophe Colomb.

— Mais oui ! Très bien. Maintenant, de quel pays il était, Christophe Colomb ?

Là, il faut que je cherche, on n'en est pas encore là, en histoire, moi j'ai déjà lu tout le bouquin, seulement je me rappelle plus bien. Je dis, pas très sûr :

— C'était un Espagnol, non ?

— Eh, non ! Pas du tout ! Il est parti d'Espagne, au service du roi d'Espagne, mais ce n'était pas un Espagnol.

— Ah, tiens ? Au fait, c'est vrai, Christophe Colomb, ça fait français, plutôt. C'était un Français ?

L'abbé sourit.

— Les Français l'appellent Christophe Colomb, mais son vrai nom c'est Cristoforo Colombo.

L'abbé a prononcé CrisTOforo CoLOMbo en appuyant bien sur l'accent. J'ai compris.

— C'était un Italien ?

— Eh, oui ! Un Italien, un marin qui était parti chercher fortune en Espagne.

— Un immigré, quoi ?

— Exactement. Lui, de son métier, il était marin. Et tu sais où il est né ?

— Ben, en Italie.

— Oui, mais dans quelle ville ?

Ça devient vachement dur. Dans mon livre d'Histoire de France, ça y est pas, ça, j'en suis sûr. Je reste muet.

— Ah, ah ! Tu ne sais pas ? Alors, écoute. Ton père est de Groppallo, n'est-ce pas ?

— Non, de Bettola.

L'abbé saute en l'air. Il s'écrie :

— Dalla Bett'la ? Prop'io dalla Bett'la ?

Il s'est mis à parler le dialetto ! Faut croire que j'ai dit quelque chose de pas ordinaire.

— Ben, oui, m'sieur l'abbé. Pourquoi ? C'est pas bien ?

— Mais les Cavanna, c'est de Groppallo, qu'ils sont !

— Oui, mais nous, on est de Bettola.

— Mais Bettola, c'est la ville, enfin, le bourg, dans la vallée. Groppallo est un petit hameau tout en haut dans la montagne.

Ça, je le savais. Je les entends assez souvent en parler, et de la foire à la Bett'la, et dell' Grouppal' où que la terre est tellement pencée qué les zens ils ont oune zambe qu'il est plous courte coumme l'autre. Et de rire !

— Ben, oui, peut-être, mais papa il est de Bettola, et même son père, et sa mère, et ses sœurs qu'il a encore là-bas. Ils habitent au bord du torrent, tout au bord... C'est parce que, à Groppallo, il n'y avait pas de terre pour eux, alors ils sont venus en ville, il y a longtemps.

Ce que je dis pas, parce que j'ai honte, c'est que ces Cavanna-là sont des espèces de clochards, qu'ils vivent dans une cave noire au ras de la flotte, j'ai su ça par des petits Ritals qui ne manquent pas de me le répéter pour se foutre de ma gueule quand on commence à se chercher des crosses.

L'abbé est tout content. Va savoir pourquoi. Il me dit :

— Bon. C'est encore mieux. Maintenant, puisque tu es de Bettola, dis-moi. Qu'est-ce qu'il y a sur la grande place de Bettola, juste au milieu ?

Je fais semblant de réfléchir, et puis, pour avoir l'air dans le coup, je demande :

— La place où il y a le marché ?

Papa parle toujours du marché de Bettola, qu'est tellement plus beau que le marché de Nogent.

— C'est ça ! La place où il y a le marché. Alors, qu'est-ce qu'il y a sur cette place ?

— Juste au milieu ?

— Eh, oui, juste au milieu, on ne voit que ça ! De n'importe quel côté, quand on arrive, on ne voit que ça.

Je ferais mieux de dire à l'abbé que, Bettola, j'y ai jamais mis les pieds, je suis né ici, moi, à Paris, Quatorzième Arrondissement, c'est écrit sur mon livret scolaire, tous ceux qui ont « Lieu de naissance : Paris (XIVe) » on sait tout de suite que c'est des purotins parce que dans le XIVe c'est là qu'il y a la maternité de l'hôpital Cochin, boulevard de Port-Royal, toutes les femmes de ménage vont accoucher là-dedans. Les autres familles de la rue Sainte-Anne, une fois tous les trois ou quatre ans, elles vont faire un petit tour au pays, pas toute la famille, bien sûr, ça coûterait trop cher, mais le père avec un fils, ou le père avec une fille, ou le père avec tous les enfants s'ils sont vraiment rupins. Quand ils reviennent, ils rapportent des cadeaux pour les amis, par exemple du fromage de là-bas, que papa met à mûrir dans un coin bien caché pour que maman ne le trouve pas parce qu'il finit par puer tellement fort que toute la maison pue, tu croirais qu'on a chié partout, vraiment dégueulasse, et quand il est pourri pourri que c'est rien que des asticots tout petits qui gigotent, papa le mange à petites bouchées sur son pain et c'est tellement fort qu'il pleure, mais c'est des bonnes larmes qui le font rire. Mais nous autres, on n'y va jamais, ça coûte trop cher, et puis, comme dit maman, qu'est-ce qu'on irait y faire ? J'aime bien mieux m'acheter une paire de draps pour mon lit ou bien une culotte au gosse, que celle de l'année dernière est déjà trop petite, ça vaut pas mieux que de jeter les sous par les fenêtres d'un train, peut-être ? Je ferais certainement mieux de le dire à l'abbé, mais voilà, je suis le seul de toute la rue, de tout Nogent, à n'être jamais allé en Italie, alors j'ai honte, je fais semblant de rien. Ça vous rend hypocrite, à la fin, des trucs pareils.

L'abbé s'impatiente. Tout ça c'est des préparatifs, il a hâte d'arriver au machin sensationnel qui lui brûle la langue.

— Je vais t'aider. Sur la place, en plein milieu, il y a une statue. Et c'est la statue de qui ?

— ...

— C'est la statue de Christophe Colomb !

Je fais :

— Ah, ben, oui...

— Il nostro Cristoforo ! Et pourquoi il a sa statue à Bettola ? Ça, tu le sais, ça !

Je dis, à tout hasard :

— Parce que c'est là qu'il est né ?

— Bravo ! C'est là qu'il est né. A Bettola. Comme ton papa. On dit que c'est un Génois, parce qu'à cette époque-là toute la province autour de Bettola appartenait à la République de Gênes. Alors, maintenant, écoute-moi bien. Christophe Colomb, quand il est parti pour découvrir l'Amérique, il avait trois bateaux, et naturellement il lui fallait des marins pour manœuvrer les bateaux. Comme il est parti d'Espagne, il a pris des marins espagnols, tu me suis ? Et un de ces Espagnols s'appelait Cavanna. Voilà.

— Alors, il y a un Cavanna qui a découvert l'Amérique en même temps que Christophe Colomb ?

— Eh, oui !

— Peut-être bien que c'est lui qui l'a vue le premier ? Christophe Colomb, c'était le capitaine, et les capitaines ça grimpe pas en haut des mâts.

C'est le marin qui était tout là-haut sur le plus haut mât qui a vu l'Amérique le premier, forcément. C'était peut-être Cavanna. Sûrement, même.

— Je n'avais pas pensé à ça. Tu as raison, le pays découvert devrait porter le nom du premier qui l'a vu, ce ne serait que justice... Mais l'Amérique ne porte même pas le nom de Colomb, alors, hein...

Moi, je suis tout excité. Je demande :

— Et alors, ce Cavanna-là, qu'est-ce qu'il a fait, après ?

— D'après ce que j'ai pu glaner à droite à gauche, il semble bien qu'il serait devenu un ami très proche de Colomb, et quand Colomb est tombé en disgrâce et que le roi d'Espagne l'a fait jeter en prison...

— Il a fait ça, le roi d'Espagne ? Il a mis Christophe Colomb en prison ? Quel salaud, ce roi ! Je suis content qu'on ait tué tous les rois !

— Eh bien, Cavanna ?

— Pardon, m'sieur l'abbé. Je voulais pas dire ça.

— J'espère bien. Bon. Quand Christophe Colomb est sorti de prison, ce Cavanna était là, et Christophe est rentré finir ses jours dans son village...

— A Bettola !

— ... à Bettola, et Cavanna l'a suivi, il s'est acheté une maison, probablement à Groppallo, il s'est marié, et voilà l'origine des Cavanna. Maintenant, sauve-toi, tu vas être en retard pour déjeuner, je suis sûr que ta maman s'inquiète déjà.

*

J'ai des choses splendides plein la tête. Des choses tellement magnifiques que je vais éclater. Je me vois déjà en train de dessiner dans un rond majestueux la tête formidable du premier de tous les Cavanna, de celui qui a découvert l'Amérique. Comment c'était, son petit nom ? L'abbé l'a pas dit. Peut-être qu'il le sait pas... Ouh là là, quand je vais dire ça aux copains... Non, vaut mieux que je leur dise pas, ils me croiraient pas, ils se foutraient de ma gueule. J'accrocherai mon Arbre au-dessus de mon lit, avec des punaises, et je dirai rien à personne, y a que moi qui saurai. C'est un beau secret, ça, non ?

Et puis je me dis que l'abbé Valensi l'a dit aussi à Monsieur Dominique, qui est un Cavanna, et Monsieur Dominique n'a pas sauté en l'air et n'a pas été dire à tous les Cavanna que leur ancêtre a découvert l'Amérique avec Christophe Colomb et même un tout petit peu avant, alors ça veut dire que c'est pas une chose très importante... Oh, mais c'est parce que eux, je veux dire tout le monde, tous les gens, ils voient pas le côté merveilleux des choses, ça leur met pas le feu dans la tête, ça leur fait pas cogner le cœur. Ils sont sérieux, eux, le travail c'est le travail, et basta, la vie n'est pas faite pour les regarde-en-l'air ni pour les rêve-tout-debout. Ils ont raison, ils sont normaux, ils ont de la chance. Moi, j'ai honte d'être comme je suis, ce qui me fait plaisir c'est jamais ce qui fait plaisir aux autres, alors, bon, je ferme ma gueule, je fais semblant, une fois de plus je veux pas passer pour un con.

J'ai une idée. Je vais dessiner tout l'arbre, avec ses branches, ses feuilles, tout très beau, et puis après je découperai des ronds dans un autre papier, je dessinerai dessus les têtes des Cavanna et je les collerai bien proprement à leur place sur l'arbre. Comme ça, si je loupe une tête, j'ai qu'à jeter le rond et en découper un autre, ça fera tout de même moins de cochonneries que de gommer sur mon arbre. Je suis très content de mon idée.

Voilà. L'arbre est fait. Il est magnifique, mais un peu pâlot. Les crayons de couleur, on a beau appuyer on a beau, ça fait pas foncé comme des peintures, mais des peintures j'en ai pas. Tout en bas, bien au milieu dans les racines, j'ai collé le rond avec la tête du Premier Cavanna, le Cavanna de l'Amérique. Je lui ai fait une belle barbe, ils avaient tous de la barbe dans ce temps-là, j'ai regardé dans mon Histoire de France. Il ressemble un peu à François Premier, si on veut, mais en plus gros, en plus fort, fort comme papa. Je lui ai fait une joue plus grosse, c'est à cause de la chique. Je sais pas si les marins avaient un béret, dans ce temps-là, alors je lui ai fait une espèce de bonnet plat tout mou comme celui de François Premier, et j'ai mis sur le dessus un pompon rouge pour qu'on voie bien que c'était un marin. J'ai écrit son nom dessous, en lettres comme celles dans les livres, vachement dur, tiens. Pour le petit nom, j'ai bien réfléchi, et puis j'ai mis Louis. Louis Premier (Louis Ier). Son fils s'appellera François, quand j'en serai là. Papa m'a expliqué. Lui, il s'appelle Louis, son père s'appelait François, et moi aussi je m'appelle François. Ça fait qu'il y a un Louis coincé entre deux François, ça change à chaque coup, une fois Louis, une fois François, si j'ai un fils quand je serai grand il s'appellera Louis, obligé. Alors je peux bien supposer que c'est comme ça depuis le commencement des commencements, et donc le premier Cavanna s'appelait Louis, sûr et certain. Ou peut-être François. Une chance sur deux. Moi, j'aime mieux que ça soit un Louis, comme papa.

Louis Ier le Navigateur. Entre parenthèses : Compagnon de Christophe Colomb. Ça a de la gueule. Une sacrée gueule. Maintenant, je fais papa. Il faut que je le réussisse bien bien. Je fais d'abord mon oncle Jean pour m'entraîner, ils se ressemblent beaucoup, lui et papa, mais papa est plus beau. C'est pas dur : j'ai qu'à faire mon oncle Jean pas très beau, et puis je le recopierai en beau pour faire papa. J'écris « Oncle Jean » sous l'oncle Jean, et puis, sous papa, « Louis XXVIII » ça veut dire vingt-huit. J'ai compté, depuis le temps de Christophe Colomb il doit y avoir eu vingt-huit Louis Cavanna et, bien sûr, vingt-sept François. Le vingt-huitième François, ça sera moi. Entre parenthèses, j'ai écrit Gros Vidgeon. C'est son surnom. Louis XXVIII Gros Vidgeon.

*

J'ai demandé à papa comment était son père à lui, quelle tête il avait. Papa m'a répondu qu'il avait des moustaches. Des moustaches comment ? Grosses ? Petites ? En l'air ? Pendantes ? En brosse ? Pointues ? Ma valala ! Sont été des moustaces, valà. Noires ? No, claires. Il te ressemblait ? Mah... Il était gros ? No, maigre. Ma tous qu'ils étaient maigres, là-bas. Mva aussi que z'étais maigre. Frisés, les cheveux ? Oun 'tit po'. Je sens que papa devient triste, vaut mieux pas insister. Je me démerderai avec ça.

Une autre fois :

— Et ton grand-père, papa ? Le père de ton père ?

— Ma qué, grand-père ? Mon père, de père, il en a pas eu, lvi, de père.

— Enfin, papa, il est pas venu au monde tout seul ! Faut bien qu'il ait eu un père.

— Mon père, il était oun de l'Assistance, coumme on dit par ici. En Italie, il est boucoup des coumme ça.

— Mais alors, c'était pas un vrai Cavanna ! C'était même pas un Cavanna du tout !

Voilà que ça se démaille à toute vitesse...

— Et nous non plus, on n'est pas des Cavanna ! Oh, ben, merde, dis donc...

Aïe, une baffe ! Chaque fois que je dis un gros mot, maman : une baffe.

C'est dur à avaler. D'abord on n'est plus italiens, maintenant on n'est plus rien du tout. En tout cas pas les descendants de Louis Ier Cavanna le Navigateur (Compagnon de Christophe Colomb). Il a bonne mine, mon arbre. Entre François Ier le Hutin (fils de Louis Ier) et François XXVII Belles Bacchantes (père de papa), il y a un vide qui ne sera jamais comblé. Triste.

Heureusement, je commençais à en avoir un peu marre, de cet arbre. Je me suis mis à faire des dessins animés avec les trognons de carnets de tickets à numéros qu'il y a aux arrêts d'autobus. Tu fais « Frrrt » avec le pouce, ça bouge ça cavale comme un vrai dessin animé. Même des cochonneries dégueulasses tu peux leur faire faire. Les mecs, ça les fait marrer, ils veulent m'en acheter, mais j'aime mieux les garder.

*

A la récré, Gibbs me dit :

— T'as un drôle de nom.

— On me l'a déjà dit, figure-toi.

— T'es écossais, d'origine ?

— Écossais ? C'est où, ça ? Je suis macaroni, comme tout le monde. Et toi, t'es quoi, toi ? T'as un nom de dentifrice.

— C'est anglais. Mais, sans blague, Cavanna, c'est un nom écossais. Ça devrait s'écrire comme ça, tiens.

Il écrit au crayon sur un bout de papier : « Kavannagh ».

Je fais :

— Ah, ouais ?

— Moi, à ta place, je ferais des recherches. Il y a eu des archers écossais en France depuis le règne de Charles VII. Tu savais ça ?

— Te fatigue pas, c'est espagnol.

— Ah ? Tiens... Il y a eu des tas de prisonniers écossais en Espagne pendant les guerres de religion...

Oui, mais oui, j'en ai plein mon sac, des Espagnols, des Écossais, et même des Ritals. Puisque je suis rien du tout, j'ai pas à me casser le cul avec les histoires d'ancêtres. Comme dit papa : « La patrie, il est où qu'il est le travail. Ecco. »

LA TOUR DE PISE

Dans le journal il y a une grande photo de la Tour Eiffel sur la première page, elle est tout illuminée couverte de petites ampoules jaunes du haut jusqu'en bas, avec CITROEN écrit tout du long en lettres rouges formidables. C'est pour l'Exposition. Papa regarde cette photo, il la regarde bien bien, et puis il me demande qu'osse qui vole dire sta lettrichité-là qu'il est coumme de l'écritoure. Je lui explique que c'est le nom d'une marque de bagnoles, c'est pour faire vendre des bagnoles. Il hoche la tête, il dit que des toumoubiles il est dézà même de trop, qu'i tuvent le monde pourquoi les zens i veut aller troppe vite, et tout ça il est pas bon, tout ça, no. A partir de là je lui raconte la Tour Eiffel, qui est le bâtiment le plus haut du monde et qu'il y a rien de plus beau ni de plus hardi, trois cents mètres sans compter le drapeau, dis donc, on n'a jamais vu ça, même les Américains ils en ont pas autant, on vient du monde entier pour l'admirer.

Papa n'est pas épaté. Pas du tout. La Tour Eiffel, il l'a vue, lui, il est même monté en haut, maman l'avait entraîné, je la vois d'ici, c'était dans les premiers temps de leur mariage, quand elle se cramponnait de toutes ses forces à ses illusions. Eh bien, pour papa, la Tour Eiffel, c'est tout du bidon, ça ne peut en mettre plein la vue qu'à des qui connaissent rien dans le bâtiment.

— 'Coute oun po'. Sta Touriffel-là, beuh, il est rien dou tout da fare. Rien dou tout. Il a quouattre pieds larzes larzes, et loui il est toute fine toute fine au milieu, fine coumme oun aigville, allora bien soûr qu'a pot monter là-haut zousqu'au ciel ! I pèse rien dou tout, il est toute en fil de fer coumme la tvale de l'araignée, qué le vent i passe à traverse, le vent, allora i fatigue pas, tou comprendes ?

Oun vrai bâtiment il est fait 'vec des mours, qué le vent quouante qu'i vient contre i se cogne forte, et allora si le ton mour il pas bien drvate col' fil-à-plombe, i se casse et i tombe par terre, sta mour-là, ecco. Ma pour fare la ta Touriffel il est même pas bisoin le fil-à-plombe, pourquoi il est pas drvate, il est toute pvointue, allora le fil-à-plombe i serve à rien.

Cez nous, en Italie, vi, qu'il est ouna çoje qu'i faut la var. Mva je l'ai pas voue, pourquoi il es lvoin de Bettola, et dans ce temps-là le train il était pas, et toute façon les sous pour le train ze les avais pas, même les çoussures z'avais pas, ze marçais 'vec les pieds, et dans le train si t'as pas les çoussures i te laissent pas monter. Ecco. C'est coumme ça, quva.

Sta çoje-là, i s'appelle la Tour de Pise, pourquoi il est oune tour et i sarà dans oun pays qui s'appelle Pise. Mais çvi-là qui l'a fatte, sta Tour de Pise, çvi-là vi qu'il était oun compagnon qui connaissait le métier ! Pourquoi sta Tour de Pise, 'coute oun po', 'coute oun po', il est toute en pierre de taille — tou le sas qu'osse qu'il est, la pierre de taille ? — 'vec les colonnes en marbre tout autour, des rouzes, des vertes, des zaunes, des blances, tous les couleurs, bien scoulptées fin fin fin, et les finestres, et les pilastres, ma la çoje plous fourmidable, tou le sas qu'osse qu'il est ?

Je dis :

— Ben oui, p'pa, tout le monde le sait. La Tour de Pise, elle est penchée sur le côté, voilà. Normalement, elle devrait se casser la gueule, mais non, elle tient debout comme ça, toute de traviole, on comprend pas pourquoi mais elle tient, alors ça épate les visiteurs, forcément.

Papa rit de mon ignorance. Il se cale une chique neuve, envoie une mince fusée brune dans un pot de géraniums et daigne m'éclairer.

— Tou le sas rien dou tout. Tou te le crvas de savar, ma rien dou tout, tou sas. 'Coute oun po'. La Tour de Pise, i se balance. Ecco.

Je fais les yeux ronds.

— Oh, dis, eh !

— Ma vi qu'i se balance ! Oun coup à drvate, oun coup à gauce, coumme la çoje-là qu'il est dans la zorologe.

— Le balancier ?

— Valà, l'est çvi-là coumme tou dises. Allora, tou comprendes, pour fare qu'i se balance à drvate à gauce oune Tour toute en pierre qu'alle pèsera au mvoins cent mille tonnes et pit'êr' même plous, 'vec les colonnes et les scoulptoures et toutes les mobles dedans, et qu'i se casse pas, fout avar toutes i calcouls d'avance dans la sa tête, qué si tou te trompes oun tout 'tit po' tout 'tit po', la ta Tour i tombe par terre, ecco. Et combien de temps qu'il est là, sta Tour de Pise, oïmé, des mille et des mille d'années, pit'êt' bien des millions, tante longtemps qué savar tou le peux même pas, savar, pourquoi dans ce temps-là les zens i savaient pas compter, même 'vec les doigts i savaient pas, même l'hore qu'il est i savaient pas, pourquoi la montre ils l'avaient pas, allora i savaient solement quouante c'est qu'il est le zour et quouante c'est qu'il est la nvit. Le zour, i travaillent, la nvit, i dorment, ecco.

Sta Français, là, i se croivent coumme ça qué il est solement la Touriffel et pis c'est tout. Les Français i savent zamais qu'osse qu'il est cez les autres, qué pourtant des fois c'est plous beau coumme qu'osse qu'il est ici à Paris. La nostre Tour de Pise il est counnou zousqu'en Amérique, qu'i vient les zens dou monde entière pour la var, et quouante qu'i voient ça, les zens, quouante qu'i voient coumme i se balance zentiment à drvate à gauce, allora i se disent coumme ça qu'est-ce qu'il est beau, c't'affaire-là ! Et délicate, et graciose ! Qué solement les Gitaliens ils la pouvaient fare, oune çoje pareille. Ze le vois bien qué des maçons coumme sta Gitaliens-là il est personne, i se disent coumme ça les zens. C'est pour ça qu'i vient cercer i Gitaliens pour aller fare le maçon cez eux, même les Méricains, même les Marocains, même les Rousses, même les Cinoises qui sont tante lvoin et qui z'ont les yeux sour le côté de la figoure, coumme les ciens.

J'écoute religieusement. Mais ce n'est pas tout.

— Si tou 'coutes bien bien, la Tour de Pise, allora tou la'tendes qu'alle çante.

— Elle chante, Papa ?

— Eh, bien soûr ! Quouante qu'i pence à drvate, i fa oune mousique. A gauce, oune autre mousique. Coumme les cloces de la glige, ma plous zoli, plous lézère, oune mousique qu'elle vient prop'io dou ciel. Tou le crvas que c'est les anzes dou bon dieu qui çantent dans le ciel. Ah, si... La nvit, à Pise, et même dans la campagne tout outour, quouante qu'il est pas dou brvit noulle parte, c'est tellement beau tellement qué les larmes elles te coulent.

— Papa, mais alors, puisque c'est si beau, pourquoi que des Tours de Pise ils en construisent pas partout dans le monde, les Italiens ?

Papa prend le temps d'envoyer une giclée dans l'autre pot de fleurs, c'est pas un géranium, celui-là, un machin à fleurs bleues avec des poils — qué le tabaque, i fa dou bien à les flores, le tabaque, i toue la vermine — et, grave, il dit :

— Çvi-là qu'il a fatte sta Tour de Pise-là, ils l'ont tuvé, à peine qu'il a fini. Disent coumme ça qué c'est le pape qu'il ara fait ça, pour fare qué c't'homme-là i dit personne coumme qu'il a fait à construire sta çoje-là tante meraviliose, mais mva ze le crvas pas qué le pape i pot esse miçante coumme ça. Toute façon, c't'homme-là l'est morte, et ouzourd'houi, fare des çojes coumme ça on les sait plous fare. Est oun secrète, ecco. Toute façon, oune Tour de Pise, l'est mieux qu'il est oune sole, pourquoi oune maijon qu'a se balance tout la zournée et qu'a çante tout la nvit i serve à rien, zouste pour esse zoli, et si y en a partoute allora il est pas bon, pourquoi les zens i vient pas la var en Italie, i restent la regarder cez eux. Ecco.

Papa admire en silence l'astuce du raisonnement. Il conclut :

— Son' des malins, sta missieurs-là qu'i z'ont fait ça.

LE FEU D'ARTIFICE

Rue Sainte-Anne, perdues dans la masse ritale comme les raisins secs dans le gâteau de semoule d'une ménagère un peu radine, il y a quelques familles françaises. Elles sont de deux sortes : les familles du type ouvrier parisien rigolard, bambochard et va-de-la-gueule, et les jeunes couples sérieux qui habitent là parce que le loyer est moins cher mais qui ont le regard tourné vers un avenir radieux où, à force de travail, d'économies et de contrôle des naissances, ils s'arracheront à la misère couleur sauce tomate pour s'envoler vers des quartiers plus honorables.

Au-dessus de chez nous, dans l'immeuble, tout en haut, habite une famille française qui ne rentre dans aucune de ces catégories. Eux, ils font bourgeois, plutôt. Pas jeunes. Discrets. Presque invisibles. Sauf le père, quand il rentre le soir de son boulot, un boulot mystérieux mais à coup sûr distingué puisqu'il porte le complet-veston, le chapeau, la cravate, et trimbale une de ces petites sacoches en forme de châtaigne comme celle du docteur Walter. Cet homme plein de dignité doit peser dans les cent vingt kilos. Cent vingt kilos de dignité. Quand il monte l'escalier, il s'arrête toutes les cinq marches, s'appuie des deux mains à la rampe et, la bouche grande ouverte, la face tendue vers les hauteurs, il cherche l'air comme un poisson arraché à l'eau, sauf que lui fait un boucan de vieille locomotive essoufflée qui s'essaie les pistons et crache sa vapeur avec le coup de sifflet. Deux trois minutes comme ça, puis il se lance, un pied après l'autre, dans l'ascension des cinq marches suivantes. Si t'arrives derrière, rien à faire, faut que t'attendes, il barre bien hermétique tout l'espace entre la rampe et le mur, tu lui dis timidement « Hé, m'sieur ! » il t'entend même pas, noyé qu'il est dans son fracas de bielles déglinguées. Alors, bon, tu redégringoles l'escadrin sens inverse et tu reparais dans la rue parmi les copains, ça te fait un quart d'heure de rab, t'as le bon prétexte pour ta vieille : « Y avait Monsieur Mirche devant moi dans l'escalier, m'man ! » A chaque palier, Monsieur Mirche marque une station plus prolongée, parce que là le sol est plat, il peut s'appuyer bien à fond sur la rampe, qui fléchit, mais elle le connaît, elle a l'habitude. On entend monter Monsieur Mirche jusqu'au fond de chaque logement. Quand il fait sa station à notre palier, maman ne manque pas de dire, à voix contenue, comme s'il risquait de l'entendre : « C'est ce pauvre Monsieur Mirche avec son assme. Si c'est pas des malheurs, un homme si bien, des gens si convenables ! » Je demande :

— C'est quoi, l'assme ?

— C'est quand on est assmatique, que les poumons veulent plus marcher.

Papa voit bien que c'est un peu trop scientifique pour moi, alors il image :

— Il est la même çoje coumme la ceminée,

pareil. Quouante qu'il est pas le tiraze, alors l'air i vient pas et le feu i broûle pas bien, le feu. Ecco.

Monsieur et Madame Mirche ont un fils, un garçon tout à fait convenable, maman aurait bien voulu en avoir un comme celui-là. Dans la rue, on le voit jamais, ses parents ne permettent pas qu'il traîne avec nous autres petits voyous. On connaît même pas son prénom, on l'appelle « le fils Mirche », ou « le fils du mastard qui bouche l'escalier ». Il rentre tout droit de l'école et on le revoit plus, il reste là-haut enfermé à lire des livres, à jouer avec ses jouets à lui, va savoir...

*

Une fois par an, une seule fois, le soir du 13 juillet, très précisément, le fils Mirche descend dans la rue. Il porte sous le bras un carton à chaussures. Monsieur et Madame Mirche, accoudés à leur fenêtre, le regardent. Le 13 juillet, en général, il fait beau, et même chaud. Les pères sont devant les portes, à califourchon sur les chaises de paille, les mères papotent d'une fenêtre à l'autre, les mômes jouent à des rondes, à taper dans des ballons ou à se foutre sur la gueule, bref, la rue Sainte-Anne vit sa vie.

A l'heure où la nuit d'été doucement descend, où tout devient bleu, de plus en plus bleu, le fils Mirche paraît, son carton sous le bras. Il traverse la rue — trois mètres — sans saluer personne, fier et intimidé en même temps, il pose sa boîte par terre sur l'étroit trottoir d'en face, devant le vieux mur de la remise au père Moreau, le bourrelier, il ouvre la boîte, il en tire un objet qu'il pose un peu plus loin. Quelques mômes, intéressés, s'approchent, bientôt toute la marmaille de la rue fait le cercle. Le couac-couac de grenouilles des parlotes soudain cesse, les regards convergent sur le fils Mirche. Il tire de sa poche une boîte d'allumettes, en frotte une, l'approche du machin sur le trottoir. Tout le monde s'arrête de respirer. Des crépitements, des étincelles, et soudain la haute flamme verte d'un feu de Bengale. Un grand « Oh !... » prolongé de stupeur admirative. La flamme triomphale illumine la nuit bleue, danse sa danse verte sur les visages barbouillés, et puis décroît et s'éteint, elle a fait son temps. Le fils Mirche alors cloue quelque chose au mur, il allume : c'est un soleil, une roue de lumière qui tourne à toute vitesse et projette des étoiles d'or tout autour. Long « Ah !... » d'extase. Il y aura ensuite des chandelles romaines, des feux de Bengale rouges et jaunes, et puis la boîte sera vide. Le fils Mirche la refermera, la prendra sous son bras et regagnera les hauteurs où l'attendent ses heureux parents, sans avoir dit un mot à quiconque. Il a eu son Quatorze-Juillet, il est content, s'il est bien sage il recommencera l'année prochaine.

Le doux couac-couac de grenouilles reprend, les jeux, les rondes et les « Viens un peu le répéter ici, sale con, tu vas voir ta gueule ! » aussi. Demain, c'est fête, pas d'école, pas de chantier, on peut traîner dehors un peu plus tard, dans la bonne odeur d'égout en attente d'orage et de pissat d'ivrogne où s'attardent, exceptionnellement, de fugaces effluves de poudre noire.

LA SERPENTE

— Toi, dit maman, t'as encore été voler des prunes.

— Moi ? Ah, non ! Pourquoi tu dis ça ?

— Ça fait bien quatre fois que tu vas aux cabinets. Tu crois peut-être que je t'ai pas vu ?

— Oh, j'ai un peu la courante, quoi, c'est rien.

— T'as la colique, oui ! T'as encore été sur les coteaux de Bry avec ton Roger et les autres et tu t'es bourré de prunes vertes.

— Elles étaient pas vertes, qu'est-ce que tu crois ? Vachement bien mûres, ouais !

— Tu vois bien que t'as été voler des prunes ! Faudrait pas me prendre pour une andouille... Un de ces quatre tu vas me revenir entre deux gendarmes, ou bien sur un brancard avec un bon coup de fourche dans le ventre. Élevez donc des enfants ! On se crève le tempérament, toutes les maladies de gosses ils vous les attrapent, j'en ai-t-y passé des nuits, mon Dieu, mon Dieu, je t'en ai-t-y fait boire de l'huile de foie de morue et de la quintonine, et total, pour en arriver à te faire assassiner pour trois prunes que si t'as envie de prunes t'as qu'à demander, est-ce que je t'ai déjà refusé quelque chose, mais non, ça a le vice dans la peau, avec ta bande de petits voyous ça ne pense qu'à mal faire, et des prunes véreuses si ça se trouve.

— Oh, dis, eh, les véreuses, on les laisse !

J'ai pas ajouté « Pas si cons ! », j'aurais pris la baffe. Maman n'a pas fini.

— C'est rien que des herbes, des ronces et des orties, là-bas, je suis sûre que c'est plein de vipères ! Tu y penses, aux vipères ?

— Meuh non ! J'ai jamais seulement vu la queue d'une ! Pis d'abord, c'est facile, on nous l'a appris à l'école : une vipère, ça a un « V » écrit sur la tête. Si y a pas de « V », c'est une couleuvre... Ou attends, c'est peut-être le contraire, je me rappelle plus bien... Si elle a un « C » sur la tête, c'est une couleuvre. Si elle a rien, c'est une vipère... Ouais, enfin, bon, c'est pas dur, on peut pas se laisser avoir. Les couleuvres, c'est gentil, c'est pas venimeux, c'est même un animal utile parce qu'elles détruisent les animaux nuisibles et on doit les protéger, même. A peine que t'es mordu, tu regardes la tête, si c'est une couleuvre faut pas t'en faire, elle a juste eu un peu peur, elle l'a pas fait par méchanceté, mais si c'est une vipère il faut vite vite sucer la plaie et recracher le venin...

— Coumme tou fas soucer quouante qu'i t'a mordou al' darrière ?

Tiens, on aurait pas cru qu'il écoutait, papa, il est en train de réparer une godasse à lui avec un bout de pneu de camion et des clous cavaliers. Là, il laisse tomber le marteau pour s'essuyer les yeux, parce que ce qu'il vient de dire est une bonne blague, et il rit tellement qu'il en pleure. Moi aussi, je ris. Et je me dis au fait, oui, il nous a pas dit, le maître. Comment on fait si on est mordu au cul ?

Ou au front ? Hein ? Papa reprend son sérieux. Il demande :

— Sta bête-là que tou dises, il est çvi-là qu'il a pas les pieds et qu'i marce par terre 'vec la ventre, no ?

— Ben, oui, les vipères, les couleuvres, tout ça c'est des serpents.

— La serpe, si ! E ben' coula-li ! Ici, i sont rien dou tout, sta serpentes-là. Cez nous, en Italie, vi, qu'i sont miçantes ! Et la pvason, ils l'ont forte, si ! Et ils ont les yeux qué quouante i te 'gvarde tou le peux plous rien fare.

— Ah, oui, ils fascinent ?

— Sarà coumme tou dises. Quouante qué les tes yeux à tva i 'gvardent dans les yeux de la serpente, allora tou bouzes plous, tou veux partir ma tou peux pas, et tout doucement tout doucement valà qué tou coummences marcer vers sta serpente-là, tva tou le veux pas, aller, ma rester en arrière tou le peux pas, et bon, lvi, sta serpente-là, i t'attende 'vec la gole ouverte tante grande qué tou rentres dedans toute drvate, et même l'âne i rentre oussi si t'es assise sour l'âne, tellement qu'il a la bouce grande sta serpente-là qu'il est cez nous, en Italie, dans la montagne.

— Oh, dis, eh, p'pa, tu crois pas que tu pousses un peu ?

— Louis, je te prierai de ne pas raconter de bêtises au petit. Après, lui, il les croit.

— Ma qué, bêtises ? Il est la vérité.

— Enfin, papa, tu veux pas me faire croire qu'une vipère peut avaler un homme entier, et son âne avec, en plus !

— Tou me laisses pas causer ! Si tou me laisseras causer zousqu'au bout, ze te le diras, mva, coumment qu'i fa. Il est la pvason, ecco. I te fa la fachine 'vec les yeux, et en même temps i te crace la pvason sour tva 'vec la langue, qué la sa langue il a deux pvointes pvointues pvointues, et sta langue-là i zette la pvason coumme la tvuyau qu'ils ont les pompiers pour 'teindre le feu. Et allora sta pvason-là il arrive toute sour tva toute partout, et i te fa vénir pétite pétite pareil coumme oune souris, pareil. Allora tou marces zousque dans la sa bouce à sta serpente-là, et lvi l'a t'avale. Tou comprendes, maintenant ?

Évidemment, vu comme ça, ça donne à réfléchir. Maman, tout en étendant ses draps sur les fils de fer, se demande visiblement si c'est du lard ou du cochon, mais après tout il faut s'attendre à n'importe quoi, venant de ce pays de sauvages et de va-nu-pieds, surtout au pire. Moi, l'enseignement laïque et rationaliste m'a rendu sceptique. Papa ne nous laisse pas refroidir :

— Ze te le dirai oune çoje que ze l'ai pas voue mva, ma qué mon père à mva il a connou oun qui l'a connou çvi-là qui l'a voue. 'Coute oun po'. L'n'était oun' à Groppallo, par là, dans la montagne, l'était parti dans la forêt couper le bvas pour fare le feu. Allora, bon i coupe, i coupe, çvi-là, et i se croive de ramasser oun 'tit bout de bvas toute pétite, et sta bout de bvas-là l'était pas oun bout de bvas, pas dou tout, l'avait l'air d'oun bout de bvas, tou comprendes, ma la vérité tou le sas qu'osse qu'il était ?

Je commençais à m'en douter, mais j'ai fait les grands yeux et j'ai dit :

— Non, p'pa. C'était quoi, ce bout de bois, en vrai ?

Papa prend son temps. Il me regarde, il regarde maman qui attend, méfiante, la révélation, et enfin :

— L'était oune serpente ! Eh, si... Oune serpente tante pétite coumme oun bout de bvas pétite, et la même couleur, pareil, pourquoi sta bêtes-là i le fa essprès se mettre la couleur pareille coumme des çojes par miçantes qué tou te méfies pas. Oh, i sont des bêtes malins, sta serpentes-là ! Et plous qu'i sont pétites, plous qué la pvason il est forte ! Allora, à peine à peine çvi-là il l'a prise 'vec la main sta serpente-là, la serpente i se prende la colère pourquoi il l'a 'trapé dans la queue qué c'est oun' endrvat sensible boucoup dans les serpentes, et l'a sauté en l'air, et l'a mordou c't'homme-là dans le dvoigt. « Heu là ! » l'a fatte çvi-là, et l'a coupé la tête alla serpente 'vec l'hace qu'il avait pour couper le bvas, et après l'a s'est pensé dans la sa tête qu'i va mourir pourquoi maintenant la pvason il est dans l'son sangue, l'a va courir toute partout dans le son corpe 'vec la sangue, et quouante qu'il arrive toucer le cœur, plâff, l'a tombe morte par terre d'oun sol coup, paur' diable. Ma lvi la s'a dite « No ! » et la levé l'hace en l'air et l'a coupé le son dvoigt tout svite tout svite, avant qué la pvason il a le temps aller plous lvoin, tou comprendes ?

Tu parles si je comprends ! Je suis glacé d'horreur.

— Et alors ?

— Et allora, le son dvoigt l'est venou toute nvare toute nvare et l'a s'est tourtillé par terre dans l'herbe pareil coumme si l'a sara vivante, et l'a crive forte...

— Le doigt criait ?

— Eh, si ! L'a crive pareille coumme oun diable qué tou le mettes sour le feu, et tout outour l'herbe elle broûle, i sorte la foumée nvare qu'alle sente mouvaise...

— De la fumée qui puait ? Comme quand le lait déborde sur le feu ?

— Pire qué ça ! Oune odore pareille ze la peux pas dire.

— Mais lui, ton bonhomme, là, il est pas mort ?

— No. L'est pas morte. Pourquoi l'avait coupé le dvoigt zouste à temps, zouste zouste, oune minoute plous tarde i sarait morte.

— Ah ! Je suis bien content.

— Si, ma 'tende oun' po', 'tende oun' po'... Il est passé dix ans, o pit'êt' douze, ze me le rappelle pas zouste zouste, et allora çvi-là...

— Le bonhomme au doigt coupé, là, le même ?

— Eh, si ! L'est bien çvi-là qué ze te le raconte, no ? Bon, allora c't'homme-là, après dix-douze ans, i 'tourne encore la forêt couper le bvas et valà qu'osse qu'i voit là, par terre ?

— Je sais pas, moi. Un serpent ?

— Ma, no ! L'a voit le son doigt, le son dvoigt à loui qu'i s'a coupé dans le temps.

— Oh, dis donc !

— C'est comme moi, intervient maman, je viens de retrouver mes petits ciseaux que ma marraine m'avait donnés pour ma communion, j'y tiens comme à la prunelle de mes yeux, v'là bien quinze jours que je les avais perdus, — oh, perdus, je savais bien qu'ils étaient pas perdus, j'ai bien trop soin de mes petites affaires, moi, dame, — mais de plus les voir ça me faisait le cœur gros, eh bien, ils étaient tombés au fond du linge sale, je les ai trouvés ce matin en préparant ma lessive, mon Dieu que j'étais-t-y donc contente !

— Et alors, p'pa ? Son doigt ? Qu'est-ce qu'il en a fait ?

— L'a 'gvardé, l'a s'est dite « heu, ma, l'est le mon dvoigt ! » et allora l'a ramassé pour le mettre dans la poce, qu'il le voulait fare voir à les ses copains dans le bistrot. Ma, — 'Coute oun po' ! — à peine à peine il a toucé le dvoigt, à peine à peine, lvi i tombe morte par terre, plâff !

Je hoche la tête, sans un mot, c'est ce qu'il faut faire devant les choses qui vous dépassent. Papa, maintenant, doit tirer la conclusion de l'histoire.

— Valà coumme qu'il est, les serpentes, cez nous, en Italie. Çvi-là il le savait, lvi, ma l'a oublié. Si qu'il ara pas toucé sta dvoigt-là, i sara resté vivante encore plous qué cent ans, pit'êt'.

— Vaut mieux entendre ça que d'être sourd, dit maman.

MAMAN MALADE

Maman est malade. On l'a emmenée à la clinique. Il faut que ce soit très grave, parce que la clinique de l'avenue de Joinville c'est un hôpital de luxe, un hôpital pour les patrons et les patronnes. L'hôpital des pauvres, c'est l'Hôpital. Mais le docteur a dit qu'il ne répondait de rien si maman n'était pas mise dans cette clinique-là pour être opérée par le chirurgien qui opère là.

J'ai neuf ans, j'ai encore jamais vu maman malade, je veux dire malade au lit. Patraque, ça, oui, tout le temps. Elle a sans cesse mal à la tête, des douleurs ici ou là, elle se bourre d'aspirine à longueur de journée, de bicarbonate après chaque repas, et le soir une poignée de grains de Vals « pour faire aller », j'en ai avalé un une fois, un seul, pour voir, ça m'a collé une chiasse horrible. Elle est haute comme la table, maman, et grosse comme mon petit doigt, comment elle tient debout avec tous ses bobos j'en sais rien, et si elle se contentait de tenir debout ! Mais elle abat le travail de trois hommes, secoue l'immeuble du haut en bas, claque les portes, tape des pieds dans l'escalier, balance des seaux de flotte dans les chiottes en gueulant à tue-tête contre les dégoûtants qu'ont même pas la pudeur de leur marrde, court d'un bout à l'autre de Nogent, son cabas au bras avec ses sabots qui dépassent, frotte les parquets à la paille de fer le matin, à quatre pattes, brasse les cuvées de draps l'après-midi, jusqu'à la nuit tombée, dans la buée âcre des lessiveuses, fait son marché, cuit son fricot, torche son gosse, retape les lits, tout ça dans une explosion perpétuelle, avec elle les ustensiles, les gamelles, les seaux faut que ça valse, faut que ça chante, et par là-dessus elle se houspille à grosse voix comme un charretier houspille ses chevaux, faut l'entendre.

— T'as mal à tes reins, viéle béte, t'as mal que t'en peux plus, mais ça fait rien, marche, ma fille, marche, si tu t'écoutes t'es foutue, c'est pas le voisin qui te donnera un bout de pain, si tu t'arrêtes tu te relèves plus, frotte donc, Margrite, sacrée carcasse, frotte donc que je te frotte...

Et la voilà malade pour de vrai. Quelle maladie, j'ai pas bien compris. Avant de partir pour la clinique, elle m'a dit « kyste au pancréas », c'est quelque chose dans le ventre, elle préparait sa valise, le docteur la faisait dépêcher, « Si nous n'opérons pas immédiatement je ne réponds plus de rien », et maman pleurait, elle disait qu'est-ce qu'ils vont devenir, mes hommes, mon petit François peut-être que je le reverrai plus, et l'autre qu'est perdu s'il a pas une bonne femme derrière son cul pour ramasser sa crotte, mon Dieu, mon Dieu, faut-y que vous me fassiez ça, à moi, qu'ai tant à faire, comment que je vais retrouver ma maison... Et puis l'ambulance est arrivée, les infirmiers ont voulu mettre maman sur un brancard, mais elle a dit non, ça serait comme d'être morte, j'ai bien mal mais je veux descendre sur mes jambes. Alors ils l'ont aidée à descendre les trois étages. Tous les voisins étaient sur le pas de leurs portes, ils avaient l'air grave et ils hochaient la tête, même les Bocciarelli du premier avec qui elle s'était engueulée si fort parce qu'elle leur secouait ses couvertures sur la tête.

Je voulais monter dans l'ambulance avec maman, mais le docteur a pas voulu. Maman m'a serré dans ses bras fort fort, elle me pleurait dessus, j'étais trempé, et elle disait mon trésor, mon grand chéri, c'est pas possible, je vais te laisser tout seul au monde, le bon Dieu peut pas vouloir ça, je vais guérir, tu vas voir, rien que pour toi je vais guérir, tout le reste je m'en fous, si c'était pas pour toi j'y serais déjà dans le trou, j'aurais pas attendu que la maladie me prenne, je penserai à toi tout le temps, c'est ça qui me donnera la force... L'infirmier a dit c'est pas tout ça, j'en ai deux autres à aller prendre, le docteur a dit allons, madame, allons, soyez raisonnable, il viendra vous voir demain, allons, madame... On m'a tiré en arrière, les bras de maman m'accompagnaient, tendus vers moi, comme dans « La Porteuse de Pain » quand on arrache son enfant à la pauvre mère. Ils ont fermé les portes, l'ambulance a démarré, elle a tourné le coin de la Grande-Rue, et puis je l'ai plus vue.

Les voisins continuaient à parler sur leurs paliers, quand je passais devant ils baissaient la voix, ils faisaient de drôles de gueules, j'ai entendu « cancro » et « paur' gosse », la grand-mère de Jojo Draghi, qui habite sur notre palier, la porte en face, et qui m'appelle « Françva Devardin », j'ai jamais su ce que ça veut dire, m'appelle :

— Viens 'po là, mon Françva Devardin, viens qué ça sara mvoins triste coumme rentrer toute sol la ta maijon, tou restes 'vec nous zousqu'à quouante qu'i rentre ton papa.

Elle m'a donné des petits-beurre et de la limonade, je suis resté là à lire des illustrés de Jojo Draghi, et puis papa est arrivé avec Arthur Draghi, le père de Jojo, ils travaillent ensemble sur le même chantier, ils s'aiment beaucoup tous les deux, alors papa et moi on est rentrés chez nous. La soupe nous attendait sur le coin du feu, toute chaude, maman en avait fait d'avance pour trois jours, elle avait même mis le couvert avant de partir. Tout son linge était lavé, repassé, rangé dans l'armoire, la maison en ordre.

Papa m'a servi la soupe, et puis ma tranche de jambon, et puis ma banane. Il disait rien, papa. Moi, je pensais à plein de choses dans ma tête. Je me disais qu'il fallait que j'aie peur, que quelque chose de terrible était arrivé, que peut-être, demain... J'avais beau j'avais beau, j'y arrivais pas. J'arrivais pas à me figurer ça, que maman pouvait ne plus être là, plus jamais. J'ai dit à papa :

— Tu crois qu'elle va mourir, maman ?

Papa était en train de saucer le jus avec son pain. Il a gardé le nez baissé sur son assiette.

Il a dit :

— Fout pas dire des çojes coumme ça.

Et puis il a levé la tête, et il y avait deux grosses larmes qui lui coulaient de chaque côté.

On est allés se coucher, je me suis pelotonné enfoncé dans le dos de papa et j'ai pleuré, pleuré, pleuré.

*

Aujourd'hui, je vais voir maman. Ma tante Anna vient me chercher pour m'emmener à la clinique. Ma tante Anna, c'est la sœur de maman, celle qui est montée toute jeune à Paris, comme maman, pour se placer domestique, et puis qui s'est mariée avec mon oncle Étienne, un Français, lui, et même un de la Nièvre, mais pas de Forges, de Trucy l'Orgueilleux, qui est un village du côté de Clamecy.

J'aime bien ma tante Anna, et aussi mon oncle Étienne, c'est un vrai marrant, un titi, toujours en train de raconter des blagues et des trucs cochons, je comprends pas tout mais rien que de savoir que c'est cochon ça me fait rire. Il travaille dans un bureau, c'est un bureaucrate, alors ma tante Anna est une dame. Papa et l'oncle Étienne s'aiment beaucoup, quand ils se rencontrent ils s'embrassent et ils arrêtent pas de rigoler ensemble, papa l'emmène dans ses bistrots à Ritals, ils se disputent parce qu'ils veulent tous les deux payer, mais ils finissent par payer chacun la sienne et les voilà repartis à rigoler tellement qu'ils en pleurent, et tous les Ritals rigolent, et ils disent à papa que « l' sé cougna, l'é oun bel fieu, l' sé cougna[1] ! ».

Ma tante Anna et mon oncle Étienne ont un fils, il s'appelle Louis et il a juste mon âge. Je l'aime bien, mais je le vois pas souvent, seulement quand il y a une communion, ou un mariage, ou un enterrement, on est une famille comme ça.

Madame Cendré, la concierge, m'a mis le bifteck dans la poêle avec du beurre, il y a aussi des nouilles dans la casserole, j'ai qu'à me servir, mais dépêche-toi, qu'elle m'a dit, ta tante va arriver, faut que tu sois prêt à partir. Avant le bifteck, je mange

1. « Son beau-frère, c'est un fameux gars, son beau-frère ! » « Cougna » : beau-frère. « Cognato » en bon italien.

du saucisson sec, du saucisson de cheval, j'adore. J'ai calé debout devant moi « L'Épatant », dedans il y a les aventures des Pieds-Nickelés, qu'est-ce que c'est marrant !

Et voilà que la porte s'ouvre, c'est ma tante Anna qui arrive, j'ai même pas le temps de lui dire bonjour, tout de suite elle m'engueule :

— C'est comme ça que t'es prêt ? T'as même pas encore mangé ? Et qu'est-ce que tu manges là ? Du saucisson ? Tu profites de ce que ta mère n'est pas là pour te nourrir de saucisson ? Une belle saloperie, oui ! Pas étonnant que t'aies si mauvaise mine !

— Mais, ma tante...

Elle me laisse pas en placer une.

— Tu vas voir si je vais pas le dire à ta mère, moi, tu vas voir ça ! Elle qui se fait tant de souci pour toi ! C'est de la viande rouge, qu'il te faut, des légumes, des pâtes, des choses qui tiennent au corps et qui donnent du bon sang rouge ! Tu crois peut-être qu'il y a des vitamines, dans le saucisson ? Pas la queue d'une ! Rien que des saloperies pour te démolir les intestins. Ah, dame, ça flatte la gourmandise, c'est plus rigolo qu'un bifteck ! Ton cousin Louis, c'est pareil, si je le laissais faire, rien que du saucisson, du pâté de foie et du chocolat ! Mais profiter de sa mère à l'article de la mort pour n'en faire qu'à sa tête, ça, non, il le ferait quand même pas !

Rien à faire. Elle est lancée... Oh, mais, elle commence à drôlement me les gonfler, ma tante. Qu'est-ce que ça peut-être con, les grandes personnes, quand ça s'y met ! Elle voit même pas le bifteck tout prêt dans la poêle, les nouilles, tout ça... Et pas moyen de lui répondre... Voilà que la colère me prend, d'un seul coup, c'est comme ça chaque fois, je peux jamais prévoir, la seconde d'avant je supporte je dis rien, la seconde d'après je rentre dans le lard. Je bondis de ma chaise, je fonce jusqu'à la porte, je l'ouvre toute grande, j'attrape ma tante par le bras, je la tire dehors et je gueule :

— Fous le camp ! T'es trop con ! Trop con, trop con ! Tu me fais chier ! Fous le camp, bordel de nom de dieu de merde, fous le camp !

Qu'est-ce que j'ai fait là ? J'en reviens pas. D'avoir gueulé, ça m'a calmé. Un môme de neuf ans qui dit ça à sa tante ! Je peux même pas imaginer, tellement c'est énorme. J'attends déjà la paire de baffes, pour commencer.

Mais non. Ma tante Anna, pas un mot. C'est pas que l'envie lui en manque, de me balancer des baffes, ça se voit sur sa figure, mais je dois avoir une gueule qui lui fait comprendre qu'il vaut mieux pas. Alors elle s'en va, elle descend l'escalier, et moi je reste là, je sais pas trop si j'ai gagné ou si j'ai perdu, je me dis ça va pas se passer comme ça, ouh là là, elle va le dire à maman, à Madame Cendré, à tout le monde, qu'est-ce que je vais avoir honte !

Je me dis ça, et en vrai j'arrive pas à avoir honte. Je l'ai foutue à la porte, merde, alors ! Je me sens costaud, costaud jusqu'au ciel.

*

La clinique, j'ai pas besoin de ma tante Anna pour y aller. J'ai besoin de personne, d'abord. L'avenue de Joinville, je sais où c'est, c'est vers le Bois, et la clinique aussi je sais où elle est. C'est pas d'y aller qui me chiffonne, c'est comment je vais être reçu. Parce que ma tante Anna, elle y est déjà, elle a pris l'autobus, c'est sûr, jusqu'à Nogent-Vincennes, tandis que moi faut que j'aille à pied, j'ai pas de sous. Alors maman, maintenant qu'elle sait que j'ai foutu ma tante à la porte, ce qui est une grande honte, une chose qu'on peut pas pardonner, jamais jamais, et que je l'ai traitée de « con » et de « nom de dieu de merde », et en plus que je mange rien que du saucisson de cheval et pas de bifteck ni de légumes, c'est même pas vrai mais telle que je la connais, maman, elle croit toujours ce qu'il y a de plus pire, surtout si c'est sa sœur à elle qui lui jure qu'elle l'a vu de ses propres yeux, sur la tête de leur pauv' papa qui la voit de là-haut, que je tombe morte si je dis des mensonges...

J'ai une idée. Je vais emporter mon carnet d'école, je viens juste de l'avoir, je suis premier avec neuf et demi sur dix en rédaction, premier en orthographe-grammaire, deuxième avec huit en calcul, j'ai répondu de travers à une question, j'avais lu trop vite l'énoncé, ça m'apprendra à être trop sûr de moi, qu'a dit Monsieur Braconnier, le maître, et premier au classement général avec huit et demi de moyenne, merde, c'est pas mal, sauf la conduite, là, j'ai un deux, ça compte pas dans la moyenne, remarque, mais maman, la conduite, elle rigole pas avec ça... Toute façon, le carnet, faut que je lui fasse signer, puisque papa, signer, il sait pas, alors, hein...

Madame Cendré me regarde passer devant sa loge, elle hoche la tête, elle dit :

— Qu'est-ce que t'as encore fait, toi ?

Ça veut dire que ma tante Anna lui a tout raconté en passant. Je dis à Madame Cendré :

— Elle l'a bien cherché. C'est bien fait.

Et je file droit devant moi. Qu'est-ce que je deviens teigneux !

C'est quand même loin, la clinique. Il y a un

jardin autour, avec des fleurs et des oiseaux qui chantent, mais dedans, à peine tu pousses la porte, ça pue l'éther, c'est l'odeur du malheur, l'éther. Ma tante Anna est dans la chambre, c'est elle que je vois tout de suite parce qu'elle est tout en noir dans cette chambre si blanche. Et puis le lit, et maman dedans. J'attends tellement l'engueulade que je pense à rien d'autre. Je pose mon carnet de notes sur le lit, bien au milieu, et puis je reste là, je baisse la tête, je sais bien que j'ai fait le con, alors, bon, qu'elles y aillent.

Voilà qu'une voix toute drôle toute faible dit quelque chose, et c'est la voix de maman, j'avais pas pensé qu'elle aurait la voix fatiguée. Elle dit ça :

— Oh, mon chéri, mon grand chéri, t'es venu quand même... T'es venu tout seul... Je savais bien que tu viendrais, je le savais...

Alors je l'ai regardée. Elle était toute jaune sur l'oreiller blanc, comme une tête coupée. Elle avait l'air tellement fatigué... Elle pleurait. Mais c'était pas à cause de ce que j'avais fait à ma tante Anna, qu'elle pleurait, parce qu'en même temps elle souriait, ses lèvres étaient jaunes et transparentes, comme ses joues, et elles souriaient, ses lèvres, parce que j'étais là. Je lui ai pris la figure dans mes mains et je l'ai embrassée, et je me suis mis à pleurer aussi, pourtant j'étais pas triste, drôlement content, j'étais, de voir maman sauvée, je me sentais tout à coup soulagé, soulagé... Tellement soulagé que j'ai compris que tous ces jours j'avais eu peur tout au fond de moi, épouvantablement peur, et que je m'en rendais pas compte, je vivais avec cette peur au fond de moi sans savoir qu'elle était là.

L'infirmière est entrée et elle a dit ça suffit, maintenant, il ne faut pas me la fatiguer, ma petite madame.

— Oh, ça me fatigue pas, au contraire, ça me fait du bien, si vous saviez !

Mais en disant ça maman tournait de l'œil, et ma tante Anna a eu peur, et l'infirmière m'a fait sortir dans le couloir, j'ai vu le docteur arriver, j'ai attendu qu'il ressorte, je lui ai demandé :

— Elle est pas morte ?

Il m'a tapoté la joue avec un sourire :

— Qui parle de mourir ? En voilà des idées ! Elle est guérie, ta maman, mais elle est très très fatiguée. Il ne faut pas qu'elle parle beaucoup, tu comprends ?

— Elle va revenir bientôt chez nous ?

— Disons, dans une quinzaine, si elle est bien sage.

— Je peux aller lui dire au revoir ?

— Bien sûr, mais fais vite. Une minute, pas plus.

On s'est encore pleuré dans la figure, maman et moi, elle m'a appelé son soleil et son grand chéri, et puis ma tante Anna m'a pris par la main et m'a tiré dehors, j'ai failli oublier mon carnet, alors je suis revenu le chercher, j'ai demandé à ma tante Anna si elle pensait qu'elle pouvait le signer à la place de maman, elle m'a dit oui mais il faudra que je te donne un mot d'écrit pour expliquer à ton maître. Elle a plus jamais parlé de ce qui s'était passé, le saucisson et tout ça. Finalement, elle est pas trop con, ma tante Anna.

*

Quinze jours après, maman était à la maison. Elle était encore toute pâle, il fallait qu'elle reste au lit, le chirurgien avait dit je vous laisse sortir à condition que vous me promettiez que vous serez raisonnable : un mois de repos total. D'accord ? Maman avait promis, parce que rester à la clinique c'était pas possible, chaque jour lui coûtait ce qu'elle gagne en une semaine de ménages et de lessives, et, comme elle dit, on n'a pas la fortune à Ropchile, nous autres[1].

Naturellement, maman n'a pas pu supporter longtemps de voir sa maison en désordre, ni que les voisines fassent la soupe dans sa cuisine, dans ses casseroles, et la vaisselle, et tout ça. Elles étaient pourtant bien gentilles, elles lui portaient des bons petits plats italiens qui sentent si bon, même des bouquets de fleurs elles lui portaient. Madame Pellicia, la Padrona, on l'appelle comme ça parce qu'elle est la patronne du bistrot en haut de la rue Sainte-Anne qui s'appelait avant « Le Petit Cavanna », lui a porté deux belles bouteilles toutes dorées avec dessus des drapeaux vert-blanc-rouge, c'est de l'Asti Spumante, j'ai lu l'étiquette, la Padrona a dit que ce vin-là, oui, qu'il la remettra sur pied en vitesse ! Maman était tout émue que les gens l'estiment comme ça. Elle voulait pas ouvrir les bouteilles, juste les garder pour la bonne amitié. Mais papa a dit :

— Fout que tou le bvas oun 'tit po la fvas, oun 'tit po toute i zours, i te fa vinir les forces.

Il a ouvert la bouteille, ça a fait comme un coup de canon, le bouchon a sauté jusqu'au plafond, j'ai eu très peur, et puis après j'ai rigolé parce que la mousse cavalait plus vite que papa, y en avait partout, il jurait les « Di-iou te stramaledissa » et puis quand même il en a versé un peu dans le verre et maman l'a bu tout doucement, à petites gorgées,

1. Les Assurances Sociales n'existaient pas, alors, pour les femmes de ménage.

elle disait qu'est-ce que c'est bon, j'ai jamais rien bu d'aussi bon, je sens déjà que ça me fait du bien. Elle m'a fait goûter dans son verre, juste tremper les lèvres, c'est vrai que c'était vachement délicieux, on aurait dit des fleurs, un jardin plein de fleurs qui sentent bon, et puis toutes ces bulles qui te picotent la langue... Quand je serai grand et que je gagnerai des sous, j'irai chez la Padrona acheter de l'Asti Spumante pour maman.

*

Même pas une semaine, et maman était à quatre pattes dans sa cuisine en train de laver le carrelage. Même pas deux et elle repartait faire ses ménages et ses lessives. Elle avait encore très mal. Elle rentrait le soir blanche comme la craie.

— J'ai pas les moyens de me dorloter, moi, je suis pas comme des que leurs hommes leur gagnent des mille et des cents. C'est que la clinique et les docteurs, ça coûte, faut que je rattrape tout ça, maintenant. C'est pas le moment de s'écouter, même si ça me tire dans le ventre que des fois je crois bien que je vais tomber, mais je me dis marche donc, Margrite, marche donc, viéle béte, et c'est reparti !

C'est tellement bien reparti que la cicatrice du dedans a craqué, on lui avait ouvert tout le côté gauche du ventre, les muscles ont cédé et toute sa tripaille a fait saillie en avant, il ne restait plus que la peau pour la retenir. « Éventration, a dit le docteur. C'est intelligent ! Il faut qu'on vous opère de nouveau. »

Ça, maman a jamais voulu. Elle s'est acheté un

corset sur le marché, un corset rose avec des baleines et des lacets par-devant, elle a tiré tant qu'elle a pu sur les lacets, bien se comprimer le ventre, et voilà, ça a marché comme ça, toute sa vie maman a maintenu ses tripes en place avec un corset de quatre sous, toute sa vie, et le soir, quand elle l'ôtait pour faire sa toilette avant d'aller au lit, ça lui faisait sur le devant un paquet tout boursouflé, gros comme un gros chou, et c'étaient ses tripes.

LA LEÇON DE CHOSES

— Maman, tu sais pas ?
— Quoi donc ?
— Le soleil, tu sais, le soleil, ben, on dirait qu'il est petit, à le voir comme ça, hein ?
— Petit, petit... Ça dépend ce que tu appelles petit...
— Quoi, c'est pas dur. Tu regardes le soleil, il a l'air gros comme quoi, le soleil ? Hein, hein ?
— Il a l'air gros comme un soleil. En v'là-t'y pas des bêtises !
— Ouah, tu le fais exprès, eh... A le voir comme ça, moi je dirais qu'il est gros comme un melon, quoi. A peu près, quoi.
— Cez nous, en Italie, dit papa, cez nous, en Italie, le soleil, l'est grande coumme oun patouron.
— Bon, même comme un potiron, si tu veux, enfin, bon, comme quelque chose de pas bien gros, toute façon.
— Euh, ma oun patouron grosse, pourquoi l'Italie il est plous pas loin del soleil coumme la France, et allora, là-bas cez nous, fa plous çaud coumme ici, c'est pour ça.

— Chez vous dans votre Italie, c'est toujours plus beau qu'ici, toujours, dit maman. On se demande bien pourquoi que vous y restez pas, dans votre Italie.

Oui, mais moi je veux placer mes émerveillements scientifiques du jour :

— Enfin, bon, un melon, un potiron, c'est pareil, quoi, disons une boule à peu près grosse comme ça, quoi.

Je montre la grosseur avec mes mains.

— Un melon comme ça, ça serait un beau melon, dit maman. Mais quand ils sont trop gros, les melons, ça vaut rien de rien, c'est que l'eau dedans et ça a le goût de chourave.

— Sarait oun patouron pétite, oun patouron française qu'il a pas vou le soleil boucoup, dit papa.

Il faut quand même que je leur raconte le soleil ! C'est tellement beau, je peux pas garder ça pour moi tout seul.

— Enfin, peu importe, un melon, un potiron, chipotons pas...

— C'est toi qui chipotes, dit maman.

— Ma lasse-le causer, dit papa.

— Oh, très bien ! dit maman. Si je suis de trop, je m'en vais.

— Maman ! Écoute un peu, laisse-moi te raconter, tu vas voir, c'est pas croyable. Le soleil, hein, eh bien, en réalité, le soleil, il est plus gros que la Terre. Des millions de milliasses de fois plus gros, je me rappelle plus les chiffres, mais des millions de millions d'archimilliasses. Tu te rends compte ?

— Je crois bien avoir entendu dire quelque chose comme ça, il y a longtemps, dit maman, mais sur le moment j'y ai pas fait tellement attention.

— Allora sara plous grosse coumme la maijon ? dit papa.

— Ouh là là ! Tu penses ! La maison, c'est rien, rien du tout.

— Pourtant, l'est oune maijon grande qu'il a quouattre étazes. Sara pit'êt' plous grande coumme oun pavillon, le ton soleil, là, ma plous grande coumme oun immeuble quouattre étazes, ça ze le peux pas crvare, mva. Et dis m'oun po' : pourquoi qu'il a l'air tante pétite, sta soleil-là, si qu'i sara tante grande coumme tou dises tva ?

Là, je triomphe.

— Ah, voilà ! C'est parce qu'il est loin, tu comprends, très loin très loin, ouh là là, alors on le voit tout petit. C'est comme, écoute voir, c'est comme, tiens, quand tu regardes un cheval qui passe très loin là-bas, eh bien, ton cheval, tu le vois pas plus gros qu'une souris.

— Même qu'i sara lvoin, ze le vois bien qu'oun ceval il est pas oune souris, dit papa.

— Mon Dieu que t'es donc bête, mon pauvre vieux ! dit maman. Le petit veut te faire comprendre que quand les choses sont loin, elles rapetissent.

Je saute sur l'occasion. Allons de l'avant !

— Voilà, c'est ça. Alors, le soleil, tu le vois tout petit, mais en vrai il est très gros. Et nous, enfin, la Terre avec nous dessus, à côté de lui, on est tout petits minuscules, que, tiens, si tu dis que le soleil serait une orange posée là sur la table, la Terre serait pas plus grosse qu'un grain de riz, et le grain de riz tourne autour de l'orange, mais très loin, tu vois, aussi loin que le mur, à peu près.

— J'ai pas été beaucoup à l'école, dit maman, à peine un an, et j'étais bien petite, pourtant, maintenant que tu me le dis, ça me rappelle quelque chose, ton histoire, là. Seulement, de mon temps, on nous parlait pas d'orange, on avait seulement jamais vu c'te denrée-là dans les campagnes, alors dans ce temps-là le soleil était comme une pomme et la Terre comme une lentille, parce que le riz on savait pas trop ce que c'était non plus, par chez nous.

Papa n'a pas l'air d'accord.

— Qu'osse tou dises, qué le riz i tourne outour l'aranze ? Tou te saras trompé. Il est l'aranze qu'alle tourne outour le riz. Pourquoi le soleil i monte par là à drvate, i tourne en l'air tout la zournée et la svar i discende à gauce, et la nvit i passe darrière qu'on le voit pas pourquoi il est en train tourner cez les Marocains, et quouante qu'il a fini tourner cez sta zens-là i revient à drvate et i recoummence toute pareil, ecco. Ze le vois bien, mva, coumme qu'i fat le soleil, pas bisoin aller l'école.

Je me dis que le maître a bien de la chance et je comprends pourquoi en classe on doit écouter sans poser de questions.

— Écoute, papa, c'est une apparence. C'est nous qui tournons, enfin, le riz, la Terre, quoi, et alors on a l'impression que le soleil tourne, c'est comme quand on est dans le train, tu comprends, on voit les maisons courir mais on sait bien que c'est pas elles qui courent, c'est le train, et nous avec.

Maman dit :

— Papa, mon papa à moi, ton grand-père, donc, disait toujours que quand le soleil se couche et que le ciel devient tout rouge c'est parce qu'il y a la guerre quelque part et qu'on tue des innocents, et alors c'est leur sang qui rougit le ciel.

Là, je sais pas quoi dire. Le maître n'en a pas parlé. Ce sera sans doute pour la leçon prochaine. Quand même, je dis :

— Mais le ciel, il est rouge tous les soirs, tous les soirs, ou alors c'est qu'il y a des nuages, mais je suis sûr que derrière les nuages il est rouge.

— Eh, si, dit papa. Toutes les svars il est rouze, le ciel. Pourquoi la gouerra, il est touzours quoualqué parte ! Touzours, touzours. Ou ici, ou là-bas, ou cez les Marocains, ou cez les Cinois, la gouerra i s'arrête zamais. Les paur' diables i meurent et dou sangue il coule boucoup. Ton grand-père i savait les çojes.

Voilà papa tout triste. Mais c'est pas de choses tristes qu'on était partis pour causer, je sais pas comment ça s'est fait, moi je voulais raconter le soleil, la Terre, la Lune, les étoiles, les marées, les saisons, tout ça que j'ai appris aujourd'hui, juste aujourd'hui, c'est pas triste, ça, pas du tout, c'est même formidable, je veux que papa et maman sachent eux aussi comment ça fonctionne, je suis sûr qu'ils s'en doutent même pas.

— Vous savez ce que c'est, le soleil ? je dis.

Ils répondent pas. Peut-être qu'ils le savent, sûrement, même, à leur âge, mais qu'ils font comme si de rien, pour pas me gâcher le plaisir. Et moi j'ai tellement envie de raconter !

— Le soleil, c'est une boule de feu.

Je les regarde l'un après l'autre. Maman a le nez sur la chaussette qu'elle est en train de repriser. Papa hoche la tête.

— Ze le vois bien qu'il est dou feu. Ma oun feu grande coumme tou dises tva, dis m'oun po' qu'osse qui broûlera dedans sta feu-là ? Sara dou bvas, o dou çarbon, o dou gaz, o de la lettrichité ?

Là, il m'a coincé. C'est vrai, ça : qu'est-ce qui peut bien brûler là-haut, dans ce grand feu qui s'éteint jamais ? Le maître nous l'a pas dit et personne a pensé à lui demander. A mon avis, ça doit pas être du bois, ni du charbon, ni de l'anthracite russe qui coûte si cher, parce que l'un ou l'autre, à force à force, arrive un moment où qu'il y en a plus, et alors il faut descendre à la cave en chercher. Je dirais plutôt un truc genre électricité, parce que c'est le seul qui s'use jamais, juste qu'à tourner le bouton, hop, ça s'allume, et tant que tu tournes pas dans l'autre sens ça s'éteint jamais. Mais bon, je suis pas sûr, alors j'aime mieux qu'on cause d'autre chose.

— Et la Terre, je dis, vous savez ce que c'est, la Terre ?

Papa hausse les épaules. Je le prends pour un bébé, ou quoi ?

— Eh, la terre, il est par terre, douv' qué ze mette les pieds, qué quouante qu'il est pas la terre allora il est oun trou, et mva ze tombe dans le trou.

— La Terre, c'est une boule, une boule très très grosse, moins que le soleil, mais quand même, et au milieu de la boule il y a un feu, un feu aussi brûlant que le soleil, voilà.

Papa réfléchit à tout ça. Maman dit :

— T'es sûr de ce que tu dis là ? T'aurais pas compris de travers, des fois ? Parce que, je vais te dire, quand on veut mettre les bouteilles au frais, où qu'on les met ? A la cave, pardi. On les descend à la cave parce que la cave est toujours bien fraîche, j'en sais quelque chose, tous mes rhumatisses c'est bien là que je les attrape, mes rhumatisses, dans ces bon dieu de caves où qu'elles me font faire leurs lessives. Alors, tu vois bien.

Ah, ben, mince, alors, me v'là encore que je sais plus quoi dire ! Il devrait nous expliquer bien tous les détails, le maître, qu'on sache quoi répondre, enfin, quoi !... Oh, mais, je me souviens :

— Écoute, les volcans, tu sais ce que c'est, les volcans ? Comme le Vésuve que papa nous raconte toujours ? Ça crache du feu, les volcans, ça brûle tout, tout partout, alors tu vois bien que c'est le feu qu'il y a au centre de la Terre qui passe par ces trous-là, de temps en temps, quand il y a trop de tirage.

— Cez nous, en Italie, dit papa, le curé i dise coumme ça qué le Vésouve i se prende la colère quouante qué les zens i font des péchés boucoup, allora le pétite Zézous i peut pas soupporter, et sa maman non plous, qu'elle il est la Madonna, et allora i disent al bon dieu fare oun 'tit po' marcer sta volcan-là, pourquoi les zens, si tou leur fas pas peur, i fait rien que des çojes pas bonnes, les zens... Et dis-m'oum po', Françva ?

— Ouais, p'pa ?

— Si qu'i sara sta feu-là en dessous la terre, l'eau, dans la mer, i va bouillir, no ?

Et voilà ! Il m'a encore coincé.

— Ben...

— Tou le vois bien qu'i bouille pas, la mer, sans ça les pvassons i saront couites. Même qué la mer il est frvade plous coumme la terre, c'est vrai o no ? Splique-mva oun po' ça, tva qué tou vas à l'école.

— Écoute, papa, je demanderai au maître. Doit y avoir une explication, c'est forcé.

Mais quand je demande à Monsieur Caspaert, le maître, il me répond que ce ne sont pas des questions pour mon âge, que je verrai ça au moment du Certificat d'Études et que, pour l'instant, je me contente d'apprendre par cœur ce qu'il me dit sans chercher plus loin.

*

— Papa, tu sais qu'il y a des bêtes utiles et des bêtes nuisibles ?

— Les bêtes, i sont outiles tous, les bêtes. Qu'osse

qué c'est, sta bêtes-là qué tou dises, qué z'ai pas compris, mva ?

— Les bêtes nuisibles ? C'est celles qui dévorent les récoltes ou qui donnent les maladies. Celles-là, il faut les détruire. Par exemple, le mouton, il est utile, parce qu'il nous donne sa laine et sa viande, la vache est utile, parce qu'elle nous donne son bon lait et son veau, le cheval est utile pour tirer les charrettes, pour labourer la terre et pour faire la guerre, l'abeille est utile parce qu'elle nous donne son miel, tu vois ? Mais le rat est nuisible, parce qu'il mange notre blé et transmet la peste, qui est une maladie terrible. Le renard est nuisible parce qu'il mange les poules. Le loup est nuisible parce qu'il mange les petits enfants. Le papillon est nuisible parce que sa chenille mange nos choux et nos salades. Voilà, c'est ça, utile et nuisible. Nous devons protéger les animaux utiles et détruire les animaux nuisibles.

— Allora, i dit coumme ça le ton maître qué faut garder qu'osse qu'il est bon et fout détrouire qu'osse qu'il est pas bon ?

— Voilà, papa. C'est juste comme ça.

Je suis content. Papa a tout bien compris.

— Ça, va bene, l'est pas dour comprende. Ma coumme tou fas savar qu'osse qu'il est bon et qu'osse qu'il est pas bon ?

— Oh, ben, suffit de bien écouter ce que dit le maître, et puis aussi il y a les livres, avec les images, on peut pas se tromper.

— Allora, oun qu'il est pas allé l'école, il le peut pas savar qu'osse qu'il est outile et qu'osse qu'il est mouvaise ?

— Ça, c'est bien vrai ! Même que le maître nous a expliqué que les paysans font rien que des bêtises, parce que, naturellement, eux, ils savent pas, alors ils tuent beaucoup d'animaux utiles et ils se font du tort à eux-mêmes. Ça s'appelle l'ignorance.

— Mva, dit papa, mva, ze suis oun ignorante, qué lire ze le sais même pas, ma tuver les bêtes, mva, ze les tuve pas. Ou bons, ou pas bons, mva ze les tuve pas, pourquoi tuver ze l'aime pas fare, ecco.

— Mais les paysans, papa, ils voient les oiseaux manger les cerises, alors ils sont pas contents, les paysans, et ils tuent les oiseaux avec des pièges, ou à coups de fusil. Ils ne savent pas que les oiseaux mangent les chenilles, les vers, les limaces et toutes les sales bêtes qui ravagent les récoltes, pour une cerise ils mangent trois kilos d'insectes nuisibles, les oiseaux, tu comprends ? Il faut leur expliquer ça, aux paysans.

— Les vaseaux qui manzent les cerises et les vaseaux qui manzent les cenilles, c'est pas les mêmes, dit papa. Mva ze dis que les vaseaux fout pas les tuver pourquoi ils ont le droit esse là, si nous autres on a le droit alors eux aussi ils ont le droit. Et les vaseaux, i çantent tout la zournée, et i volent en l'air, mva ze l'aime bien de les voir, qué si y aura pas les vaseaux, solement les zens, allora la vie i sara triste. Même çvi-là qui manzent les cerises ils ont le droit de vivre, des cerises il est assez pour eux et pour nous autres, qué le monde il est à tout le monde, le monde. Valà qu'osse qué ze dise, mva.

— Même les chenilles qui mangent les salades elles ont le droit de vivre, papa ? Même les limaces ?

— Eh, bien soûr ! Si l'est fatte coumme ça qu'a peut pas manzer autre çoje, paur' bête !

— Mais si elles mangent ce qu'on a planté et qu'on a eu tant de mal à faire pousser, il restera rien du tout pour nous ! C'est pas juste.

— Rester, i reste touzours assez, voyons ! Sta

cenilles-là i manzent oun 'tit po', pas boucoup. Ma les zens i veut rien laisser aux autres, i veut touzours gagner plous et plous, i veut pas partazer, ecco. Les cenilles, i peut pas venir boucoup de trop, pourquoi il est des bêtes qui les manzent, sta cenilles-là, tou comprendes ?

— Ah, oui, comme les mésanges, les rouges-gorges, les fauvettes, les hirondelles et plein d'autres que je me rappelle plus et qui se nourrissent de chenilles et d'escargots, des insectivores, ça s'appelle.

— 'Coute oun po'. Quouante qué les rats il est de trop, allora i vient les çats et i manzent les rats, coumme ça, les rats, il est touzours oun' tit po' ma zamais de trop.

— Et quand il y a trop de chats ?

Papa se passe la main sur le menton.

— L'est vrai qué quouante qu'il est toutes sta çats-là qui plorent tout la nvit et qui courent sour le tvat en zinc de l'hangar aux patates, mva i m'empêcent dourmir.

— Et tu leur jettes des morceaux de charbon par la fenêtre en jurant « Di-iou te stramaledissa ! », même que tu les rates à tous les coups !

— Mva ze me pense coumme ça dans la ma tête qué avant y aura été des bêtes grosses pour manzer les çats, ma qué pi'êt' bien qué les zens ils les auront tuvés tous.

— T'as raison, papa ! Ça devait être les loups. Avant, en France, y avait des loups, plein. Mais on les a tous tués depuis longtemps... Dis, papa ?

— Vi, mon garchon ?

— Pourquoi qu'il faut toujours tuer pour manger ? Pourquoi qu'il y a des bêtes qui mangent seulement de la viande, sans ça elles meurent ? C'est pas juste, moi je trouve. Les vaches, les chèvres, les chevaux, même les éléphants, ils vivent très bien sans tuer personne, du moment qu'il y a de l'herbe ils sont contents, mais les lions, les loups, les renards et les gens, ils sont obligés de tuer pour se nourrir. C'est triste, non ? Moi, ça me fait de la peine. Quand je mange du bifteck, je pense au bœuf qu'on a tué et ça me rend triste, quand je mange du poulet je vois le poulet en train de picorer tranquille dans la cour, et même du poisson, je le vois en train de nager tout content dans la mer, tout ça pour finir en petit tas dans mon assiette avec des légumes autour, et qu'est-ce qu'ils doivent avoir peur, tous, au moment qu'on les attrape et qu'on les tue !

— Eh, si... Le bon dieu il a fatte le monde coumme ça. Si le lion attrapera le lapin, allora le lapin il est morte. Ma si le lion attrapera pas le lapin, allora, c'est le lion qu'il est morte. Quouelqu'oun i fout qui meure, o l'oun, o l'autre.

— C'est vache.

— C'est la vie, dit maman.

— Elle est dégueulasse, la vie.

— C'est pas moi qui l'ai faite, ni toi non plus. Alors, te tourmente donc pas, on a déjà bien assez de misère comme ça sans encore se casser la tête pour des choses qu'on n'y peut rien.

LE THÉATRE ROLLA-CORDIOU

A Nogent, ils ont construit une école magnifique, juste à côté de mon école de garçons, rue Baüyn-de-Perreuse (tu parles d'un nom ! Qui c'était, çui-là ?), à flanc de coteau, un grand beau machin en brique rouge, vachement moderne, qui domine la vallée de la Marne et proclame le Progrès en marche. Une École Primaire Supérieure, ça s'appelle. C'est pour ceux qui veulent continuer l'école après le Certificat d'Études, ça remplace le cours complémentaire, mais en beaucoup mieux. On y fait des trucs aussi calés que dans les lycées, sauf le latin. Il y a un amphithéâtre et un laboratoire de physique-chimie, une salle spéciale pour le dessin, le modelage, tout ça, même un gymnase avec un petit stade. Les professeurs sont des agrégés, ça veut dire qu'ils sont très costauds, la crème, quoi. Il paraît que c'est une expérience, les gens du gouvernement veulent que les élèves du primaire soient aussi instruits que ceux du secondaire, et même si possible davantage, par exemple en maths, en sciences, en travaux manuels. Sauf le latin-grec, bien sûr, parce qu'ils veulent que ça soit rien que du moderne. Alors on fait de l'anglais, et même de l'allemand, ceux qui aiment ça. Pas d'italien, dommage.

Mais ça sera encore un truc pour les gosses de riches, parce que, naturellement, les ouvriers peuvent pas se permettre de nourrir un grand dadais pour qu'il aille à l'école jusqu'à des seize-dix-sept ans.

A douze ans, tu passes ton Certif. Tu l'as ou tu le loupes. De toute façon, les études, pour toi, c'est fini. Si t'as le Certif tu peux passer le concours des Postes pour faire télégraphiste, ils te filent l'uniforme et la casquette mais faut que t'achètes le vélo. Sinon tu entres en apprentissage dans un garage, ou chez un menuisier, ou un plombier, ou à la Cartoucherie de Vincennes, ou dans l'usine Ça-Va-Seul qui fait du cirage et qui pue à deux cents mètres, ou dans l'usine Bailly qui fabrique des médicaments. N'importe quoi mais pas maçon. Les maçons ne veulent pas que leurs gosses se crèvent à ce métier de misère, à ce métier de clochard. Sauf bien sûr s'ils ont une entreprise et qu'ils espèrent que le fiston la reprendra derrière eux. C'est pas le cas de papa !

Un jour, Monsieur Garnier, le dirlo, convoque maman à l'école, dans son bureau de dirlo, et il lui dit :

— Madame Cavanna, votre fils est très intelligent, très travailleur, bien qu'un peu dissipé.

Là, faut voir maman.

— Ce serait dommage, madame Cavanna, que de tels dons soient perdus. Que comptez-vous en faire, de ce grand garçon ?

Maman répond :

— Monsieur devrait le lui demander à lui-même, Monsieur.

Quand maman parle à des gens qu'elle estime être du « grand monde », elle emploie instinctivement la troisième personne. On l'a dressée comme ça, dans le Seizième, elle croit que c'est le chic du chic, elle se rend pas compte que ça fait larbin.

— Eh bien, me demande le dirlo, tu as une idée de ce que tu vas faire, dans la vie ?

Non, j'avais pas d'idée. J'y avais même jamais pensé. Je faisais ce qu'on me disait de faire, jour après jour, ça me pesait pas, j'y prenais plaisir, je jouais dans la rue avec mes potes, et puis je bouquinais, je bouquinais, je bouquinais, à m'en sortir les yeux de la tête. Je réponds :

— Non, m'sieur.

— Ah, ah, dit le dirlo. Tu vas avoir onze ans, tu es dans la classe du Certificat d'Études mais tu ne pourras pas le passer, tu n'auras pas l'âge. Tu vas donc être obligé de redoubler. C'est un monde ça ! Le meilleur élève de la classe obligé de redoubler parce qu'il est le meilleur ! C'est idiot mais c'est comme ça. Le règlement est le règlement. Un élève en avance d'un an, c'est pas prévu dans le règlement.

Le dirlo nous regarde l'un après l'autre, maman et moi. Nous, on sait pas quoi dire, alors on attend. Enfin, il dit :

— Madame Cavanna, je connais vos difficultés (Il a pas dit « Je sais que vous êtes pauvres à crever », c'est parce qu'il est délicat et bien élevé, mais maman a bien compris ce qu'il veut dire, et moi aussi). Il faut pourtant que ce grand garçon-là continue ses études. Au moins jusqu'au Brevet Élémentaire.

Maman, impressionnée. Si ses voisines entendaient ça !

— Si Monsieur pense que... Monsieur a certainement raison... Je suis aux ordres de Monsieur...

— Écoutez. Le problème est simple. Il ne faut pas que l'enfant soit une charge pour vous. Alors, voilà à quoi j'ai pensé : les Bourses.

Il voit bien qu'on n'a jamais entendu parler de ce truc, ni maman, ni moi.

— Le canton de Nogent a décidé de créer un concours annuel ouvert aux élèves méritants et nécessiteux afin de leur permettre de poursuivre leurs études jusqu'au Brevet Élémentaire à l'École Primaire Supérieure de Nogent. C'est un concours plutôt difficile, les épreuves sont du niveau du Certificat d'Études mais notées très sévèrement. Seuls les tout premiers seront reçus. Ils seront titulaires d'une bourse, oh, bien modeste, mais qui aidera dans une certaine mesure leurs parents à pourvoir aux frais de leur entretien.

Le dirlo a récité son discours en insistant sur les mots difficiles pour que maman comprenne bien. Il lui laisse mettre tout ça en ordre dans sa tête, et puis :

— Que dites-vous de mon idée, madame ?

— Que Monsieur veuille bien m'excuser, mais François est si jeune, si fragile...

— Madame, madame, c'est le meilleur élève de mon école ! Je suis certain qu'il réussira. Moi, je lui fais confiance. N'est-ce pas que je peux te faire confiance, Cavanna ?

Moi, je dis, en ouvrant mes yeux bien grands comme si je voyais le Père Noël :

— Oh, oui, m'sieur ! Sûr, m'sieur !

Que voulez-vous que je dise ?

Et bon, me voilà candidat de mon école aux Bourses, et ça, je l'avais pas prévu, portant sur mes épaules de pas tout à fait onze ans les espoirs du dirlo, de mon maître, le père Poissant, et de toute l'école. C'est plus seulement quatre ans d'école supplémentaires et gratuits que je dois conquérir, c'est la gloire pour ma vieille école, son directeur et ses instituteurs. Ça, j'aime pas trop.

*

Les Bourses, ça commence par des paperasses. Des tas de feuilles jaunes, rouges, bleues, à faire remplir par le percepteur, par la mairie, par l'école. Pour finir, tu portes tout le paquet au Service des Examens, rue Mabillon. C'est à Paris. Maman et moi on a pris l'autobus et puis le métro, on s'est trompés au Châtelet, on n'a pas pris le bon couloir, dans les rues maman avait peur de traverser, elle reconnaissait plus son Paris de quand elle était jeune fille, toutes ces autos, ces bus, ces camions ! En partant, elle avait été toute fière toute heureuse de me montrer Paris, elle le connaissait comme sa poche, s'y serait dirigée les yeux fermés, mais voilà, tout était changé, elle restait là au bord du trottoir comme une paysanne qui débarque de sa Nièvre avec les têtes des canards qui soulèvent le couvercle du panier. Elle tenait ma main, elle la serrait très fort contre elle, je sais pas si elle me protégeait ou si elle se rassurait, elle. Tant que j'étais là, plus rien d'autre ne comptait. Rien ne pouvait lui arriver de pire que de me perdre, alors, bon, elle me tenait la main, elle était sûre qu'au bout de la main il y avait le bras et qu'au bout du bras il y avait moi.

Et justement la camionnette a bien failli m'emporter en lui laissant la main et le bras. On sortait des bureaux, rue Mabillon, on avait enfin tout terminé, on était bien soulagés, c'est une rue pas très large, on attendait pour pouvoir traverser, un truc énorme m'arrive en pleine figure, j'entends un coup de tonnerre, je vois une explosion de lumière blanche et je me retrouve par terre, j'ai rien compris. Maman hurle.

— Il est mort ! Mon Dieu, il est mort ! Voilà, je l'emmène et je le fais tuer !

J'entends des cloches, ça tourne dans ma tête, j'ouvre les yeux, je vois des godasses, plein de godasses avec des pieds dedans, j'entends des gens qui s'engueulent, qui parlent tous ensemble.

— Mais non, madame, il est pas mort ! Il a juste une égratignure au front, une petite égratignure de rien du tout ! Je suis sûr que ça lui fait même pas mal. N'est-ce pas que t'as pas mal, mon petit gars ?

Est-ce que j'ai mal ? Oh, mais oui. A la tête. Je touche mon front, c'est là que j'ai mal. C'est mouillé. Je regarde ma main : toute rouge. Ça me coule sur la figure, dans mon col de chemise. C'est drôle, j'ai pas envie de pleurer, c'est tellement grave, ce qui m'arrive, tellement énorme. Un accident ! Comme ceux qu'on se raconte avec terreur dans les familles. J'ai été écrasé par... Par quoi, au fait ? Pas par un vélo, j'espère ! Autour de moi, il y a tous ces pieds et ces jambes de pantalon, comme un mur, pas moyen de voir ce qu'il y a derrière.

Maman a vu que je suis pas mort, elle dit :

— Merci, mon Dieu ! Oh ! merci ! Pourvu qu'il aille pas me rester estropié ! Je me le pardonnerais jamais ! Oh va, viéle béte, va !

Puisque je suis pas mort, je voudrais bien me lever, moi. Mais maman m'empêche, elle m'essuie la figure avec son mouchoir de dentelle qui sent l'eau de Cologne, son beau mouchoir pour aller à Paris. Elle arrête pas de s'engueuler pour être si bête, mais je comprends toujours pas ce qui m'est arrivé.

Ce qui m'est arrivé, c'est une camionnette qui a grimpé d'une roue sur le trottoir, sur ce trottoir où j'étais avec maman. Une ferraille tranchante qui dépassait m'a ouvert le front, voilà l'affaire. J'apprends ça en écoutant l'agent de police qui pose des questions et note les réponses dans son carnet. Le chauffeur de la camionnette est là, bien emmerdé, enfin, quoi, la dame aurait pu faire attention, on se tient pas comme ça sans bouger au bord du trottoir, surtout avec un enfant, faut ouvrir les yeux, ma petite dame, faut pas dormir debout, mais il a beau dire il a beau, le flic ne voit qu'une chose, et c'est qu'il est monté sur le trottoir, le trottoir c'est fait pour les piétons, pas pour les camionnettes, taisez-vous quand je parle, vous parlerez quand je vous interrogerai, et soufflez-moi voir un peu dans le nez, là... Si ça sent pas le pernod, alors, moi, c'est un pot de chambre que j'ai sur la tête, pas un képi.

L'ambulance arrive, je pourrais très bien marcher à pied mais pas question, dit le type en blanc, il peut y avoir des machins internes qui se voient pas, alors pollope, moi je suis responsable, tu te couches là et tu te tiens tranquille. Hôpital, eau oxygénée, radio, agrafes — c'est ça qui fait mal, tiens ! —, pansement, et maman pendant tout ce temps-là qui se traite de tous les noms, se donne des gifles et des coups de poing, dit merci au bon dieu et parle aux infirmiers à la troisième personne...

L'arrivée dans la rue Sainte-Anne, moi avec mon turban blanc et un peu de rouge devant, maman tellement honteuse qu'elle en oublie la peur qu'elle a eue. C'est qu'il faut faire face :

— Euh, ma qu'osse qu'il est 'rivé, madama Louvi ?

I s'a fait cragé, le vot' Françva ? I se sara souvé, l'ara voulu travercher la roue toute sole, no ?

— Il me tenait la main, madame André, j'ai bien failli le faire tuer par ma faute ! Ah, là là, viéle béte de Margrite, faut-y, faut-y !...

C'est reparti.

J'ai passé le concours, j'ai été reçu premier du canton, maman était, ainsi qu'elle se plaisait à dire, fière comme d'Artagnan, mais jamais ce triomphe n'effacera le remords d'avoir laissé assassiner son enfant à son côté. J'ai pas fini de l'entendre raconter, l'histoire.

*

Au cinéma, maman, elle y va pour ainsi dire jamais. D'abord elle aime bien mieux rester à la maison faire sa lessive et son repassage, qu'elle a que le dimanche pour ça, et le soir elle est bien trop fatiguée. Et puis, le cinéma, c'est vulgaire. A part quand ils jouent le couronnement du roi d'Angleterre que plus beau c'est pas possible, ou alors un film vraiment très très émouvant, comme « La Dame aux Camélias », mais « La Dame aux Camélias », ça se joue une fois et puis tu la revois plus, et quant au roi d'Angleterre, c'est quand même pas tous les jours qu'on le couronne.

Par contre, le théâtre, ah, le théâtre, ça, oui, c'est distingué, et intelligent, et délicat, et ça fait pas mal aux yeux. Seulement, de théâtre, à Nogent, y en a pas. Ni au Perreux, ni à Vincennes. Faudrait aller jusqu'à Paris. Ou bien attendre le passage du théâtre Rolla-Cordiou.

Soudain, un matin, aux principaux carrefours de

Nogent, on voit, appuyés aux arbres, des panneaux de bois avec, collées dessus, des espèces d'affiches, mais en toile, et peintes à la main. Elles disent, par exemple, ces affiches :

GRAND THÉÂTRE
ROLLA-CORDIOU

CE SOIR A 20 H 30 PRÉCISES
LA PORTEUSE DE PAIN

GRAND DRAME RÉALISTE
ET DE PASSION

AVEC TOUTES LES VEDETTES
DE LA TROUPE
UNIQUE REPRÉSENTATION

PLACES A 5 F, 10 F, 15 F et 25 F
ON PEUT LOUER D'AVANCE
S'ADRESSER A LA CAISSE

Des fois, il y a rien que de l'écrit, et des fois il y a une peinture en couleurs très bien faite où on voit la Porteuse de Pain, une belle femme avec des beaux nichons, mais l'air vachement en colère, comme la statue de la Patrie sur le monument aux morts, et elle est en colère à cause d'un sale type habillé en apache qui lui fonce dessus avec un couteau à cran d'arrêt, on voit bien que c'est un vrai tableau, parce qu'il est vieux, il est plein d'accrocs très bien raccommodés.

D'autres jours, c'est « Les Deux Gosses », ou « Le Bossu ou le Petit Parisien » ou « Les Deux Orphelines », ou « Le Calvaire d'une Mère ». De temps en temps, du comique, comme « La Femme du Chef de Gare », « Les Gaîtés de l'Escadron », des choses pour faire rire, quoi, mais pas trop souvent, parce que, comme dit maman, la rigolade c'est pour les voyous et les grossiers, c'est quand on pleure beaucoup que c'est vraiment beau.

Le théâtre Rolla-Cordiou est fait comme un cirque : une grande tente avec des mâts et des cordes tout autour. Ils l'installent sur la place de la Mairie, nous les mômes on vient rôder autour, essayer de voir par les trous les actrices en train de s'habiller, toutes des salopes vachement belles et qui connaissent la vie, c'est les grands qui disent ça. Je demandais qu'est-ce que c'est, une salope, c'était quand j'étais encore petit, n'empêche, j'aurais bien voulu voir une belle femme en train de mettre sa culotte ou de se laver les nichons, salope ou pas.

Les grands disent aussi que Raymond Cordy, l'acteur de cinéma, a commencé à jouer là-dedans, que d'ailleurs il s'appelle Cordiou de son vrai nom, il a pris Cordy pour faire artiste moderne[1], même qu'il a bien fait de laisser tomber la caravane, vu que le cinéma c'est l'avenir, tandis que le théâtre c'est rien que des parlotes, tu peux même pas faire cavaler des bourrins sur la scène, ni faire des poursuites de bandits en bagnole, alors qu'est-ce qui reste ?... Ils disent pour finir : « Le théâtre, c'est dépassé. »

Maman m'a emmené voir « La Porteuse de Pain ». Elle m'en avait souvent parlé, elle l'avait vue à Paris, dans un vrai théâtre très chic, quand elle était domestique. Elle disait :

— J'ai pleuré, mais j'ai pleuré ! J'ai jamais autant pleuré de ma vie. Ça, oui, c'est du théâtre. Autre chose que tes deux andouilles qui font rien que les imbéciles, si tu crois que c'est malin !

1. Et c'est tout à fait vrai. Annie Cordy aussi est de la famille.

Elle voulait dire, je pense, Laurel et Hardy.

Au début, j'entendais pas bien, et puis l'oreille se fait. J'avais jamais vu de théâtre, j'ai trouvé ça marrant, un peu comme le guignol qu'ils nous jouaient de temps en temps à la Maternelle. J'ai pas tout compris, mais ça fait rien, à la fin celui qui meurt c'est le sale type et ceux qui s'embrassent c'est les amoureux, quand t'as compris ça t'as passé une bonne soirée. Ah, il y aussi la Porteuse de Pain, qui est la mère de quelqu'un, je sais plus trop de qui, et qui meurt aussi, je crois bien, mais elle, pourtant, c'est pas une mauvaise, maman m'a dit que je comprendrais plus tard, c'est trop fort pour mon âge. Elle a trouvé qu'elle avait pas pleuré autant qu'elle aurait dû. C'est parce que, n'est-ce pas, ces acteurs qui voyagent tout le temps peuvent pas être aussi bons que ceux des grands vrais théâtres de Paris, forcément. Et puis, le public était très vulgaire, elle a trouvé. Ils prenaient ça à la blague, ils criaient « Fais gaffe, il est planqué derrière la porte ! », ils engueulaient le sale type, c'est difficile d'avoir de l'émotion dans ces conditions. « Le théâtre, c'est comme la messe : si tu y crois pas, c'est pas la peine. » Elle a dit ça, maman.

*

Il y a eu un grand drame horrible dans le journal. C'est Violette Nozières qui a empoisonné son père et sa mère pour leur faucher leurs sous. Maman, ça l'a frappée. Elle me demande de lui lire dans le journal qu'elle rapporte de chez sa patronne pour allumer le feu tout ce qu'ils racontent sur cette Effroyable Tragédie. Naturellement c'est le journal du jour d'avant parce qu'il faut d'abord que la patronne l'ait lu avant qu'elle le donne à maman. Même à l'école, les copains parlent de ça. Il y en a qui disent qu'elle a bien fait et que les parents c'est tous des sales cons, mais ceux-là c'est des petits voyous, et si le maître les entend il leur fout une punition et un mot à faire signer.

Maman, quand je lui lis les détails, elle est épouvantée. Elle a de la chance d'avoir un petit garçon comme voilà moi, qui lui fera jamais une chose aussi méchante. Elle me dit :

— C'est pas toi qu'empoisonnerais ta maman, dis, mon chéri ? Toi, tu l'aimes bien trop pour ça, ta maman, toi, dis voir ?

Je réponds :

— Oh, non, m'man. Je sais même pas où que ça s'achète, le poison.

Le vieux du dimanche qui vient chanter dans la cour, jusqu'ici il chantait « J'ai tout quitté pour toi, ma brune » et « Le temps des cerises ». Maintenant, il chante la chanson de Violette Nozières. Tous les dimanches.

C'est sur l'air de « Quand on s'aime bien tous les deux », une chanson vachement à la mode :

Elle empoisonna ses parents
La triste Violette Nozières,
Se riant de leur misère
Pour leur soutirer de l'argent...

La suite, je me rappelle plus. Je me suis demandé comment elle pouvait soutirer de l'argent à des gens qui étaient morts, et puis je me suis dit que le poète qui a fait la chanson avait besoin d'une syllabe de plus, alors il a mis « soutirer » au lieu de « voler », comme ça ça tombe ric et rac, mais évidemment faut pas chercher la petite bête. Une licence poétique, ça s'appelle, j'ai appris ça à l'école. Les Fables de La Fontaine, c'est rien que des licences poétiques partout. C'est pour ça que c'est vachement dur à apprendre par cœur.

Maman a les larmes qui lui coulent quand le vieux chante ça. Elle dit :

— Voilà à quoi ça mène, la liberté. Cette fille-là avait tout pour être heureuse, mais elle a pas été tenue assez sévèrement. Quand on s'occupe pas des enfants, qu'on vit comme l'oiseau sur la branche, voilà ce qui arrive.

Papa a pas l'air de se douter que c'est pour lui qu'elle dit ça. Il trempe tranquillement un quignon de pain dans son verre et il verse du vin rouge dessus, tout doucement, en sifflotant. Maman s'énerve :

— T'entends ce que je dis ? Si tu t'occupais un peu mieux de ton fils, ça serait pas plus mal. C'est pas quand ils montent l'escalier de l'échafaud qu'il faut s'en occuper, tu m'entends ?

Papa fait « Ma valala ! », et il hausse les épaules, mais c'est vrai, ça, n'empêche, si un jour je suis guillotiné ça sera bien de sa faute.

POMPÉI

— Mva, ze l'ai pas vou, dit papa, ma ze le sais que c'est vrai pourquoi mon père à mva i m'a dite coumme ça qué quouante qu'il était pétite lvi dézà les vieux i le racontaient coumme ça, zouste pareil coumme ze te le raconte mva, et sta vieux-là ils l'avaient entendou raconter par les autres vieux d'avant, allora c'est oune çoje qué esse pas vrai i peut pas.

— C'est quoi, papa, comme histoire ?

— L'est arrivé il est longtemps boucoup, qué même le Zésous il était pas encore.

— C'était du temps des païens, alors ?

— Tva, tou dises rien et tu 'coutes cosse qué ze te dise. Cez nous, en Italie, il est oune montagne tellement haute qué le bout tou le vois pas, pourquoi il est cacé dans les nvazes. Et toute pvointue toute pvointue, il est, sta montagne-là.

— Nous, en France, on a le Mont-Blanc, qui est la plus haute d'Europe, alors ça se peut pas qu'en Italie il y en ait une plus haute.

— Le Monte-Blanc ? Ma qu'osse qué c'est, le Monte-Blanc ? il est rien dou tout, il 'siste même pas à côté de sta montagne-là qué ze te cause mva. Mva ze l'ai pas vou, pourquoi il est lvoin, lvoin, pourquoi l'Italie il est grande, eh, et mon pays à mva l'est oun pays toute pétite, et les zens, cez mva, i son' tante pauvres qué vayazer i vayazent zamais, zouste i vont l'marcé à la Bettola, qu'il est le pays oun po' plous grande douv' qu'il est le marcé oune fvas la semaine, ma qu'osse qu'i y ara plous lvoin, i sait pas.

Ecco. Allora, sta montagne-là toute pvointue qué ze t'ai dite, il est oune montagne pas coumme les autres. Il a dou feu dans le ventre, sta montagne-là, il a touzours la foumée qu'alle lvi sorte en haut toute nvare, qu'a salisse toute la campagne outour, et temps en temps i se prende la colère, allora i fa coumme le canon, des coups fortes pareil, et i lvi sorte dou feu tout d'un coup, qué même le ciel i se broûle i vient nvar, les etvales, la loune, tout ça, et i lance des caillasses tante grosses, plous grosses coumme la mairie de Nozent, euh là là...

— Ben, c'est un volcan, ça, papa.

— Eh, ze le sais, qu'il est oun volcan ! Tou te crvas qué ze le sais pas ? Même qu'il a oun nome, sta volcan-là. I se pelle il Vesuvio, valà coumme qu'i s'pelle.

— Ah, le Vésuve ?

— Si, prop'io coula-li. Zoustément çvi-là. Les Français i disent « Vésouv' » pourquoi dire « Vesuvio » il est troppe fatigante. Bon. Allora, oune fvas, sta Vesouve, coumme tou dises tva, i s'a pris la colère, ma il a pas cracé le feu et la caillasse coumme les autres fvas, no, il a cracé rien que les cendres, ma boucoup boucoup, tellement boucoup tellement vite qué les zens i sont été tout svite pris dans sta cendre, i sont restés pris là-dedans coumme qu'ils étaient, oune zambe en l'air, ou en train tourner la soupe, ou en train taper 'vec le marteau, ou en train condvire la vatoure 'vec le çeval, ça dépend qu'osse qu'ils étaient en train de fare zouste à ce moment-là, quva.

— Ça s'appelle Pompéi, ce pays-là. On nous l'a raconté en classe.

— 'Coute oun po'. Si l'histvare tou la counnaisses mieux coumme ze la counnaisse mva, allora tou la racontes tva. Ma ze te le dise, mva, qué la savar toute tou la peux pas savar, ça il est pas possible. Bon. Allora, valà la cendre qu'il a couverte toute d'oun sol coup les zens, les maijons, qué tou vois plous rien dou tout, tou le sas même pas dire si la ville il était ici ou pit-êt' là-bas plous lvoin, tou le sas pas dire. Il est passé coumme ça des années boucoup, pit-êt' bien mille ans, pit-êt' bien deux mille, et oun fvas ils ont bisoin fare un trou dans sta montagne-là, pit-êt' pour qu'i passe le métro, ou la canalisachion pour l'égout, va savar, enfin, bon, i creujent dans sta cendre, i creujent i creujent, et qu'osse qu'i trouvent ? I trouvent sta missieurs-là, sta madames-là, qui sont 'terrés dans la sta cendre-là, toute coumme qu'ils étaient quouante qu'il est tombé la cendre, zouste pareil. Heu là ! Et 'tende oun po', 'tende oun po' ! A peine à peine i sentent l'air sour eux, à peine à peine, valà qui se mettent bouzer, i finissent le zeste qu'ils étaient en train de fare, çvi-là qu'il avait le bras en l'air 'vec l'hache i baisse le bras et i fende le bout de bvas en deux, celle-là qu'il était en train tourner la soupe dans la casserole i se remet tourner zouste coumme si i se sarait pas arrêté pendant deux mille ans ou pit-êt' plous... Les machons ils ont continoué monter la brique, les çarpentiers taper sour les clous, les ciens courir après les çats, et les amoureux embrasser la sa counnaissance... Natourellement, sta zens-là i parlent pas l'italien, qué dans leur temps à eux il 'sistait pas encore, allora i causent en latin. Napoléon il a dite fare vinir le couré, pourquoi le couré, loui, le latin, i comprende.

— Napoléon ? je dis.

— Eh, si, Napoléon, voyons ! Ils te l'ont pas appris, à l'école, qué dans le temps Napoléon il était le roi d'Italie, même qu'après il a été prendre la France, la Gespagne, la Geallemagne, l'Evrope, tout ça il l'a pris, loui, et il était le roi de toutes sta pays-là, c'est pour ça qui disaient « Vive l'Empereur ! » Ma qu'osse qui t'apprende, à st'école-là ?

Lâchement, j'en rajoute :

— T'as tout à fait raison, p'pa, maintenant je me souviens, Napoléon, tout ça... Même qu'il a foutu une tripotée au pape, Napoléon.

— Tou peux esse soûr qu'il a eu raijon. Qué i courés, i sont outiles, i courés, ma fout pas qu'i se croivent d'esse au-dessus de tout le monde. Napoléon il a demandé le couré : « Qu'osse qui disent, sta zens-là ? Dimm'oun po'. »

Allora le couré l'a dite coumme ça qué c'est des zens pas chrétiens, i causent tout le temps del Zoupiter, de Vénous et des autres dieux de ce temps-là qui sont devenus des diables quouante qué le Zézous il a pris leur place, et que pit-êt' bien sarait bon les broûler toute vivantes, pourquoi i sont des païens et des miçantes. Valà qu'osse qu'i dit, le couré.

Ma Napoléon l'a dite tout svite « No ! » pourquoi sta zens-là i sont pas coupables, qué quouante qu'ils étaient au monde le Zésous il était pas encore vénou, et allora fout les laisser tranqvilles, qu'i vivent à la sa façon, ecco. Et depouis ce temps-là i sont encore là, même encore ouzourd'houi, i fa pousser la légoume et i se promène dans la roue, coumme il y a deux mille ans, pareil, et les zens i vient de toute partout dans le monde pour les var et fare les photos, pourquoi une çoje coumme ça il est noulle parte, noulle parte, solement en Italie. A l'école, ils te le disent pas, tout ça ?

Je plains les mômes qui n'ont pas mon papa pour leur donner le complément indispensable.

1934-1939

LA SUPÉ

LES DOUCHES MUNICIPALES

Chez nous, on se lave dans l'évier de la cuisine. C'est chouette parce qu'il y a la cuisinière juste à côté, comme ça t'as pas froid, et si tu veux de l'eau chaude, par exemple pour te laver les cheveux, t'as juste à allonger le bras, tu cueilles la casserole sur la cuisinière et tu te fais couler l'eau sur la tête, ou si elle est trop chaude tu la mélanges à l'eau froide du robinet dans la bassine. L'eau courante sur l'évier, ça s'appelle. C'est un vache de progrès. Dans la rue Saint-Anne, on est pas beaucoup à l'avoir. Chez Jean-Jean, par exemple, ils l'ont pas. Ils vont tirer l'eau à la pompe de la cour à Galopo, c'est leur pompe attitrée, à ceux de cette maison-là, et leurs chiottes sont dans la cour à Madame Gasparini, c'est encore plus loin, si t'as la chiasse en pleine nuit, oh là là, et si c'est l'hiver, en plus, quelle misère ! Nous, les chiottes, on les a sur le palier, à mi-étage. C'est mieux, dans un sens, mais l'été ça cogne dur plein l'escalier, parce que rue

Sainte-Anne il n'y a pas le tout-à-l'égout, on n'a pas le droit de le mettre parce que le quartier doit être démoli, ça fait soixante ans qu'ils disent ça, ceux de la mairie, enfin, bon, alors ça tombe dans une fosse d'aisances qu'est rien qu'un grand trou dans la cour avec un couvercle en fonte, et naturellement il n'y a pas de chasse d'eau, ça remplirait la fosse trop vite, faut comprendre les choses. Voilà pourquoi notre maison, qui est pourtant la moins vieille de la rue, pue en dedans la merde et la vieille pisse, surtout quand le temps est à l'orage, et tous ces asticots qui se tortillent sous ton cul, faut faire gaffe de pas tomber en arrière, ni de laisser tremper ses bretelles, c'est des chiottes à la turque, ça s'appelle comme ça, peut-être parce que, accroupi, les genoux écartés et les bras croisés devant toi t'as l'air d'un Turc, j'ai jamais vu de Turc, faut croire qu'ils se tiennent comme ça, mais pour quoi faire ? Pour faire leur prière, peut-être ?

Le camion-citerne des vidangeurs vient vider ça de temps en temps, quand c'est plein à déborder, ils aspirent avec une pompe et des gros tuyaux, ça se passe la nuit, pour pas gêner le monde, paraît. Cette nuit-là, personne ne dort dans l'immeuble, ni même dans toute la rue, à cause du boucan de cette grosse saloperie de pompe suceuse, à cause surtout de l'odeur, ça sent pire que la merde, ça sent la vieille merde pourrie marinée dans sa vieille pisse, ça se faufile partout, t'as beau boucler les fenêtres, les portes, les trous de serrure, t'as beau t'as beau, ça schlingue à te couper l'appétit pour la vie, en plus il fait chaud lourd tropical, ils font ça toujours l'été, toujours, va savoir pourquoi, peut-être que quand il fait froid c'est plus cher, alors ils se gardent les chiottes des riches pour l'hiver, en même temps ils palpent leurs étrennes, y a rien de plus calculateur que le pauvre monde. Papa m'a dit qu'en plus d'être payés pour emporter la merde ils la revendent aux maraîchers qui font la légume sur Villiers, Champigny, par là. Après, nous, on achète les poireaux sur le marché de Nogent à ces maraîchers-là, et puis ça retourne dans la fosse, c'est formidable, je trouve, c'est toujours la même marchandise qui tourne, on la bouffe, on la chie, on la rebouffe, finalement c'est notre estomac et nos tripes à nous qui font tout le boulot, c'est nous qu'on devrait être payés, j'ai essayé de faire comprendre ça à papa-maman, papa a plissé le front, il voyait bien qu'il y avait là quelque chose à creuser, maman a dit « Si tu me respectes pas, respecte au moins le pain que je mange », c'est vrai qu'on était à table, bon, j'ai parlé d'autre chose, mais je sais bien que c'est rien que des manières qu'elle fait, parler de merde à table n'a jamais fait dégueuler personne, la preuve, nous, à la cantoche de l'école, quand des fois j'y reste le midi, on n'arrête pas, cul-merde-cul-merde, on se marre, pliés en quatre, et bouffer, qu'est-ce qu'on bouffe ! C'est pas que ça soit meilleur qu'à la maison, mais c'est de la bouffe marrante, de la bouffe de cantine que tu bouffes que dans les cantines, si c'était tous les jours je crois que ça finirait par pas me plaire autant.

L'eau qui coule du robinet, papa trouve ça magique. Là-bas, en Italie, ils avaient même pas une pompe dehors, pour se laver papa descendait au bord du torrent, il se mettait à quatre pattes et il plongeait sa figure dans l'eau, il frottait bien bien avec ses mains, et après ça séchait tout seul. L'hiver, il fallait emporter la hache pour casser la glace. Quand on voyait un gars descendre au torrent, sa hache à la main, on savait qu'il allait se débarbouiller, exactement comme quand moi, le dimanche matin, je vois des gens dans les rues avec une serviette-éponge roulée sous le bras : je sais qu'ils vont aux douches municipales.

Papa dit tout le temps que l'eau qui vient par le robinet c'est le plus beau progrès du monde.

— Tou le vas, Françva, les zens i 'vient 'tellizents. Plous qué ça va, plous qu'i 'vient 'tellizents. Gvard-'oun po' ! Qui c'est qu'il aurait dit ça, qué l'eau i sortirait dou mour dans la maijon, qué t'as la source d'eau claire qui te coule zouste quouante qué tou veux, et quouante qué t'en as assez i s'arrête ! L'est oun miracle, Françva, oun vrai miracle. Sta çoje-là, vi, qu'il est le progrès ! Plous que la toumoubile, qu'alle serve qu'à tuver les zens.

Moi, je vois l'eau couler du robinet depuis que je suis au monde, alors, forcément, ça m'épate moins que papa. N'empêche, une fois, il y avait une conduite crevée quelque part, pendant trois jours il a fallu aller puiser l'eau à la pompe, et se coltiner les seaux, trois étages, la vache, et la concierge qui gueulait qu'on foutait de l'eau plein ses escaliers, alors là, j'ai compris ce qu'il voulait dire, papa.

Le dimanche matin, quand j'avais fini d'aider maman au ménage, je me faisais la toilette complète, tout nu devant l'évier, la cuisinière tisonnée bien rouge pas que je prenne froid, j'avais les pieds dans la grande bassine en galvanisé avec des cristaux dedans pour déjà commencer le décrassage partout entre les doigts de pied, je commençais par le haut, d'abord les cheveux dans la cuvette sur l'évier, et puis changer l'eau pour rincer, pas facile, ça, les yeux pleins de savon je tâtais dans le vide pour trouver la queue de la casserole sur la cuisinière, avec l'eau de rinçage des cheveux je me débarbouillais la figure au savon de Marseille qu'est tellement plus sain que toutes leurs saloperies de savonnettes parfumées que dedans y a rien que de la chimie et du pas naturel, comme dit maman, et puis je descendais, poitrine, ventre, quéquette et tout le bazar, quand maman avait le temps elle me frottait le dos parce que, naturellement, il y a des endroits où qu'on peut pas y arriver, mais j'aimais pas trop parce qu'elle arrêtait pas de dire « Comme tu es maigre ! On dirait vraiment que je te nourris avec des épluchures de patates ! Tu me fais honte ! », en même temps elle frottait bien doucement avec sa main toute savonneuse comme on caresse un chien qu'on aime beaucoup, et ça, je le sentais bien, mais j'ai horreur qu'on me dise que je suis maigre, quand je suis tout seul j'arrive à l'oublier, je me figure même que je suis Tarzan... Maman, elle, c'est tous les soirs qu'elle se lave de la tête aux pieds, tous les soirs, même tard.

*

Depuis que j'ai attrapé mes douze ans, je vais aux douches municipales. Ça, oui, c'est formidable ! On se retrouve là-bas, des tas de copains, on paie en arrivant, on prend un numéro et on attend son tour en déconnant. Il fait chaud à crever, là-dedans, il y a une buée qui te colle tout de suite à la figure, on voit pas à deux mètres, et la bonne femme des douches gueule parce qu'il y en a qui restent trop longtemps dans leur cabine, un quart d'heure, on a, déshabillage-rhabillage compris, ça fait qu'il reste pas beaucoup de temps, surtout si tu te fais le shampooing, alors elle arrête pas de gueuler pour se faire entendre par-dessus le bruit terrible de toutes ces douches à fond la caisse. « Le trois ! Ça suffit, maintenant, le trois ! Si tu sors pas tout de suite, j'ouvre la porte ! » Le trois répond, vite vite « Oh, non, m'dame ! Je me peigne, m'dame ! » mais on entend bien l'eau gicler et rebondir tant que ça peut dans la cabine numéro trois.

Tu tournes le machin, l'eau te cingle la gueule et te ruisselle dessus, toute chaude toute fumante, quel bonheur ! Je tends la figure sous la pomme, ça te mitraille les yeux, ça te coule dans la bouche grande ouverte, je voudrais rester là tout le temps. Je me dis que Louis XIV, tout Roi-Soleil qu'il était, il a pas connu ça, et moi, pauvre petit merdeux, j'ai eu qu'à venir au monde...

Avec un peu de pot, ou alors en passant son tour, on peut avoir une « réglable ». Là, c'est fabuleux. Une fois lavé rincé je mets l'eau la plus brûlante possible, à hurler, et quand je suis tout rouge que je peux plus y tenir, alors brusquement j'arrête le robinet d'eau chaude et c'est d'un seul coup de la glace qui me tombe dessus, Atroce. Et aussitôt : délicieux. A gueuler de plaisir. Je gueule. La mémère de la caisse gueule aussi. « Ça va pas, là-bas ? » Elle aime pas qu'on crie ni qu'on chante. Pourtant, c'est automatique, dès que l'eau te coule dessus, t'as envie de chanter, non ? Pépito, dans sa cabine, il chante des trucs espagnols, des pasos dobles, des machins à castagnettes, c'est pour ça qu'on l'appelle Pépito. Lui, elle a beau devenir enragée, ça l'arrête pas. Il a des cheveux bouclés très noirs, Pépito, il les soigne faut voir, il apporte deux œufs frais dans la cabine, il se les casse sur la tête, il mélange avec le savon, il appelle ça un shampooing aux œufs, paraît que si t'as des beaux cheveux ça les rend encore plus beaux. En tout cas, celui qui prend la cabine derrière Pépito, il plonge en plein dans l'omelette. De la bave de jaune d'œuf savonneux partout, le carrelage dérape, tu te casses la gueule là-dedans, une dégueulasserie vivante.

Les cloisons des cabines ne montent pas jusqu'au plafond. Quand tu sais qu'il y a une gonzesse dans la cabine d'à côté, évidemment ce qui te vient tout de suite en tête c'est d'essayer de mater par-dessus le mur, surtout si c'est une belle nana, de celles qui ont la jupe et le corsage bien remplis, t'as envie de voir si c'est du vrai, on est drôlement vicieux, à notre âge, on pense qu'au cul, je sais pas si ça nous passera, ça serait dommage, moi je trouve, ça rend la vie pleine de trucs excitants. Mais rien à faire. Ces putains de murs sont juste assez pas hauts pour qu'on se figure qu'on va pouvoir y arriver et juste trop hauts pour qu'on y arrive. Faudrait pouvoir se faufiler à deux dans une cabine, on se ferait la courte échelle, mais la mémère a l'œil, elle a peur de perdre sa place si la mairie soupçonne qu'il se passe des cochonneries dans ses douches. Pépito raconte qu'il a sauté des filles dans les douches, je demande à voir.

Moi, je me vante pas d'avoir sauté des filles, d'abord ça prendrait pas. Avec mes culottes courtes, tu parles, les filles... Je voudrais bien déjà en connaître une, pas seulement en copine comme les filles de la rue Sainte-Anne, non, une qui me ferait battre le cœur et devenir tout pâle, comme Cosette et Marius des « Misérables », on se verrait pas beaucoup à cause de ses vieux qui voudraient pas qu'elle traîne avec des garçons, on s'arrangerait pour se rencontrer en allant au pain, des choses comme ça, on se ferait des sourires, elle rougirait et moi je pâlirais, je mettrais tellement de choses dans mes yeux qu'elle comprendrait tout, et je grimperais les escaliers comme un fou pour me blottir dans le vieux fauteuil et penser à elle, qu'est-ce que ça serait chouette !

Si seulement y avait pas ces culottes courtes ! Je fais un mètre soixante-dix, et en plus j'ai des mollets de coq, ça la fout vraiment mal, j'ose pas me regarder dans les glaces, quand par hasard je suis cueilli en traître par une vitrine et que je prends ma dégaine en pleine poire, j'en chialerais. Je me hais.

M'acheter des pantalons, pas question. Maman trouve que ça fait vulgaire. Je crois plutôt qu'elle veut prolonger le plus tard possible l'idée qu'elle a un petit garçon. Le pantalon, c'est la fin des illusions. Elle finit quand même par m'acheter un pantalon de golf, c'est un machin un peu bouffant et serré au mollet, comme Tintin dans « Cœurs Vaillants », le journal du patro. Elle trouve que ça fait distingué, les fils de ses patronnes en portent. En tout cas, moi, j'ai un peu moins l'air d'un petit merdeux.

Et c'est vrai que ça change tout. Ça s'est fait tout seul. Avant, en culottes courtes, je me conduisais comme un sale môme vicieux. Les filles, dans la rue, je les regardais en ricanant avec Roger, ou avec Jean-Jean. Je leur lançais des conneries méchantes, des trucs pleins de dépit de pauvre mec qui sait que ça sera jamais pour lui. Même on leur balançait la main au cul, ou bien on faisait des paris à celui qui oserait aller droit sur la gonzesse qui s'amenait en face et lui prendre les nichons à pleines paluches. Des choses de petits cons. Les filles haussaient les épaules et disaient « Petits cons ! », parfois elles nous balançaient une baffe, mais nous, tu parles, on avait prévu le coup, elle fauchait les courants d'air, la nénette.

Aussi il y avait le jeu des jetons de mate. Une

bagnole, suppose, va pour s'arrêter le long du trottoir, et nous on a repéré une gonzesse dedans. Il y en a un qui dit : « Eh, les mecs, on se prend un jeton de mate ? » Alors on cavale mine de rien se mettre juste bien en face pour quand elle va ouvrir la portière et sortir une jambe en tâtant du pied pour trouver le trottoir[1]. Du coup, sa jupe étroite fait accordéon et lui remonte jusqu'au nombril, et là t'as le jeton de mate, beau comme un soleil, les cuisses bien blanches, les supports-jarretelles, la petite culotte, tout. Même des fois des poils frisés qui pointent le nez à droite à gauche. On fait « Ouah ! » tous ensemble, la bonne femme gueule « Voyous ! », et puis on se tire à toutes pompes en rigolant comme des cons, mais dans le fond on est émus, vachement, tiens ! C'est le jeu des jetons de mate.

Avec mon pantalon de golf, j'ose les regarder. Pas les aborder, non, je suis pas assez gonflé. Et puis, j'attends le coup de foudre, l'éclair réciproque. Alors je leur fais des regards intenses, ce que maman appellerait des yeux de merlan frit. Jusqu'ici, ça n'a pas donné grand-chose, et même, faut être franc, rien du tout. Et voilà que, ce dimanche matin-là, j'entre dans l'antichambre des douches, je m'assois pour attendre mon tour et je vois, assise en face, une fille qui attend aussi, bien sage, les mains croisées sur un sac de sport où il y a son petit fourbi, les genoux serrés, deux jolis genoux ronds au-dessus de deux jambes bien bandantes aussi. Elle a des cheveux châtains tout bouclés, un gros paquet de cheveux autour d'un visage un peu pâle aux longs cils baissés. Naturellement, j'ai le

1. Jusqu'aux années quarante, les portes des voitures s'ouvraient d'avant en arrière.

cœur qui cogne. Naturellement, je la regarde de tous mes yeux, comme si mes regards étaient des doigts qui vont soulever ses paupières et faire qu'enfin mes yeux rencontrent ses yeux. Mais rien. Cils baissés. A l'appel de son numéro, elle se lève et va s'enfermer dans la cabine. Que voulez-vous que je fasse ? Je soupire, hé oui.

Mon tour arrive. Drôle de pot : j'ai la douche juste à côté de la sienne ! De la savoir là, de l'autre côté de la paroi carrelée, de me dire que cette eau que j'entends ruisseler c'est sur son corps qu'elle rebondit, sur ses épaules, sur ses petits nichons tout neufs... Il faut faire quelque chose ! Il me vient une idée. Avec Roger ou un autre copain, quand l'un de nous a oublié le savon, on convient que celui qui en a, une fois savonné, envoie son morceau à l'autre par-dessus le mur. Je prends mon bout de savon et, du bout ferré d'un de mes lacets de soulier, je grave comme je peux dans le savon « Je vous attends dehors », et puis je balance mon savon par-dessus la cloison... J'en reviens pas de ce que j'ai osé faire là... Et je m'aperçois que j'ai plus de savon ! Mais je m'en fous, je me demande s'il y aura une réponse, je guette le haut du mur. Et puis j'entends le verrou de sa porte, et je l'entends, elle, sortir de la cabine. Heureusement que je me suis pas mouillé ! Je me rhabille dare-dare, je sors, elle est debout près de la caisse, les yeux toujours baissés, et la bonne femme des douches qui retourne mon bout de savon dans ses mains et chausse ses lunettes pour lire ce qu'il y a d'écrit dessus !

La bonne femme me tend le savon.

— Dis donc, toi, c'est toi qu'as écrit ça ?

— Quoi ? Ça ? Moi ? Oh, non !

— Tu as fait drôlement vite. Fais voir ton savon.

— Mon savon ? Ah, ben, je l'ai plus, je l'ai passé à mon pote qu'avait oublié le sien.

Dégonflé, va ! Si j'avais été Pépito, j'aurais dit « Ah, ouais, tiens, c'est mon savon ! » j'aurais dit ça en me marrant et en regardant la fille droit dans les œils, et crac, aussi sec j'emballais. Ben oui, mais voilà, je suis pas Pépito.

Et justement Pépito s'amène, il sort de la douche, tout propre tout sentant bon, les cheveux brillants de bon shampooing à l'œuf frais, il mate le bout de savon, comprend la situation, se marre, dit : « Ah, ben, tiens, c'est mon savon ! », il regarde la fille avec cet air qu'il a quand il les regarde, et elle, finis les cils baissés, elle lui ouvre ses yeux, elle avale les siens, elle sourit, mais oui, elle sourit, alors il la prend par le bras, et hop, les voilà partis. Toutes des salopes.

VENISE

Je demande :

— C'est vrai, papa, qu'en Italie il y a une grande ville qui est bâtie rien que sur l'eau et que les rues c'est pas des rues mais des espèces de rivières profondes pleines de flotte ? Mais alors, comment ils font, les gens, pour aller travailler ? Ils nagent ? Ils vont en bateau ?

— Ze te le vais dire, mva, coumment qu'il est sta ville-là. I s'appelle Venezia, qu'ici i disent Vénige pourquoi sta Français-là i causent pas bien. Sta Vénige-là, avant, il était coumme les autres villes. Les maijons ils étaient faites en pierre et en brique 'vec la cave dans la terre bien enfoncée pour qu'i tient solide.

— Comme ici, quoi ?

— Coumme ici, bien soûr, coumme partoute, sauf qué Vénige il était al borde de la mer. Dans ce temps-là, il était des brigands boucoup. Sta brigands-là, ils étaient les Tourcs. Tou le sas qu'osse qu'il est oun Tourc ? Il est oun homme toute nvar, 'vec les moustaçes tante grandes et oune çiffon blance autour la tête, coumme i Marocains, ecco, pareil la même çoje, ma sta Tourcs-là, eux autres i sont très miçantes, i tuvent tout le monde et i prende tout qu'osse qu'il est dans les maijons, même les femmes et les pétites jenfants, pour les vendre là-bas cez eux, et après i 'lument le feu et i broûle la maijon, i reste rien dou tout. Valà coumme qu'i sont sta Tourcs-là.

Quouante qué les Tourcs i s'en vont 'vec les bateaux, il est touzours oun 'tit po' des zens qui sont pas mortes tout à fait tout à fait, deux ou trois, quva, pourquoi i se sont caçés dans la cave, tout au fond, derrière les tinneaux douv' qu'il est dedans le vin, et les Tourcs ils ont pas cercé zousque-là pourquoi eux, le vin, il le boit pas, eux, sta Tourcs-là, qué leur bon dieu il a dite coumme ça qué le vin il le faut pas bvare, qué sans ça tou va en enfer tout svite à peine t'es morte, ecco. Allora sta deux-trois paur' diables i sont toutes broûlés toutes cassés, ma oun 'tit po' vivants oun 'tit po', allora i vient dihors de la cave, i 'gvarde à drvate à gauce pour var si sta Tourcs-là i sont vraiment partis toutes, il attend oun po' pour esse soûr i revient pas, et allora, bon, i recommence construire la maijon, i fait les jenfants, et bon, quva, oun po' la fvas oun po' la fvas, la ville i monte, il est encore coumme avant, bien belle bien rice, et allora les Tourcs i vient encore, ils attendaient zoustement sta moment-là, bien tranqvilles, et i prende toute, i tuvent toute et i broûlent toute comme l'autre fvas, et touzours comme ça la même çoje, touzours, touzours.

Oun zour il est oun de Venige, i s'est dit coumme ça dans la sa tête « Fout pas continouer coumme ça. Nous autres on a le travail, et sta Tourcs-là ils ont le bénéfice, et en plous on est mortes, nous autres. Ça va pas, ça, pas dou tout dou tout. » Allora il a pensé boucoup boucoup dans la sa tête, çvi-là, et il a trouvé oune idée, et la son idée, à çvi-là, il était coumme ça :

Les maijons, à la place les construire sour la terre, on les va construire sour la mer.

— Comme des bateaux, quoi ?

— Valà. Pareil coumme ça. Ils ont fait les maijons en pierre et en brique, coumme avant, ma en bas la cave il était coumme un bateau en fer, bien fermé toute partout bien bien qué l'eau i peut pas vénir dedans, il est oune cave grande, tou comprendes, pour qu'i peut porter la maijon sour l'eau, et valà, la maijon i naze. Ils l'ont attacée au fond 'vec des çaines grosses pour qu'i s'en va pas, et la maijon i reste là, i naze sans bouzer de place. Allora ils ont fait toutes les maijons pareil la même çoje, et valà, Venige il est pareille coumme avant, ma maintenant i naze sour l'eau. Et quouante qu'i sont venous sta Tourcs-là la proçaine fvas, le roi de Venige il est là-haut, douve qu'i sont les cloces, toute là-haut, et i voit 'river sta Tourcs-là lvoin lvoin 'vec les bateaux. Allora i sonne la cloce, et qu'est-ce qu'ils ont fait, ceux-là de Venige ? Vite vite i ferment les finestres, i ferment les portes, i boucent les ceminées et même le trou pour le çat, en même temps ils ouvrent les portes des caves essprès pour fare que l'eau i rentre, et allora l'eau il est rentré toute vitesse, et four à mijoure qué la cave i vient plein d'eau la maijon i discend. I discend i discend, coumme ça zousqu'au fond de la mer, tellement profond qué les var tou les vas plous. Quouante qu'il arrive sta Tourcs-là il est plous rien dou tout, i cercent i cercent, ma no, rien. I se disent coumme ça dans la sa tête qu'i se saront trompés, et bon, i s'en va plous lvoin 'vec les bateaux.

Pendant ce temps-là, ceux-là de Vénige i sont

dans les maijons au fond de la mer, bien tranqvilles, i rigolent, i respirent pas trop forte pourquoi l'air il est pas boucoup, pourquoi la finestre tou la peux pas ouvrir, sans ça l'eau i rentre et tout le monde il est nvayé, tou comprendes ? Et quouante que sta Tourcs-là il est tous partis, allora i font sortir l'eau de la cave 'vec la pompe, et la maijon i remonte.

Çaque fvas quouante qui vient sta Tourcs-là, çaque fvas i fait pareil la même çoje, et coumme ça à la fin à la fin sta Tourcs-là i se pensent coumme ça dans la sa tête que sta Gitaliens-là i sont malins de trop, et bon, c'est pas la peine perdre le temps 'vec eux, milior aller voler cez les Français ou cez les Spagnouols.

Allora Vénige il est devenou oune ville tante belle qué plous belle au monde il est pas. Et valà pourquoi qu'à la place les roues il est les canals, et qué marcer à pied, à Vénige, tou peux pas, non plous la vattoure, tou peux solement aller le bateau. Et il est oune ville tante belle qué les zens i vient la var de toute partout. Ma l'été, quouante qu'i sont là toutes sta zens-là, on la fa pas discendre dans l'eau, pourquoi touzours discendre-monter, discendre-monter, il est fatigante, et après il est l'houmidité boucoup, et des pétites pvassons toute partout dans l'armvare, dans le lit, dans les assiettes, tout ça, allora la ville ils la laissent en l'air dihors toute l'été. Ma quouante qu'il est fini la saijon, ils la font discendre, et l'hiver, Vénige, i reste au fond de la mer. Tou peux aller var, zousqu'au printemps, Vénige, il est pas là. Rien dou tout. Solement la mer et sta vaseaux-là qui volent en l'air et qui manzent les pvassons.

LA SAMARITAINE

Quand me revient le souvenir de mes toutes premières années, ça se passe l'hiver. Toujours l'hiver. Et c'est un souvenir très doux. C'est papa et moi, ma petite main dans sa grosse patte, pataugeant bravement entre les flaques sous le ciel bas d'une banlieue de novembre, un ciel, un novembre, comme tu n'en vois que dans ces banlieues-là. Poignant. Désespéré. Mais d'un désespoir qui te berce et te serre la gorge d'une émotion que tu sais pas si c'est triste ou si c'est bon. C'est triste et c'est bon, voilà. Enfin, pour moi, c'est ça.

Ou bien c'est maman me ramenant de la Maternelle, on fait les commissions en passant, du pavé mouillé de la Grande-Rue montent des lumières, elles montent en se dandinant, comme des têtards poussés vers le haut par leur queue de têtard, elles viennent de loin, du fond des pavés, du fond d'un lac de pavés sans fond. Autour des becs de gaz, là-haut, de gros tampons d'ouate mangent la lumière, elle fait ce qu'elle peut pour s'échapper, la lumière, mais à la fin elle renonce et s'effiloche en un rond bien rond aux bords de peluche. Les lumières des boutiques aussi sont étouffées par cette ouate, et aussi les phares des bagnoles, et même les bruits, même le joyeux vacarme de l'autobus 114 qui fonce dans l'étroite et sinueuse Grande-Rue comme un éléphant en goguette. Tout est flou, mystérieux, comme pas vrai. Je suis dans la forêt enchantée d'une de ces histoires de fées que la maîtresse nous lisait à la Maternelle, je suis le petit Poucet, la bruine doucement doucement descend sur mes joues, sur mon nez, elle pose une perle au bout de chaque brin de laine de mon cache-nez, j'ai un petit peu peur, juste ce qu'il faut pour que ça soit bon.

Les gens dans les boutiques sont tout frileux tout recroquevillés, ils disent quel temps de chien, vaudrait mieux du vrai bon froid, c'est ça qui serait sain, tiens, au lieu de toute cette saleté d'humidité qui vous pénètre jusqu'à la moelle des os, qu'il gèle donc un bon coup, ah là là, ousqu'ils sont nos hivers de quand j'étais gosse, un mètre de neige, madame, elle restait là deux mois sans s'en aller, ah, dame, faisait pas chaud, fallait se remuer, mais ça vous faisait des hommes, ça, madame, pas des mauviettes comme voilà maintenant, toujours enrhumés, toujours un pet de travers... Et moi j'écoutais, je trouvais qu'ils avaient raison, les adultes avaient toujours raison, et je haïssais ce « temps pourri », et je ne savais pas qu'il était mon ami, qu'il était mon temps à moi, et que je l'aimais, je ne le savais pas, je ne savais pas que ma mémoire garderait ces jours gris comme un trésor précieux, ces jours-là bien plus que les jours de grand soleil, et que ce sont ceux-là qu'elle ferait renaître comme les écrins de mes années heureuses, et qu'elle les illuminerait du bonheur qui était alors le mien et que je ne savais même pas reconnaître. Le bonheur, on est dedans, on ne le sait pas. La mémoire, elle, sait. On ne la lui fait pas, à la mémoire. Mieux que nous-même, elle nous connaît. Les instants de bonheur, elle nous les fait rejaillir, tout frais tout vivants, et nous les revivons très fort, plus fort même que quand c'était pour de vrai, car en plus, maintenant, nous savons que c'étaient des instants de bonheur, et maintenant, oui, nous les revivons comme tels, nous voudrions les déguster bien à fond, mais c'est déjà passé, un éclair, il ne nous reste que nos mains vides et le regret de ne pas les avoir reconnus la première fois.

Donc, l'hiver est ma saison. Pas l'hiver immaculé, neige et glace et stalactites, que chantent les poètes et les affiches des stations de ski, pas cet hiver de carte postale. Mon hiver à moi, celui qui m'est doux au cœur et me va bien à l'âme, c'est l'interminable grisaille suintante où tout devient magique... Eh bien, te plains pas, t'es servi !

*

J'ai été le grand amour, le seul amour de maman. J'ai été la lumière dans sa chienne de vie. Et j'ai accepté ça comme tout naturel, comme hommage dû, et quand furent venus les temps je l'ai piétiné, cet amour éperdu, ainsi que fait n'importe quel gosse à n'importe quelle mère quand viennent les temps, je l'ai renié, je l'ai ridiculisé, comme ils font tous. Je l'ai tué.

Bien sûr, toutes les mères passent par là, c'est leur lot. Elles s'y font, plus ou moins bien. Elles ont d'autres enfants, d'autres amours, d'autres intérêts. Maman n'a jamais eu que moi. Maman n'était pas une mère comme les autres, elle ne devait pas être traitée comme elles. Moi, je n'étais qu'un garçon comme tous les garçons, pire peut-être parce que plus sensible, justement. Le moment vint où cet amour me pesa, m'irrita...

Maman me dit :

— Jeudi, j'ai pris mon après-midi, je me rattraperai dimanche, la patronne est d'accord, alors toi et moi on va aller tous les deux t'habiller à la Samaritaine, t'as grandi tellement vite, voilà que t'as plus rien à te mettre. Je veux pas que t'aies l'air d'un va-nu-pieds, dame, j'ai plus de fierté que ça.

Elle a dit ça de son air bourru, mais je sais que c'est un grand plaisir qu'elle veut me faire, et qu'elle se donne. Des semaines qu'elle y pense, c'est sûr, qu'elle se prépare à cette fête. Se promener dans les grands magasins, comme quand elle était jeune fille et parisienne, et au bras de son grand fils qui la dépasse déjà d'une tête... Elle n'en parlait pas, mais je sais bien qu'elle y pensait en frottant à la brosse de chiendent les draps de lit de ses patronnes. On irait de rayon en rayon, elle se ferait montrer « ce qu'il y a de mieux, et solide, surtout, faut que ça fasse de l'usage », elle déciderait que ça et ça m'allaient tout à fait bien, et puis, harassés, chargés de paquets, on s'assiérait tous les deux dans un de ces grands cafés qu'il y a par là et on prendrait le thé, ce serait une journée merveilleuse.

Tout ça, je l'avais compris. J'étais bien décidé à tout faire pour que ça marche au petit poil. Je serais gentil gentil, et serviable, et patient. Je trouverais tout épatant, je dirais comme elle, c'est pas la mer à boire.

Qu'est-ce qui m'a pris ? On était sur le trottoir, dans la cohue devant la Samar, on se dandinait d'un pied sur l'autre, ça m'énervait, j'aurais voulu foncer, me faufiler anguille dans la foule badaude, maman me cramponnait le bras, toute fière, des filles pouffaient, je prenais ça pour moi, con comme on l'est à cet âge mais moi triplement con, il me monte une bouffée de honte, je dégage mon bras, un peu rudement peut-être, maman s'étonne, et voilà ce que je lui dis :

— Écoute, m'man, j'ai l'air d'un grand con au bras de sa mémère.

Je lui ai dit ça ! Ça m'a échappé, plus fort que moi. Je lui ai dit ça, triste salaud, petit merdeux obsédé de soi-même... A peine sortie de moi, j'aurais voulu rattraper cette saleté, mais trop tard... Les yeux de maman à cette seconde-là, je les oublierais jamais. Sa vie s'est terminée là. Elle a tout compris, d'un seul coup. Compris qu'elle m'emmerdait, que j'avais honte d'elle, que je m'étais forcé, tout le temps, que son petit garçon n'existait plus, n'avait jamais existé que dans sa tête à elle, qu'elle était toute seule, toute seule...

J'ai essayé de dire quelque chose, comme si de rien n'était, je lui ai dit que j'avais soif, qu'on devrait aller prendre le thé. Des conneries... Maman a dit « C'est pas la peine », on est rentrés, maman a mis sa vieille robe et son tablier, on était en avance, la soupe était prête, juste à la réchauffer, maman l'avait faite pour papa au cas où on rentrerait tard, et bon, papa et moi on est allés se coucher tandis que maman lavait je ne sais quoi dans la cuisine.

Quelque chose m'a réveillé. C'était la voix de maman racontant sa peine à la nuit. Je comprenais pas les paroles, mais c'était pas la peine. Je savais. Jusqu'ici, maman avait moi et le travail. Le travail pour moi. Il ne lui restait que le travail. Pour qui ? Pour quoi ? On a besoin de croire qu'on travaille pour quelque chose.

*

La famille de maman n'avait pas trop bien encaissé qu'elle ait épousé un Macaroni.

J'étais un long garçon maigre et pâle, et même carrément verdâtre, avec des yeux cernés et des jambes fil de fer. Les voisines disaient toujours d'un air apitoyé « Ma qu'est-ce qu'il est blance, le vot' Françva, madama Louvi ! Ça sara la crvachanche, qu'a grandiche troppe, allora ça le faibliche, valà. Et oussi qu'i travaille troppe 'vec la tête, qué ça oussi il est pas bon. »

Maman les envoyait dinguer, fallait voir ! « Rien que des jalouses et des envieuses qu'auraient bien voulu que les leurs travaillent seulement moitié aussi bien, mais je leur ai rivé leur clou, moi, t'en fais pas... » Oui, mais maman aurait quand même bien voulu que son fils ait de bonnes joues rouges et des mollets trapus comme les petits Ritals râblés aux yeux vifs. Alors elle me bourrait de bifteck de cheval à moitié cru, de viande hachée trempée dans du bouillon de pot-au-feu qu'y a rien de meilleur pour donner des forces, on en donne même aux jeunes personnes du meilleur monde, et l'huile de foie de morue, et la quintonine... J'avalais tout, je me portais comme un charme, j'étais aussi brutal, aussi turbulent que les autres, mais je m'obstinais à trimbaler mes joues vertes et mes orbites mauves sur mes pattes de héron, vingt centimètres au-dessus de la tête des autres gars de mon âge ! Ça l'agaçait, maman. Peut-être aussi qu'elle avait peur qu'on pense qu'elle me laissait crever de faim ? Quand Roger Pavarini, mon pote, mon frère, mon inséparable, venait me chercher à la maison, c'était plus fort qu'elle, fallait qu'elle s'exclame :

— Ah, voilà un beau gars ! Quelles bonnes joues, quels mollets ! Ça, au moins, ça fait plaisir à voir !

Je m'en suis jamais tout à fait remis. J'aurais donné — je donnerais encore ! — n'importe quoi pour une paire de grosses guibolles lourdasses et une trogne rutilante de couperose. Avant d'entrer quelque part ou si, au loin, venant vers moi, j'apercevais une fille, je me passais prestement la main sur les joues, je frottais fort deux ou trois fois, vite vite, dans l'espoir d'avoir l'air moins cadavéreux. Tout au long de mon adolescence j'ai fait ça. Obsessionnel.

Pour que je me fasse un peu de couleurs, maman m'envoyait passer un mois au bon air, chez grand-père, à Forges, commune de Sauvigny-les-Bois, près de Saint-Éloi, dans la Nièvre. Grand-père est mort quand j'avais sept ans, il y a eu des bisbilles avec mes oncles et mes tantes à propos de l'héritage, si bien qu'à partir de là j'y suis plus retourné. La maison de grand-père était celle où est née maman, une seule grande pièce à tout faire avec une maie pour le pain et le beurre, une haute étroite pendule au balancier émaillée de fleurs de toutes les couleurs et, au fond, deux grands lits vis-à-vis à édredons rouges et à gros matelas bourrés de paille qu'on remplissait tous les ans. Une haute cheminée de pierres grises, béant comme une énorme gueule noire, des poutres encroûtées de fumée grasse, les jambons et la vessie du cochon tué à Noël dernier pendus en l'air, une odeur surette de pain au levain, de suie froide et de sueur rance qui sera toujours pour moi l'odeur même de la campagne...

De grand-père, je me rappelle plus s'il était grand ou petit, je revois seulement, très nettes, ses grosses moustaches blanches — il s'était fait la tête de Clemenceau — et je me revois moi, à cheval sur un de ses genoux, mon cousin Marcel sur l'autre, et lui nous faisant sauter en cadence en chantant « Les p'tis ch'vaux blancs, les p'tits ch'vaux gris, les p'tits ch'vaux varts... »

Maman m'y emmenait en train et puis s'en retournait, me laissant là, c'était une séparation déchirante qui faisait rire mon oncle et ma tante. Une fois, papa s'est laissé entraîner à nous accompagner. J'ai bien vu que les oncles se faisaient des clins d'œil derrière son dos, qu'on se poussait du coude. Parce que, naturellement, papa baragouine son petit jargon à lui qu'il s'est bricolé au petit bonheur la chance, un peu de dialetto, un peu de français, beaucoup de jeux de mains, un jet de jus de chique pour la ponctuation. Ils se sentaient supérieurs, ces ploucs. Français cent pour cent, eux. N'empêche que leur patois morvandiau faisait bien rigoler le monde quand ils montaient à Paris. Ils tenaient maman pour une crâneuse parce qu'elle parlait parisien et papa pour un épais sauvage, une espèce de va-nu-pieds plus ou moins négro venu ôter le pain de la bouche des Français, je connaissais le refrain.

Papa faisait celui qui voit rien. La bonne pomme qui croit pas au mal, qui se figure que tout le monde est gentil avec lui. Le Bamboula, quoi. Il leur offrait de la chique, mais eux disaient « Oh ben, non, je voulons point de c'te denrée, vieux gars ! » alors papa leur disait qu'il avait aussi « quoualqué çoje pour les mademvaselles » et il leur tendait un cigare. Que les gars acceptaient avec empressement. Un cigare, vingt guieux ! Seulement c'était un toscan, un sec étron chié par le diable, qui leur emportait la gueule et leur retournait l'estomac, ils essayaient de le fumer fièrement devant ceux du village — un cigare, oh ben, vieux gars, c'est-y donc que t'as hérité ? — mais bientôt tournaient verdâtres sous le bon regard innocent de porcelaine bleue de papa. Papa payait à boire, papa racontait des histoires que personne ne comprenait, mais il riait où il fallait, alors tout le monde riait de le voir rire, va résister au rire de papa, toi !

Et bon, « le Cavanna » s'était fait supporter, sinon adopter.

GARIBALDI

— Papa, qui c'était ce type-là, ce Garibaldi que vous en êtes tous si fiers, vous autres, les Italiens, et que toi et tes copains vous vous appelez les Garibaldiens, même que c'est toi qui portes le drapeau, le 14 juillet, et que toute l'année il est là, derrière l'armoire, roulé dans l'étui, le drapeau. Et d'abord, comment que ça se fait que le drapeau italien a le droit de défiler avec le drapeau français au 14 juillet, hein ? C'est la Fête Nationale de la France, le 14 juillet, pas de l'Italie.

Papa se fait la figure des choses graves. On vient de finir de dîner, il voudrait bien aller se coucher, mais bon, l'se Françva, fout l'instrouire, l'se Françva, qué i sont des çojes qu'oun enfant d'Italien i dvat savar, même si sa mère il est française. Il se verse un verre de vin, à moitié, pas plus haut, et puis il enfonce dedans un beau croûton de pain dur qu'il s'était mis de côté. Il complète en versant de l'eau, il adore faire ça, il manque jamais de me faire remarquer que l'eau se mélange pas au vin tant que tu bouges pas le croûton, quelle merveille ! Il rit, tout content que son petit miracle ait encore fonctionné ce coup-ci, et puis il enfonce un peu le croûton, le vin et l'eau se mélangent comme deux fumées, mais bien vite le croûton avale le tout et gonfle, et gonfle, et remplit tout le verre, c'est une petite gourmandise que papa s'offre de temps en temps. Il préférerait une bonne chique, mais à la maison, devant maman, il ose pas.

Papa s'installe confortable sur sa chaise. Ce sera une longue histoire.

— Garibaldi, eh ? Tou le veux savar qu'osse qu'il est, Garibaldi ?

— Il est mort, non ?

— Disent coumme ça qu'i sara morte. Ma mva ze me croive qu'i sara pit-êt' pas tante morte qué ça. Pourquoi çvi-là, oun homme coumme ça, l'est oun qui peuve pas mourir, ecco.

— Mais il serait très vieux, non ? Il aurait plus de cent ans ?

— 'Coute oun po'. Dézà plous qué mille fvas ils l'ont dite qu'il était morte, et brroumm, il arrivait, Garibaldi, 'vec la cemige rouze et la spada... Coumme tou dises, « la spada » ?

— L'épée ?

— Ecco, prop'io coula-li. L'épée. Et allora il criait « Per l'Italia é la libertà ! » Tou le comprendes qu'osse qu'i veut dire ?

— Ouais ! C'est pas dur : « Pour l'Italie et la liberté ! »

— Eh si. Sta française-là, l'est oune langue presque zouste pareille comme l'italien, presque presque. Pourquoi i parlent pas l'italien, les Français ? Sarait plus commode, no ? Tout le monde causerait pareil la même çoje. Ma no, sta Français-là, fout qu'i fait les malins, fout qu'i fait essprès esse pas pareils coumme tout le monde !

— Les Français, tu sais ce qu'ils te disent, les Français ?

Ça, c'est maman. C'est tellement petit, chez nous, on est les uns sur les autres, pas moyen de s'isoler entre hommes.

— Oh vi, qué ze le sais ! Pourquoi i sont bien polis.

— Garibaldi, papa !

— Eh, si ta mère i m'arrête tout le temps, coumme tou veux qué ze fais à raconter ?

— Ça y est, elle dira plus rien. Tu dis plus rien, hein, m'man ? C'est vachement instructif, même que c'est dans l'Histoire de France.

Maman fronce le sourcil.

— Si c'était dans l'Histoire de France, je le saurais. Y a Jeanne d'Arc, dans l'Histoire de France, y a Guynemer, y a Saint-Louis qui faisait le juge de paix dans le bois de Vincennes, y a Louis XVI que les communisses lui ont coupé la tête, ça les a bien avancés, ma foi, y a Foch, Joffre et Clemenceau, mais ton type, là, comment tu l'appelles, déjà ?

— Garibaldi, maman.

— Oui, ben, non, y a pas de ça. Louis, je te prierai de pas raconter des craques au petit, même si c'est pour l'instruire. Tu m'as comprise ?

— Ma valala qué ronçonneuse !

— Papa ! Garibaldi, papa !

— Garibaldi, dézà pétite, toute pétite qu'i sait marcer à peine à peine, dézà il aime solement deux çojes, l'Italie et la liberté. Tou demandes à lui cosse qu'i veut pour Novël, ou pour la sa niversaire, si qu'i voudra oun train lettrique, oun avion qu'alle fait les galipettes en l'air, o oun ceval qu'alle fait la balançvare, o les crayons tous les couleurs, lvi i dise « No ! » et i dise encore « Italia e libertà ! » 'vec la figoure fière même le roi, pareil.

Quouante qu'i vient oun 'tit poú plous grande, il entende quouelqu'oune qui parle à lvi, là-vaut dans le ciel, 'vec la voix forte, et qui dise coumme ça « Garibaldi ! Garibaldi ! » Allora, lvi, i se mette tout svite al gardavou... Tou le sas qu'osse qu'i vole dire, « gardavou » ?

— Oh, oui, p'pa, c'est quand on doit rester debout, comme ça, tout raide, en regardant droit devant soi, comme un soldat, quoi. Ils nous le font faire en gymnastique.

— Ah ? Bon... Allora Garibaldi i se mette coumme ça toute drvate, et i dise « Garibaldi, présent ! » Allora sta voix grande-là l'dise coumme ça : « Garibaldi, tou faras tva qué l'Italie i vient oun pays grande, et pvissante, le plous grande et le plous pvissante pays dou monde, ze te le promette. Ma avant, tou va aller cez les chauvazes, là-bas en Amérique, et tou portes à eux la liberté. Ecco. » Garibaldi risponde « Signor, si ! A les vos ordres ! » et i fait le saloute militaire...

Maman, qui depuis quelques instants a l'air pas tellement d'accord, explose soudain :

— Dis donc, toi, c'est l'histoire de Jeanne d'Arc que tu racontes là ! De notre Jeanne d'Arc à nous ! Vous n'êtes même pas capables d'avoir une Histoire de France à vous, alors voilà : vous volez celle des autres ! Bande de voleurs que vous êtes tous !

Papa hausse les épaules. Il traite ça par le mépris, mais je vois bien qu'il est touché dans sa dignité.

— La ta Zeanne d'Arc, là, ze la connaisse même pas. Z'ai rien volé dou tout, mva. Qu'osse qué ze dise, l'est la vérité, ecco.

Il me demande, à moi, d'homme à homme :

— Qui que c'est, sta Zeanne-là ? Tou l'as 'tendou parler, tva ?

— Oh, ouais, p'pa. C'est la fille que les Anglais ont brûlée toute vivante...

— Ah, l'est çvi-là ? Ze n'ai entendou causer, ma ze savais pas coumme qu'a s'appelle.

Il se tourne vers maman.

— Et allora ? Tou l'as 'tendou ? Sont les Ginglaises qui l'ont fatte dou mal, à sta mademvaselle-là. Pas les Gitaliens. Les Gitaliens, ils étaient même pas là. Tou causes, tou causes, tou me dises qué ze souis oun voleur... Fout savar, avant de causer.

— Si vous l'avez pas fait, vous en êtes bien capables, en tout cas, fourbes et traîtres que vous êtes !

Maman, faut toujours qu'elle ait le dernier mot. Mais moi, je sais bien qu'elle est mouchée.

— Vas-y, p'pa ! Garibaldi !

— Bon. Allora, Garibaldi, i s'est mise la cemige rouze...

— Pourquoi une chemise rouge ?

— Pourquoi rouze i veut dire la liberté. Partout, touzours, rouze i veut dire la liberté. C'est pour ça qué, toute la sa vie, Garibaldi il avait la cemige rouze, et toutes ses copains oussi, pareil comme lvi. Allora, bon, i se cace dans le fond d'oun bateau, et i parte en Amérique.

Dans ce temps-là, l'Amérique, il est pas coumme maintenant, 'vec les avions, les maijons qu'alles vont zousqu'au ciel, tout ça. No. En Amérique, il est solement les chauvazes. Tou le sas qu'osse qu'il est, les chauvazes ? Il est des zens qui tuvent les zens pour les fare cvire et les manzer, valà qu'osse qu'il est, les chauvazes. I sont miçantes boucoup pourquoi si t'es pas miçante plous coumme çvi-là qué tou veux le tuver pour le manzer, allora i te tuve lvi, et tva t'es morte, et t'as pas manzé, ecco. Allora, bon, Garibaldi l'arrive cez sta zens chauvazes-là, eux, tout svite, i se disent dans la sa tête à eux « Heu, comme l'est bien grasse, sta fieu-là ! Et ze me le pense coumme ça qu'a sara bien tendre, pourquoi l'est toute rose ! » Et allora eux ils lancent à lvi sta çojes-là toutes pvointoues 'vec les ploumes...

— Des flèches ?

— Les flèces, si. Boucoup boucoup les flèces, tellement tellement qu'i ressemble sta bête-là 'vec les pvals toutes pvointues, oun l'hérichon, valà. Les chauvazes i vient tout près, i se croivent dézà de le manzer, ma lvi i se secouve la cemige, et valà, toutes sta flèces-là i tombent par terre, et lvi, rien, pas blessé, rien dou tout.

— Dis donc, ils ont dû être étonnés !

— Heu, ze comprende qu'ils ont été ! I sont restés là douve qu'ils étaient, 'vec la bouce ouverte. Allora Garibaldi l'a dite coumme ça : « Chauvazes, l'a dite, ze porte à vous autres la liberté ! » Allora toutes sta chauvazes-là i sont tombés par terre 'vec les zinoux, coumme les Marocains quouante qu'i font la prière à sta bon dieu-là qu'ils ont eux, ma Garibaldi l'a dite « No ! Oun pople libre i se mette pas à zinoux ! Débout ! »

Allora i se sont mises débout, et ils étaient bien contents avar la liberté, allora ils ont dite merchi boucoup de fvas à Garibaldi, et lvi l'est contente les voir tante contentes. Et l'a dite lvi : « Ma, 'tenchion ! Quouante qu'on a la liberté, l'est défendou manzer l'son vasin. Manzer les zens, l'est pas la liberté. » Eux i disent coumme ça : « Ma allora, qu'osse qu'on va manzer, nous autres paur' diables ? » Garibaldi l'a dite « Attende oun po'. Portez-mva oune marmite 'vec l'eau dedans, et oussi oun 'tit po' dou sel. » Ils l'ont porté sta marmite, et lvi l'a mise dedans la marmite la pasta qu'il a portée d'en Italie 'vec lvi dans le bateau, oun bel macaroni primière quvalité, et l'a apprise sta zens-là manzer la pasta. Les chauvazes i sont tellement contentes manzer oune çoje tellement bonne qué zamais ils ont manzé quoualqué çoje pareil, zamais, zamais ! Et i veulent fare Garibaldi roi de l'Amérique. Mais lvi, no. Il dise coumme ça : « Ze vous donne à vous la liberté, c'est pas pour la perdre tout svite. Pas de roi ! Zamais ! » et bon, z'ont fait la respoublique.

Ma là-bas, en Amérique, il est des Spagnouols qui sont les patrons, et eux, la liberté, i veut pas qu'on la donne à sta chauvazes-là. Allora i vient des armées de sta Spagnouols-là boucoup, des mille et des mille et des mille, 'vec les foutchiles et les canons, i vient pour tuver Garibaldi. Ma lvi, toute sole 'vec l'épée, i les tuve toutes, et il en vient encore encore, allora il tuve aussi çvi-là, et encore, et encore, mais à la fin à la fin i 'vient fatigué, i fait pas 'tenchion coumme i faut, et allora i prende oune balle del foutchile dans la tête, et i tombe par terre, tout à fait morte, 'vec la sangue qu'alle coule toute partout.

— Oh, merde... Il était mort pour de vrai ?

— Eh, si... Allora sta Spagnouols-là ils le vont enterrer, pourquoi il est toute frvade toute morte, et eux i sont bien contentes, ma valà oune mademvaselle qu'alle arrive 'vec le drapeau italien, elle plore, elle mette le drapeau sour Garibaldi morte, et allora valà qué lvi i se mette debout, il embrache le drapeau, et après il embrache sta mademvaselle-là pourquoi elle a ressouchité lvi 'vec le drapeau italien, et il a marié lvi 'vec elle pourquoi il est oune femme très belle, pareille coumme la Madonna, et elle aime la liberté pareil coumme Garibaldi.

— Comment qu'elle s'appelait ?

— La s'appelle Anita. Ma tout svite fout qu'i se sauvent, pourquoi sta Spagnouols-là i veut encore le tuver, allora Garibaldi 'vec Anita i courent, et ils attrapent le bateau, mais les Spagnouols ils ont des bateaux grandes 'vec les canons, et ils tuvent tout le monde, allora, Garibaldi, tou le sas qu'osse qu'i fa ? I prende la dynamite et i fa sauter le son bateau à lvi en l'air, baoumm !

— Oh, merde...

— Garibaldi l'a sauté en l'air zousqu'à la Loune, et l'Anita aussi, et elle tienne lvi 'vec la main, et après i discendent ensemble, i tombent dans la mer, oïmé !... Ma no ! Là dans la mer zouste en dessous l'est oun pvasson, oun pvasson grosse, dis-m'oun po' comme tou l'appelles, sta pvasson-là qu'il est plous grosse comme la maijon ?

— Une baleine ?

— Eh, si ! Oune baleine. Garibaldi 'vec l'Anita i tombent toute drvate dans la bouce de sta baleine-là, et i sont restés dans le son ventre, et la baleine elle a mené eux zousqu'en Italie.

— Oh, dis...

— Eh, si ! Pourquoi l'était venou le temps qué l'Italie elle a bisoin Garibaldi. Allora, bon, l'a dit merchi à sta baleine-là, et sont sortis toutes les trvas...

— Tous les trois ? Mais ils sont que deux...

— Z'étaient deux quouante qu'i sont rentrés, mais quouante qu'i sortent, i sont trvas pourquoi il est le bébé.

— Ah... D'accord.

— Allora Garibaldi l'a commencé fare l'Italie grande et forte. Toutes les paysans, les jouvériers, toutes les paur' diables, quva, i se mettent la cemige rouze et i vient derrière Garibaldi. Ma à Rome l'était le pape, à Rome, et lvi i veut pas qué l'Italie i vient forte. Garibaldi i prende Rome, ma le pape il appelle les Austriciens, les Spagnouols, les Napolitains, même les Français, ma Garibaldi i gagne toutes les batailles, i se mette devant les canons 'vec la sa cemige rouze, et i vient blessé zamais, zamais. La svar, i se tire la cemige, et allora toutes les balles del foutchile et della mitraliose i tombent par terre.

— Eh, ben...

— L'a s'est battou toute partout, et l'a gagné touzours, et allora, quouante qu'il a prise toute l'Italie, l'a donnée à çvi-là qu'il s'appelle Vittorio-Emmanuelle et l'a dite à lvi : « Tiens. L'est pour tva. Tou saras le roi d'Italie, pourquoi pour la liberté les Gitaliens i sont pas prêtes. Fout d'abord qu'il apprende à lire. »

— Tu parles d'un cadeau !

— Eh, si ! Ma sta roi-là l'était conseillé mal. Garibaldi l'a bien vou qué sta signours-là et sta zénérals qu'ils étaient 'vec le roi i rigolent quouante qu'i vient al palais del roi 'vec la sa cemige rouze. Allora Garibaldi l'est parti, l'a s'est aceté oune maijon toute pétite pétite à la campagne pour fare pousser la salade. Ecco.

— Il a fini comme ça, Garibaldi ?

— 'Tende oun po'. Valà qué la Geallemagne i fa la gouerra contre la France, i rentre dans la France et i commence à tuver tout le monde.

— En 1914 ?

— No ! Plous vieux !

— 1870 ?

— Sara sta gouerre-là. Et valà qué sta Geallemands-là i gagnent toutes les batailles, et qui vient zousque devant Paris, et la France il est foutoue. Allora Garibaldi l'a s'est dite coumme ça dans la sa tête : « La France, il est le pays de la liberté. Ze peuve pas la laisser mourir coumme ça ! No, ça, ze le peuve pas ! » L'avait les rhoumatisses qui font mal boucoup à lvi, sourtout quouante qu'i va çanzer le temps, ma l'a s'est mise la pommade et l'est venou 'vec la cemige rouze douv' qu'il était pas encore les Geallemands, l'a trouvé le messieur Gambetta, qu'il était oun Italien même lvi, ma touralisé, et sta Gambetta-là l's'était zoustement sauvé de Paris 'vec le ballon dirizable pour fare oun armée contre sta Geallemands-là qu'on pouvait pas les laisser gagner la gouerre sans rien fare, no ?

Bon. Le Gambetta l'a ploré, l'a embraché Garibaldi et l'a dite à lvi : « Fa toute qu'osse qué tou veux, pourquoi qu'osse qu'i fout fare tou le sas mieux coumme personne. Ecco. » Allora Garibaldi l'a fatte oun armée 'vec toutes sta Gitaliens-là qu'ils étaient en France pour le travail, et l'a coummencé taper dans la gole à sta Geallemands-là, et toutes les batailles il les a gagnées lvi.

— N'empêche que la France a perdu la guerre !

— Si, l'est vrai. Ma le sol zénéral française qu'il a pas été battou par les Geallemands, et même le sol qu'il a gagné les batailles, c'est le notre Garibaldi. Tou peux demander le maître d'école si c'est pas vrai.

— Je vais lui demander, tu penses !

— Tva qué tou te promènes touzours sour les coteaux de Bry, à Villiers, à Çampigny, tou l'as zamais vou sta tombes-là, sta monoumentes pétites qu'il est toute partout dans l'herbe à drvate à gauce ?

— Si. Avec Roger, on va toujours par là bouffer des prunes.

— La proçaine fvas, 'gvarde bien qu'osse qu'il est écrit sour sta pierres-là, tva qué tou sas lire. Tou verras : tous des noms italiens, tous. Sont les Garibaldiens qu'ils sont vénous mourire ici pour la France. C'est pour ça qué, 'vec les mes camarades, on est la Lézion Garibaldienne, et c'est pour ça qu'on défile, nous autres, 'vec le drapeau italien, et c'est mva qué ze le porte, sta drapeau-là.

— Papa, dis-moi.

— Vi ?

— Dans un journal, j'ai vu une photo, c'était écrit dessous qu'un type qui s'appelle Garibaldi a serré la main de Mussolini. C'est un de sa famille, à Garibaldi ?

Je regrette d'avoir demandé ça. Je vois bien que papa a de la peine, et même honte.

— Çvi-là, l'est son fils. L'était oun brave fieu, ma l'a tourné mal. L'a pas la tête bonne coumme son père, l'croive que sta Moussolini-là fara l'Italie encore plous grande et plous forte, même sans la liberté. L'est oun con, ecco.

— Tout ça, c'est de la politique, dit maman. Allez, au chenil, tout le monde !

LE CARRÉ DE L'HYPOTHÉNUSE

C'est vers mes quatorze-quinze ans que j'ai basculé. Jusque-là je faisais pas mal le con, d'accord, j'étais bavard, rigolard, ricanant, teigneux, assez fouteur de merde, néanmoins plutôt bosseur et m'intéressant à l'étude comme à un jeu, un jeu passionnant, même. Et puis, du jour au lendemain, me voilà devenu carrément un mauvais sujet, un vrai garnement.

Peut-être le monde autour de moi qui n'a plus le même goût ? Le sol qui s'est mis à bouger sous mes pieds ? Peut-être. Ou peut-être simplement le jus de mes glandes qui s'est mis à bouillonner...

Depuis tout petit, depuis que mes yeux avaient commencé à voir, mes oreilles à entendre et ma bouche à poser des questions, le monde peu à peu s'était construit autour de moi, pour moi, et c'était un monde bien fait, un monde solidement campé sur ses mollets trapus, immuable comme une pyramide, ingénieux comme un meccano. Tout s'y tenait, tout s'y enclenchait ric et rac. Tu te grattes l'oreille ici, ça déclenche de proche en proche quelque chose jusqu'au fin fond de l'Univers, quelque chose de très très ténu, mais quelque chose. La Logique, l'Efficacité et la Justice étaient les principes de base de ce monde-là, ses lois absolues.

Les choses surprenantes et paradoxales s'expliquaient aisément par l'effet de la Pression Atmosphérique, ou par le Principe d'Archimède, ou par les Vases Communicants, ou par le Théorème de Pythagore... Le Produit des Extrêmes était égal au Produit des Moyens, le Système Métrique, fils glorieux de la Numération Décimale et de la Mesure du Méridien Terrestre par des Savants Français, était le meilleur système de mesures, le seul vraiment naturel et démocratique, les Cas d'Égalité des Triangles étaient, ô merveille, « nécessaires et suffisants », le Participe Passé conjugué avec le Verbe avoir s'accordait avec le Complément Direct d'Objet lorsque celui-ci était placé devant, les nations de l'Europe avaient enfin acquis leur forme idéale dans leurs frontières naturelles grâce à la victoire des Forces du Droit à Verdun, l'Héroïque Sacrifice des Combattants de la Der des Ders avait écrasé une fois pour toutes les hideuses Forces du Mal et du Despotisme, le Traité de Versailles avait mis l'Histoire dans le bon sens, pour la première fois depuis la nuit des temps tout était en ordre, le Progrès illuminait nos heureux avenirs, partout la Maladie reculait devant la Médecine qui alliait la Science et le Dévouement, les populations d'Afrique noire ou bistre parlaient français et chantaient la « Marseillaise » au 14 Juillet, le monde avait un sens, et ce sens, il était là, devant nous, pas à se tromper, c'était une large avenue bordée de beaux arbres aux fruits rafraîchissants qui montait en pente douce vers les glorieux sommets.

Ô, lumineuses années trente !

J'étais drôlement content d'être né juste maintenant, juste au bon moment. Juste au bon endroit. Être français en 1935, qu'est-ce que c'était chouette ! Le plus beau pays du monde, le plus civilisé, le plus intelligent, le plus spirituel, le plus vainqueur, le plus tempéré de climat, le plus varié de relief, le plus riche en littoral : découpé rocheux, sablonneux tout plat ou falaises de craie à pic, t'avais le choix, le pays de l'esprit français, de la politesse française, de la culture française, de la cuisine française et du bon goût tout court, le seul pays au monde où il y avait Paris, la seule vraie ville, toutes les chansons le disaient, tous les poètes qu'on étudiait à l'école... « J'ai deux amours, mon pays et Paris ! », « Paris, reine du monde ! », « Tout homme a deux patries, la sienne et puis la France... »

Merde, j'aurais pas voulu être un étranger, ah non, alors ! Comment ils faisaient pour supporter de pas être français, les étrangers ? Surtout allemand, j'aurais pas voulu être ! Être allemand, ça, oui, c'est vache. J'imaginais un petit enfant allemand le jour où il se rendait compte qu'il était ça : un Allemand, un Prussien, un sale Boche, un casque à pointe, un fourbe, un assassin dans l'âme, une brute épaisse et lourdasse... Quelle honte ! Quel désespoir ! A mon avis, à partir de là il ne devait plus avoir qu'une idée en tête, venir en France et se faire naturaliser Français, comme font les Italiens qui pourtant ne sont pas des féroces soldats mugissants comme les Allemands, seulement des étrangers pas français ils sont, les Italiens. Presque français, presque presque, mais pas français.

*

Et bon, tout était clair. La Terre était ronde comme une boule, légèrement aplatie aux pôles et renflée à l'équateur, elle tournait sur elle-même autour de son axe imaginaire en vingt-quatre heures et autour du Soleil en un an (et non l'inverse, comme croient les ignorants. Ne pas se moquer d'eux, ce n'est pas de leur faute). Le Soleil à son tour tournait autour d'une autre boule encore plus grosse, sûrement, et cette boule-là autour d'une autre encore plus grosse, et comme ça jusqu'à l'infini, y a pas de raison, mais les noms des plus grosses boules on nous les apprenait pas, à la communale on s'arrête au Soleil.

Les Plantes se groupaient en Familles faciles à reconnaître, suffisait de compter les pétales, les animaux étaient vertébrés ou invertébrés, à sang froid ou à sang chaud, il y avait les animaux utiles qu'il fallait aimer et protéger (Apprenons à lutter contre les préjugés) et les nuisibles qu'il fallait détruire sans pitié, les Mammifères étaient les plus évolués dans l'Échelle des Êtres Vivants, les Primates les plus évolués des Mammifères, et l'Homme, tout là-haut, le plus évolué de tous. C'était simple, c'était beau, c'était grand. Ça me convenait tout à fait.

L'école était laïque, laïque avec ardeur. Il n'y avait pas de place pour Dieu dans ce grandiose édifice. Ça ne me choquait pas. Au catéchisme, on commençait par poser Dieu créateur de toute chose, ce qui semblerait contradictoire. Mais non. A chacun son boulot. Le catéchisme complétait l'école, voilà tout. L'école nous disait comment, l'abbé nous disait pourquoi. Dieu a créé le monde, bon, il a appuyé sur le bouton, et vogue la galère ! De loin il surveille comment ça marche, il punit, il récompense, il lui arrive même de temps en temps de donner le coup de pouce, et alors c'est un miracle, mais il ne revient pas sur les données de base, le carré de l'hypothénuse continue à être égal à la somme des carrés des deux autres côtés, la pesanteur à tirer les petits machins vers les gros, les Crucifères à avoir quatre pétales et quatre sépales disposés en croix, l'estomac des ruminants à se diviser en je ne sais plus combien de putains de poches aux noms rigolos mais vachement durs à se rappeler, les parallèles à cavaler côte à côte jusqu'à l'infini sans jamais se toucher et sans qu'on puisse le démontrer — stupeur ! —, l'acide sulfurique SO_4H_2 à faire bouillonner le morceau de craie, le Bien à être le Bien et le Mal à être le Mal.

Car le Bien et le Mal étaient les mêmes, en gros, à l'école ou au caté, dans les leçons de Morale-et-Instruction Civique ou dans les Commandements de Dieu. Ce qui prouve bien que.

J'ai fait ma première communion dans une grande ferveur. J'avais tout bien compris, je recevais en moi mon Dieu et mon Sauveur, pas symboliquement, pas en simulacre, non non, pour de vrai. Cette hostie fade qui me collait au palais se changeait en Chair et en Sang, Jésus m'emplissait, quelle terrible et stupéfiante chose, comment les autres enfants pouvaient-ils accomplir cela comme les gestes d'un banal rituel ? Moi j'étais bouleversé, suffoqué, il paraît que j'étais près de me trouver mal. Persuadé de n'être qu'un grain de poussière dans la main de Dieu, les contradictions et les absurdités mêmes de la foi catholique ne me perturbaient pas, au contraire j'étais fier de participer à ces crânes défis pour l'épais bon sens qu'étaient le mystère de la Trinité, le Péché Originel, la mort, la souffrance, la peur, et ce Fils qu'on sacrifie pour sauver les hommes, lesquels ne seront toutefois sauvés que s'ils croient en Lui, et pendant ce temps-là son Père, là-haut, qui voit ça et qui n'est autre que Lui-même tout en étant un autre... Plus c'était dur à avaler, plus ça me séduisait. Je pense que ces paradoxes mêmes, cette nique à la raison, sont pour beaucoup dans l'attrait de la foi.

La foi m'a quitté, ça s'est fait sans douleur, on peut pas croire au Père Noël toute la vie. A moins de se cramponner à ses dix ans comme aux jupes de sa mère. La foi m'a quitté, l'univers, lui, est resté tel quel. Même, plutôt allégé, je dirais. Tout fonctionne comme avant, mieux qu'avant, débarrassé du poids de ce voyageur clandestin et de tout son attirail incasable dans nos filets à bagages. Pour les besoins d'étonnement et d'« incroyable mais vrai », le postulat des parallèles vaut largement les mystères de pacotille de la Sainte-Trinité !

*

Je l'avais encore toute chaude, la foi, quand j'ai découvert le vice. Le seul. Le Vice. Celui dont les mères ne parlent jamais à leurs garçons mais dont elles guettent les symptômes et dont elles chuchotent entre elles. Le vice qui se cache sous les braguettes adolescentes.

C'était pendant la compo de gym. Il fallait grimper à la perche, trois mètres, en s'aidant des jambes, c'est pas dur. J'arrive là-haut en moins de deux, et voilà que tout à coup, au moment où je touche le plafond, je sens quelque chose d'indescriptible me fulgurer dans le bas-ventre, le bout de ma queue, je suppose, avait effleuré la perche de bois à travers l'étoffe, une espèce de frisson me court le long du dos, ça me révulse et me hérisse, je sais même pas si c'est bon ou si ça fait mal, sous la surprise j'ai failli tout lâcher et me ramasser la gueule par terre. Une fois redescendu, j'ai ouvert la bouche pour dire « Eh, les mecs, je crois que je me suis arraché la bite ! », et puis quelque chose m'a retenu, j'étais innocent, je savais rien de rien malgré toutes les conneries qu'on pouvait se raconter entre garçons sur le cul des filles et la façon de s'en servir, pourtant j'ai senti que je frôlais le Grand Mystère. D'ailleurs, sans que je le veuille, ma main se portait d'instinct à l'endroit sensible et ce contact furtif réveillait l'étonnante sensation, que je finissais par comparer à l'agacement des gencives quand elles sont irritées.

Je savais, bien sûr, et depuis un âge fort tendre, que l'amour consiste à introduire sa queue dans le trou d'une fille et à frotter jusqu'à ce qu'il te sorte du jus — nous autres petits enfants on appelait ça « de la jute » et on faisait « Beurk ! » — mais je n'avais aucune idée des plaisirs physiques qu'on pouvait y trouver. Je pensais que ça devait être quelque chose de très tendre, comme quand on s'embrasse, avec, en plus, les délices du défendu, du sale, de la cochonnerie...

Quand un garçon a une fois découvert cette fabuleuse mine de sensations, il l'exploite. Il se rend bientôt compte que le frisson électrique n'était que le signe avant-coureur d'un cataclysme qui le laisse ébloui, épuisé, les doigts poisseux. Il contemple, incrédule, cette gelée chaude et tremblotante qui vient de jaillir de lui, et il pense « Merde ! C'en est ! C'est de l'homme ! C'est de la graine d'homme ! Je suis un homme ! » Ce que je fis, donc.

Après le septième ciel, la chute aux enfers. Après l'apothéose, la gueule dans la gadoue. Aussi violent que le plaisir, mais hélas moins bref, l'épais accablement d'après. Le coup de bambou. La culpabilité aux noirs sourcils. Tant que je fus croyant, c'était « Dieu me voit, et voilà, je suis encore retombé ! Rien à faire. J'ai beau me jurer, j'ai beau, j'ai beau... C'est plus fort que moi, je suis un vrai pourri, une pauvre merde de vicelard dégueulasse, aussi dégueulasse que le satyre du Fort, je vais devenir comme lui, une ordure, un déchet. » J'avais tellement honte, j'osais même pas le dire en confession. J'étais sûr que pour un truc aussi énorme il n'y avait pas d'absolution possible. Pire que de tuer un homme. Des tripotages de dégénéré, voilà. Je communiais, à Pâques, bien forcé, seule fois de l'année où maman venait à la messe, sans m'être confessé, donc impur, péché épouvantable qui me vouait à l'enfer sans rémission, j'en étais persuadé, mais à côté de l'« autre » péché, hein... Je m'attendais à tomber foudroyé en pleine église. Abominable.

Dieu parti, la culpabilité s'habille autrement. Cette fois, c'est « T'as encore remis ça, cochon ! C'est la moelle de tes os que tu craches par ta queue, pauvre mec ! Ta chair, ton sang, tes globules, tes poumons, tes forces... Tu vas tomber tubard, tu l'es peut-être déjà ! » En effet, à peine calmée l'ultime secousse du grand spasme, je tousse un petit coup. A chaque fois[1]. Je me relève, les guibolles fondues, persuadé que ce que je viens de faire se lit à livre ouvert sur ma gueule de papier mâché, au fond de mes yeux cernés. Naturellement, j'en parle à personne, surtout pas aux copains.

1. Je tousse toujours mon petit coup. Un réflexe, je pense.

*

Quand j'allais au catéchisme, on avait un bouquin que l'abbé nous avait fait acheter, gros comme un livre de messe, à peu près, dedans il y avait toute la religion avec tous les détails, très bien expliqué, il y avait les questions et il y avait les réponses, suffisait d'apprendre par cœur. Il y avait aussi des cantiques, dans ce bouquin, des tas, pour chanter pendant la messe, soudain l'orgue, là-haut, faisait un petit tralala, l'abbé reconnaissait tout de suite l'air, je sais pas comment il faisait, moi j'entendais juste tralala ou digueliguelongue, mais l'abbé, lui, aussitôt il levait le doigt pour qu'on s'y mette bien ensemble et il attaquait à pleine gorge le premier couplet, « Quand vint sur terre l'ange des Cieux... », nous on cherchait dans le bouquin, on tournait les pages, on se demandait entre nous « C'est laquelle, de page, hein, dis ? » « Merde, je trouve pas ! » et enfin, quand même, l'un après l'autre on entrait dans le chœur, vers le troisième couplet toute la bande braillait à tue-tête « Ave, Ave, Ave Mari-ia ! Ave, Ave, Ave Mari-i-ia ! », l'abbé écrasait les dalles de l'allée centrale sous ses grands panards en faisant claquer bien en mesure pour pas qu'on déraille une espèce de machin en bois fait exprès, il y avait des cantiques plutôt chouettes et des franchement chiants mais dès que je m'apercevais que j'étais sur le point de penser ça j'en demandais vite pardon au Seigneur et je me forçais à chanter le cantique chiant avec encore plus de ferveur que s'il avait été marrant. Il y avait aussi, dans ce catéchisme, des prières pour toutes les fêtes de l'année, pour les vêpres, l'angélus, le salut, ces choses où vont les vieilles grand-mères ritales et que j'ai jamais bien su à quoi ça sert, et puis les litanies. Ça, alors, oui, les litanies, ça vaut le coup ! Le prêtre dit une phrase, après lui tout le monde répète la phrase ou bien donne la réponse, longtemps comme ça, la même phrase, la même réponse, et puis soudain ça change, un tout petit peu presque rien, va savoir pourquoi, « Seigneur, ayez pitié de nous », « Jésus-Christ, ayez pitié de nous », « Seigneur, ayez pitié de nous », « Jésus-Christ, ayez pitié de nous », « Seigneur, ayez pitié de nous », « Jésus-Christ, exaucez-nous » (Ah, là, paf, ça a changé, si tu pensais à autre chose, si tu t'es trompé, tu rougis, t'as honte, ça prouve que tu priais pas de tout ton cœur !). « Jésus-Christ, exaucez-nous »... et plus ça avance, plus ça devient coton, surtout que le prêtre marmonne à bouche fermée, pas moyen de suivre sur ses lèvres, mais heureusement c'est comme la table de multiplication, il y a un air, une petite musique bourdonnante, ça monte ça descend, je suis sûr qu'il y en a qui se contentent de faire « Mneumneumneum-neumneu » bien en cadence... « Cœur de Jésus d'une infinie majesté », « Cœur de Jésus, temple saint du Seigneur », « Cœur de Jésus, tabernacle du Très-Haut », « Cœur de Jésus, maison de Dieu et porte du Ciel », « Cœur de Jésus, le désiré des collines éternelles »... et ça continue, ça bourdonne, et Dieu, là-haut, il est vachement content parce qu'il aime bien qu'on fasse des choses emmerdantes et un peu ridicules, ça veut dire qu'on pense à lui, qu'on se donne du mal et qu'on s'impose des sacrifices pour lui faire plaisir. Il aime pas qu'on l'oublie, Dieu. Faut le comprendre, aussi : il nous a créés exprès pour avoir quelqu'un qui pense à lui, alors, hein...

*

Dans mon catéchisme il y avait aussi un abrégé d'Histoire Sainte. Là, j'ai eu un choc. « Au commencement, Dieu créa le ciel et la terre. La terre était informe et vide, les ténèbres couvraient la face de l'abîme et l'esprit de Dieu planait sur les eaux. » Des mots si simples, et tant de choses dedans ! Soudain autour de moi se déchaînaient les cataclysmes, tout n'était que nuit et matière informe, néant terrifiant où rôdaient les monstres incréés, où l'infini des possibles s'entremêlait en lents tourbillons, l'Univers attendait de savoir ce qu'il serait, je contemplais, souffle coupé, le Grandiose et la Démesure, une épouvante délicieuse me serrait la tripe et m'affolait l'imagination... « Les ténèbres couvraient la face de l'abîme... » J'en tremblais de bonheur. Quels mots ! La face de l'abîme... Qu'est-ce qu'un abîme ? Quelle peut bien être sa face ? Rien, rien, que des mots. Prenez « abîme », prenez « face », accolez-les, couvrez cela de ténèbres, vous avez créé quelque chose de prodigieux, un colosse, un monstre, qui vous échappe et vous dévore. Ces mots, je me les répétais à voix haute, je les lisais, les écrivais, l'oreille et l'œil s'abandonnaient à l'envoûtement, l'âme plongeait dans le gouffre sans fond. Jusqu'à l'accent circonflexe de « abîme » sans qui, peut-être, la chose eût été moins parfaite, la magie moins efficace. J'appelais cela « terreur sacrée », je ne savais pas encore que ce n'était que frisson littéraire, pacotille romantique, poésie... J'apprenais à mon insu la puissance des mots, et que quiconque sait assembler les mots crée les dieux. Une bible qui commencerait par « Il faisait nuit sur le trou », évidemment...

L'abbé nous parlait peu de ces choses. Il liquidait en vitesse ces histoires de création du monde, de péché originel, de Déluge et de patriarches barbus pour arriver bien vite à l'essentiel, qui commence avec l'Incarnation de Notre Seigneur Jésus-Christ. Or, moi, justement, je trouvais l'Ancien Testament tellement plus excitant que le Nouveau ! Cette terrifiante et fuligineuse histoire, pleine de tonnerre, d'éclairs, d'arcs-en-ciel, de meurtres sauvages, de châtiments épouvantables, de femmes aux flancs splendides, de ruses et de tromperies punies ou sanctifiées, on ne savait jamais d'avance, ces massacres et ces exodes, ces noirs prophètes à l'œil de feu maudissant des rois sous la torture et vouant des peuples aux exécrations et aux exterminations, ce Dieu sombre, jaloux, violent, vindicatif, imprévisible, foncièrement injuste et, prestige suprême, innommable et innommé, cette interminable cohue dégoulinante de sang et barbouillée de malheur, ce roman-feuilleton, en un mot, aux péripéties déroutantes, me tenait en haleine bien autrement que le prêchi-prêcha de Notre Seigneur que, malgré ma foi et mes remords, je ne pouvais m'empêcher de trouver chiant, répétitif et bien gnangnan, avec ses paraboles téléphonées que t'avais compris où il voulait en venir dès les premiers mots et en plus tout ce que le curé allait broder là-dessus, et n'empêche fallait que tu t'appuies le sermon jusqu'au bout, et en plus j'avais le remords de trouver ça chiant et nouillard, les propres paroles du Fils de Dieu, tu te rends compte, fallait-il que je sois salaud, « Heureux les pauvres d'esprit », qu'il a dit, mais n'est pas pauvre d'esprit qui veut, pourquoi ne m'a-t-il pas fait pauvre d'esprit, moi, puisque c'est ça qu'il aime, mais s'estimer soi-même non-pauvre d'esprit c'est le péché d'orgueil, ça, merde, qu'est-ce que j'allais faire, Satan nous guette vraiment à chaque tournant, pas moyen de se relâcher, même une seconde !

Enfin, bon, j'avais honte de me l'avouer, mais ce qui m'attirait ce n'était pas la lumineuse doctrine de l'Évangile, ses mystères bien circonscrits, ses miracles bien pépères, sa charité bien ordonnée et sa morale bien convenable, mais les troubles séductions du dieu acariâtre et capricieux de la vieille bible, dont je ne savais pas alors qu'il est toujours le dieu des Juifs.

Par la suite j'ai fait connaissance avec les dieux grecs, ils font partie du bagage culturel minimum si tu veux pouvoir lire un auteur français sans plonger toutes les deux lignes dans le dictionnaire, j'ai trouvé leurs aventures marrantes, quelle astuce, quelle imagination, quelle santé, et puis je me suis lassé. Trop de soleil, trop de lumière, trop de marbre blanc, de ciel bleu et de déesses à poil. Et puis, ce Destin qui régit tout, quelle scie ! Cette manie de faire prédire à l'avance ce qui va arriver, et qui, bien sûr, arrive fatalement, à tous les coups, quoi que l'intéressé puisse tenter pour y échapper, la seule question étant de savoir ce que le Destin va bien pouvoir inventer cette fois-ci pour que l'oracle n'ait pas menti. Ça aussi, rapidement chiant. Je n'étais pas à même de goûter la haute symbolique censée se cacher derrière tout ça, et d'ailleurs je m'en foutais, ce n'était pas la philosophie de la chose que je cherchais, ni même les aventures ingénieuses, ce qu'il me fallait c'était l'horrible et l'indicible, c'était le noir mystère, c'était le grand frisson.

Je l'ai quand même eu, mon frisson, avec les dieux des origines, ces fantômes de dieux, ces fossiles hideux surgis des temps où la Grèce n'était pas encore la Grèce et où les humanités larvaires qui rampaient dans ses forêts, n'ayant que la guerre comme moyen de subsistance, dévoraient les entrailles de leurs ennemis. Les effroyables mythes d'Ouranos, de Saturne, de Rhéa, des Titans et des Gorgones, puissances monstrueuses et colossales que je sentais grouiller dans des ténèbres dégoulinantes de sang, hurlantes de toutes les Furies... Certaine image reproduisant le Saturne de Goya n'y était certainement pas pour rien ! Ça, oui, c'étaient des dieux ! Un dieu doit faire peur, un dieu doit être terreur, injustice, crime et incompréhension... Oui, enfin, bon, les hommes n'ont pas inventé Dieu pour s'amuser, mais pour se rassurer, expliquer l'inexplicable, avoir quelqu'un à prier ou à engueuler, quelqu'un qui leur tienne la main dans le noir et à qui ils puissent cracher à la gueule, quitte à s'en repentir après. Quelqu'un, quoi, quelqu'un. Ne pas être tout seul ici-bas. Ne pas être rien de plus qu'un ver de terre.

*

Bien sûr, sans Dieu, les premiers temps, on se sent un peu seul. Non, je le dis mal. C'est pas Dieu qui me manque, je lui ai donné ses huit jours parce que je n'avais plus besoin de lui. J'avais tiré de la foi tout ce qu'il y avait à en tirer, j'avais pressé le citron jusqu'à la dernière goutte, encore une fois pas en dilettante, non non, je croyais de toute mon âme, je n'entrais jamais dans une église sans une grande émotion. Maintenant que je suis passé à l'étape suivante, je me paie des petits cynismes intimes. Je me dis « Mon cochon, tu t'en es mis jusque-là, du frisson religieux ! Ah, tu peux dire que tu t'en es donné ! » Je suis bien content, et d'être passé par là, et d'en être sorti. Je pense qu'il faut avoir connu cela, le frisson religieux. Ne serait-ce que pour comprendre comment ils fonctionnent, les autres, ceux qui n'en sortiront jamais, ceux qui s'y cramponnent. J'ai envie de dire qu'un véritable athée, un athée conscient, doit avoir été croyant. Sans quoi, comment pourrait-il imaginer cette certitude tranquille que donne la foi, même aux moins portés à l'exaltation mystique, même aux gros feignants de la tête qui se contentent de se dire, de loin en loin, « Bof, on sait jamais, y a peut-être quelque chose... » ?

J'ai besoin de merveilleux, de paradoxal, d'étonnant, de « quelque chose qui me dépasse », j'en ai besoin comme tout un chacun, ni plus ni moins... Peut-être un peu plus, quand même... Nous avons tous besoin de merveilleux, et aussi d'harmonie, qu'on appelle ça logique, cohérence, justice ou comme on voudra. Jusque-là, ce besoin, on ne m'avait donné que Dieu pour le satisfaire. Dieu, évidemment, c'est la réponse à tout. La grande Explication. Mais aussi le mur. Le bec cloué. Halte-là, pas plus loin, la réponse est là : Dieu. Et bon, quoi.

Quand m'a été donné le Carré de l'Hypothénuse, j'ai compris que là était le vrai merveilleux. Je touchais du doigt l'architecture même du monde, l'implacable et harmonieux agencement de ses lois. Des lois qui n'étaient pas des décrets de droit divin, mais des constatations, révisables à tout instant. De nouveau tout se tenait, tout s'enclenchait, l'Univers était une majestueuse symphonie de lois dont chacune n'était que la modalité locale d'une grande Loi unique. Pas de contradiction, pas de surnaturel. Inutile. Le réel tout cru m'apparaissait tellement éblouissant de par sa nécessité même que c'était là le plus merveilleux du merveilleux. J'ai remisé les troubles séductions des mythologies d'apocalypse dans le placard aux chatouillis artistes, avec le chant grégorien, la musique militaire, la musique en général, la peinture, la littérature et tous les arts d'agrément, tout ce qu'on appelle « culture » et qui n'est que déclencheur d'émotion, de plaisir des sens ou de l'intellect, pas à repousser, oh non, et même à goûter intensément, mais à condition de ne pas prendre cela comme boussole pour partir à la découverte.

LA LIÈVRE

— Quouante qué z'étais oun pétite garchon, là-bas en Italie, ze travaille cez oun qui fa la farine, comme tou le pelles ?

— Un meunier ?

— Ecco, prop'io coula-li : oun milnière[1]. Il a le moulin, çvi-là, et mva ze mène les mules, ze discende 'vec les mules cercer le blé et après ze tourne porter la farine à çvi-là qu'il m'a donné le blé, ecco. Oun zour, l'était oun messieur, i vient de Rome pourquoi le dottore l'a dite coumme ça qu'il est malade, et allora bisoin qu'a vient dans la montagne respirer la bonne air pour les ses poulmons. Allora, bon, sta messieur-là i marce tout la zournée dans la montagne à drvate à gauce, il monte i discende, enfin i fa toute qu'osse qu'i fout fare pour fare qui la bonne air i te rentre i te sorte, i te nettvoie toute les poulmons bien bien et i te fa vinir les zoues bien rouzes pareil coumme qu'on a nous autres qu'on vive toutes les zours dans la bonne air qué nous on n'y pense même pas tellement qu'on est 'bitoués.

1. En vrai italien : « mugnaio ».

Et bon, ça va coumme ça deux-trois zours, et voilà qué sta messieur-là i coummence s'ennouyer. Allora i demande à le mon patron, à çvi-là qu'il a le moulin, qu'osse qu'il est coumme distratchion pour passer le temps dans sta pays-là. L'mon patron, l'a cerce dans la sa tête, et l'a dite coumme ça :

— Vous se poutrez aller la çache, pit-êt' ?

— La çache ? qui dise coumme ça çvi-là. Ça, vi, qu'il est oune idée ! Ma qu'osse qu'il est à çacher, dans sta pays-là ? Le zibier, y en a ?

— Ze comprende, qu'i y en a !

— Et qu'osse qu'il est, comme zibier ?

— Il est la lièvre.

— Heu là ! La lièvre ! Ze me pense bien qu'il est oun bel zibier, sta zibier-là ! L'n'est boucoup, de sta lièvres ?

— L'n'est oune.

— Come ? Ouna sola ?

— Eh, si. Ouna sola. Ma l'est tante grosse qué ne vale pareil coumme douze lièvres ourdinaires.

— Heu là ! L'est vraiment tante grosse ?

— Prop'io ! Et encore, sara bien trois mvois qué ze l'ai pas voue. Ze me pense coumme ça qué depouis trois mvois l'ara encore grossi plous.

— Bel'affare ! Ze vais m'acetez le foutchile et les cartouces et ze vais la tuver tout svite, sta lièvre-là !

L'est toute contente, sta messieur-là, et allora tout svite i court à la ville cez le marçand, i se'cète oun foutchile grosse, le plous grosse qu'il est cez sta marçand-là, et oussi les cartouces grosses pareil 'vec dedans le plombe qué tou peux tuver oun léonfant[1], et i 'tourne cez çvi-là du moulin, et tout

1. Ça, c'est un mot à papa tout seul, si j'explique pas tu devines pas. Un « léonfant », c'est un éléphant, mais oui.

svite i parte dans la montagne pour trouver sta lièvre-là.

I cerce, i cerce, i cerce coumme ça tout la zournée, et quouante qu'i vient la nvit qu'i voit pas clair, allora i 'tourne la maijon et i dorme, et le lendemain, à peine à peine i fait clair, même avant qui çante le coq, sta messieur-là il est dézà parti dans la montagne 'vec le foutchile pour trouver sta lièvre-là qu'il est tante grosse.

I court encore coumme ça tout la zournée, pareil coumme hier, zouste pareil, ma la lièvre, il l'a pas trouvé. Quouante qu'i vient la svar, il est toute fatigué 'vec la transpirachion qui lui coule toute partout, allora i s'assit sour oune caillasse qu'il est là, paur' diable, et il est bien malhorose pourquoi i voit bien qué sta foutchile-là il l'a aceté pour rien, et même toutes sta cartouces-là qu'elles coûtent tante cer, et allora i coummence plorer.

Et zouste à ce moment-là, zouste zouste, qu'est-ce qu'i voit, sta messieur-là ? I voit le garchon del moulin qu'il est en train passer par là 'vec les mules pour rentrer le blé. Et sta garchon-là il est zoustement mva.

— Toi, papa ? Ah, dis donc !

— Eh si, bien soûr, l'est mva. Qué si ça sarait pas été mva ze te la poutrais pas raconter, l'histoire de sta messieur-là, no ? Tou te crvoives pit-êt' que ze dise des monchonges, tu te crvoives ?

— Ah, non, papa, je dis pas ça. Allez, raconte ! Qu'est-ce qu'il y a eu, après ?

— Allora, bon, sta messieur-là i lève la main en l'air, coumme ça, et i me dise à mva : « Holà, mon garchon, 'coute oun po' ! » Mva je dise à lvi : « Bonzour, messieur ! Ma 'couter ze peux pas, 'couter, pourquoi l'est tarde et sta sacs de blé-là bisoin qu'a soyent rentrés dans le moulin avant qu'i fait nvar. »

« Zouste oune parole ! » qu'i me dise à mva sta messieur-là. « Allora, d'accorde, qué ze dise à lvi, ma oune parole solement. » « Dis m'oun po', qu'i me dise sta messieur-là, dis m'oun po', mon garchon, la lièvre, tou la counnaisses, tva ? » « Euh, si, qué ze la counnaisse ! » « Allora, dis m'oun po'. Coumm' qu'il est fatte, sta bête-là ? Pit-êt' bien qué ze l'ai voue et qué ze l'ai pas reconnoue, pourquoi coumm' qu'il est fatte ze le sais même pas. Tva qué tou l'as voue, tou me la peux dire, coumm' qu'il est fatte. » Allora, mva, ze me souis pensé dans la ma tête bien me rappeler coumm' qu'il est fatte sta bête-là, bien bien, et allora ze dise coumme ça à sta messieur-là : « La lièvre, il est oune bête 'vec quouatre pattes, ecco. » « Ah ! Quouatre pattes ! Valà au mvoins quoualque çoje », qu'i dise sta messieur-là. Et allora i scrive ça dans le carnet 'vec le crayon. « Quouatre pattes... Ecco. Ma coumm' qu'a sont, sta pattes-là ? » « Sont longues. » « Ah ! Quouatre pattes longues ! Va bene. Et la sa couleur à sta lièvre-là, coumm' qu'alle est ? » « L'est grige, et oussi oun 'tit po' zaune, coumme la patate quouante qu'il est encore sale 'vec la terre. » « Ah ! Grige et zaune ! Ze vois. Et dis m'oun po', les oreilles, coumm' qu'i sont les ses oreilles, à sta bête-là ? » « Heulà ! Les ses oreilles, à la lièvre, a sont grandes, grandes coumme vous en avez zamais vou des pareilles. Vous se pouvez pas vous tromper. » « Ah, ah ! Maintenant, si, qué ze vois coumm' qu'al est, sta lièvre-là ! Maintenant, si, qué ze vais la tuver ! Tiens, mon pétite garchon, ze te le donne pourquoi ze souis tante contente pourquoi tou m'as bien spliqué toute. » Et allora i m'a donné cinq lires, et il est 'tourné dans la montagne.

Mva, je rentre 'vec les mules, ze fais le mon travail, et tout d'oun coup z'entende oun brvit tante forte coumme le canon, pareil. L'me patron i saute en l'air et i dise « Heulà ! Qu'osse qué c'est ? L'est la gouerra ? » Mva ze dise à lvi : « Ma no, patron, l'est sta messieur-là qu'il ara tuvé la lièvre, paur' bête. » L'a dite coumme ça le patron : « Sta lièvre-là l'était là dépouis plous lvoin qué le père dou père dou père de mon grand-père. L'est oun malhor, oun' malhor grande. Pourquoi tou dises à loui coumm' qu'alle est fatte la lièvre, tva, Vidgeon, eh ? » Allora mva ze lvi risponde, al patron : « Ma, patron, sta messieur-là i demande à mva, allora, mva, des monchonges ze les peux pas dire, no, ze les peux pas. » « Ah, Vidgeon, t'es honnête de trop. Et bon, maintenant l'est morte, paur' bête. L'est oune çoje triste boucoup. »

Oun po' plous tarde, valà sta messieur-là qu'il arrive, toute fatigué encore plus coumme avant. E allora i dise coumme ça : « Oïmé, qu'i dise, la lièvre, ze l'ai tuvée. Ma l'est oune bête tante grande qué la porter zousqu'ici mva ze le peux pas. Z'ai essayé la porter, la tirer 'vec la queue, la pousser, ma no, l'est tante grosse, l'est tante pesante, qué ze peux même pas la bouzer oun centimètre. Fout prendre les bœufs pour venir la cercer, des bœufs fortes. » « Heulà, qu'il a dite l'me patron, ça m'étonne pas, pas dou tout, dépouis le temps qu'a manze l'herbe, la peut esse grosse, ze comprende ! »

Allora, bon, i prende les bœufs et les çaines et toute qu'osse qu'i fout, et on va voir coumm' qu'alle est sta lièvre-là. On arrive devant oun place qué l'herbe il est tellement haute que voir derrière tou le peux pas, voir. Et zoustement sta messieur-là i dise : « La lièvre il est là, derrière l'herbe. » Alors, mva ze dise : « Patron, mva ze me crvois qué quouante qué ze vois sta paur' bête-là ze tombe par terre tellement que ça me fara le çagrin. Allez-y, vous, 'vec sta messieur-là et les bœufs, mva ze 'tourne la maijon, l'est mieux coumme ça. »

Et bon, ze tourne les pieds l'autre côté pour aller la maijon, et eux i va cercer la lièvre. A peine z'ai même pas marcé trois pas, z'entende le patron qu'a crie coumme ça, forte forte :

— Orca la Madonna ! Valà maintenant qu'i m'a tuvé l'âne !

Allora, mva, ze souis tombé par terre et ze plore boucoup boucoup, pourquoi c't'âne-là ze l'aime encore plous coumme la lièvre.

Et moi, chaque fois que papa raconte l'histoire de la lièvre, je pleure aussi, c'est plus fort que moi. Je vois les beaux yeux de l'âne avec leurs longs cils qui regardent le ciel, et qui se sentent mourir, et qui ne comprennent pas. Pour me raccrocher à quelque chose, je demande :

— Et le lièvre, papa, qu'est-ce qu'il est devenu, le lièvre ?

Papa prend son temps, et puis il se penche vers moi et il me confie, sur le ton du secret :

— Sta lièvre-là, Françva, personne il l'a pu tuver, zamais. Pourquoi il est malin de trop, ecco. Temps en temps, il est un qui rentre la maijon en criant « La lièvre ! Ze l'ai voue, mva ! Ze l'ai voue, la lièvre ! Il est encore plous grosse coumme la dernière fvas ! Plous grosse coumme la maijon, et les ses oreilles i sont plous hautes coumme les jarbres. La Madonna, qué lièvre, sta lièvre-là ! »

DÉVIDER LE JARS

Des langues maternelles, en fait, j'en ai deux. D'abord le français, bien sûr, puisque c'est la langue de maman, celle aussi qu'on m'a apprise à la crèche, puis à l'école. Ensuite, l'argot, que j'ai appris dans la rue.

Mes copains les petits Ritals pur jus sont eux aussi bilingues de naissance. Ils parlent le patois des montagnes paternelles (le « dialetto » piacentino, vieux parler gaulois romanisé, beaucoup plus proche de l'auvergnat que de l'italien) et l'argot.

Maman n'a jamais daigné s'abaisser à essayer de comprendre la moindre syllabe de dialetto, « ce baragouin de sauvages ». Son vocabulaire exotique se limite à trois mots, qu'elle a d'ailleurs francisés sans complexe, comme on francisait au temps de Molière : à la hache. Ces trois mots sont « poulainte », « passe-ta-chute » et « minestre »[1]. Les pâtes,

1. « Polenta » : la bouillie de maïs bien compacte. « Pastasciutta » : le plat de pâtes « sèches », sans bouillon, avec sauce. « Minestra » : la soupe.

la « pasta » sacro-sainte, chez nous on les appelle des nouilles.

Donc, à la maison on parle français. Maman et moi, je veux dire. Papa se cramponne comme il peut. C'est à maman que je dois d'être français de langue jusqu'au fond de la fibre, français amoureux du français, et même français quelque peu teinté de morvandiau. O vâ, l'gâ, vâ !

J'avais dix ans tout ronds quand, « pour ma communion », maman, en plus de la montre-bracelet — ma première ! — offerte par ma marraine et du stylo à plume rétractile — en or, la plume ! — offert par sa patronne principale, me fit cadeau des « Misérables » de Monsieur Victor Hugo, quatre jolis petits volumes toilés crème et or, collection Nelson, je les ai toujours. C'est une des six œuvres littéraires que maman place au-dessus de tout ce qui s'est jamais écrit. Les cinq autres ? Voici :

« Le Tour de la France par Deux Enfants », livre dans lequel elle s'est appris à lire toute seule « au cul des cochons » tout en veillant d'un œil à ce que ces animaux folâtres mais dévastateurs n'aillent pas ravager le champ de patates du voisin, « Michel Strogoff » (prononcez « Estrogoff »), « La Porteuse de Pain », « La Dame aux Camélias » et « La Vie Héroïque de Guynemer, le Chevalier du Ciel ». Ceux-là, elle les avait, je suppose, dévorés la nuit dans sa mansarde de domestique lorsque, « montée » à Paris, elle s'était placée « en maison bourgeoise » comme souillon de cuisine. Quant aux « Misérables », sans doute avaient-ils enchanté sa dixième année puisqu'elle estima que j'étais à même de les lire lorsque j'eus atteint justement cet âge. Elle avait bien calculé. J'étais à point.

*

Ce soir-là, une fois partis les invités, je m'étais approché des livres comme, le matin même, j'étais allé à la Sainte-Table. Pénétré de la grandeur de l'instant. Maman me jugeait digne d'entrer dans ce monde étincelant, ce monde de beauté et d'émotion dont elle me parlait si souvent... J'allais enfin connaître Cosette et Jean Valjean. J'allais pleurer comme avait pleuré maman, pleurer de trop triste et de trop beau. Maman avait donc décidé que j'étais un homme.

Déjà, à la grand'messe, l'estomac vide et les jambes en coton, j'avais reçu Dieu en moi. Je faisais pas les choses à moitié, je croyais de toutes mes forces, je me concentrais sur le bouleversant mystère de l'Eucharistie, ça m'avait rudement secoué, et maintenant, voilà, j'allais pénétrer dans un livre, un vrai livre pour grandes personnes, sans images dedans, rien que de l'écrit. J'avais ouvert le Tome Un comme on ouvre un tabernacle. Il était tout neuf, personne ne l'avait ouvert avant moi, c'était la première fois que je posais les doigts sur un livre neuf.

Par-dessus tout, j'avais peur de ne pas comprendre ou, pis encore, de découvrir que ça m'emmerdait, et de pas pouvoir le cacher, et de faire de la peine à maman. Je sentais bien quel grand moment c'était pour elle. Elle avait jugé le temps enfin venu de m'admettre dans son paradis secret, elle s'était gardé cette joie-là pour quand je serais assez grand, je serais celui avec qui partager ses rêves saccagés de petite Cosette aux yeux pleins de Dames aux Camélias très belles et très malheureuses, de petite Cosette que nul Jean Valjean n'était venu décoller du cul des cochons et qui, s'en étant arrachée toute seule, s'était aperçue qu'elle avait échangé le cul des cochons pour des fonds de cave où elle frottait jusqu'à en tomber de fatigue les brassées de draps sales de la petite-bourgeoisie nogentaise. Les Jean Valjean n'existent que dans les livres. La vie est une maritorne, une Thénardier aux doigts crochus, au groin de cochon. Oui, mais il y a les livres, justement.

J'avais tout de suite bien soigneusement couvert les quatre précieux volumes avec ce papier bleu de nuit qui sert pour les livres de classe et le saucisson, et puis je m'étais enfoncé-blotti dans le vieux fauteuil de peluche rouge qui boite d'une patte, cadeau d'une patronne, j'avais plié-replié mes genoux maigres et mes coudes pointus, je m'étais fermé au monde, je m'étais fait chauve-souris, une chauve-souris enfouie dans sa membrane, enfouie avec le Tome Un des « Misérables ».

*

Et donc j'avais dévoré, mais dévoré en mâchant longuement, amoureusement, pour bien savourer, en gourmand, pas en goinfre, l'énorme saga de Jean Valjean. Dès la première page, le miracle avait eu lieu. Dès Monseigneur Bienvenu et sa vieille gouvernante...

Il y en a, des choses, dans les « Misérables » ! L'histoire, oui, mais surtout tout ce qui grouille autour. Et je découvrais avec surprise que, beaucoup plus que l'idylle de Marius et de Cosette qui — j'avais d'ailleurs honte de goûter si mal les grandes choses sublimes du cœur — ne me passionnait pas des masses, ces deux-là, à mon goût, passaient vraiment beaucoup de temps à se contempler l'infini au fond des yeux, plus même que les viriles aventures du forçat évadé, ce qui me ravissait c'étaient les copieuses escapades documentaires du père Hugo. Nos héros descendent dans l'égout ? Allez, hop, cent pages sur les égouts, principe, fonctionnement, histoire, anecdotes, dangers, philosophie... Ils se réfugient dans un couvent ? En avant pour le topo sur la vie monastique en général, sur ce couvent-là en particulier. Gavroche apparaît ? Mais d'abord présentation du gamin de Paris, sa vie, ses mœurs... Une bande de malfrats entre en scène ? A nous la délinquance dans les grandes villes, ses causes, ses remèdes... Ces bandits parlent argot ? Un livre spécialement consacré à l'argot. Nous y voilà.

*

L'égout, le couvent, le bagne, la pègre, le gamin de Paris modèle 1830, j'étais pas compétent, j'étais bon public, j'avalais de confiance. Mais l'argot !

C'est dans le Tome Trois de l'édition Nelson, page 276, que s'ouvre superbement, comme s'ouvre tout ce qu'ouvre Hugo — Hugo pourrait-il ouvrir quoi que ce soit, fût-ce une boîte de petits pois, autrement que superbement ? —, le Livre Septième des « Misérables », sous ce titre alors épouvantablement provocateur éclatant au beau milieu d'un grand espace vide comme une merde de chien sur un tapis en peau d'ours blanc :

S'ensuivent trente-deux pages fulgurantes — Hugo pourrait-il ne pas fulgurer ? — qui fascinèrent mes dix ans. Je n'avais, bien sûr, encore jamais rien lu sur le sujet. Je n'imaginais même pas que « ça » pût être objet d'écriture, ou même de conversation. Et d'abord, « ça » n'existait pas. L'argot n'existait pas. Je le parlais toute la journée, tout le monde le parlait, n'empêche : il n'existait pas. Manger ses crottes de nez n'existe pas. Qui mange ses crottes de nez ? Personne. Demande-leur, vas-y. Personne. Qui fauche des ronds dans le morlingue à sa dabuche ? Personne. Qui dévide le jars ? Qui jacte argot ? Nib de trèpe. Pas la queue d'. Personne, personne, personne.

L'argot nous coule des lèvres dès la porte claquée, en dévalant l'escadrin quatre à quatre, on n'y fait même pas gaffe, c'est venu tout seul, va savoir quand, va savoir comme, ça s'est respiré avec l'air de la rue, même déjà avec l'air chargé de vieille pisse et de parmesan de l'escalier de la baraque, t'as rien vu rien voulu, ta tête pense « nez », ta langue traduit « pif », « tarin », « tarbouif »... Ta tête veut dire « Regarde les belles chaussures que ma mère m'a achetées », ta langue prononce « Mords un peu les pompes mahousses que je m'ai fait cigler par ma vioque ».

Ça s'est fait, comme je dis, tout seul, par imprégnation. Comment le bébé apprend-il à parler ? Dès la lourde passée t'étais plongé dedans, dire « maman » devant les potes t'aurais eu l'air con, tu le sentais bien, ton instinct renifleur avait palpé l'ambiance, alors tu disais « ma vieille », « ma vioque », « ma daronne », « ma dabuche » (prononcer « dâronne », « dâbuche »), comme les copains... Et puis, c'est un jeu, un jeu marrant, un jeu défendu, dans le même sac que les « gros mots », un truc rien qu'entre nous, sans te soucier si « nous » c'est pas finalement tout un chacun et Paris entier, banlieue comprise. On dévide le jars en quittant ses couches-culottes, c'est signe qu'on est devenu un vrai petit homme, un qui se mouche tout seul et qui pisse debout contre le mur.

Avant Victor Hugo, je m'étais même pas rendu compte de ce que, passé la porte dans l'autre sens, c'est-à-dire rentré à la maison, je change automatiquement de vocabulaire. Là aussi, ça se fait tout seul. L'instinct palpeur, toujours. Des mots comme « dégueulasse », ou « cinglé », ou même « godasses », maman ne tolérerait pas. Un soir, on était à table, papa me demande :

— Dis m'oun po', Françva.

— Oui, p'pa ?

— Dis m'oun po' qu'osse qu'il est sta çoje-là, sta « banane » qu'i disent touzours ?

— Une banane ? Quelle banane, p'pa ?

— Ma vayons, sta banane-là qu'i disent coumme ça « Z'vas à Banane ». Ma qué banane ? Mva ze le comprende pas qu'osse qu'i veut dire, mva. Oune banane, vi, ze le sais qu'osse qu'il est, il est çvi-là qu'a ze manze, qu'il est toute zaune 'vec la peau, qu'a pousse lvoin dans l'Afrique, cez les Marocains. Ma sta « Banane »-là qu'i disent qu'ils y vont, sara pas la même, no ?

— Ah, tu veux dire, « Paname » ?

— Eh, si ! « Banane ». Ecco. Valà. L'est zouste coumme ça coumme tou dises. Allora, tou le sas, tva, qu'osse qu'il est sta çoje-là ?

— Ben, oui, p'pa. Ça veut dire « Paris ». C'est de l'argot. « Paname », ça veut dire « Paris ».

Papa, illuminé. Tout devient clair.

— Allora, quouante qu'i disent coummė ça « Z'vas à Banane », vol'dire qu'i va à Paris, no ?

— Voilà, c'est ça.

— Ma allora, Di-iou te stramaledissa, pourquoi i disent pas « Z'vas à Paris », qué tout le monde i comprende ? Dis- m'oun po' ?

— Oh, ben, parce que c'est plus rigolo comme ça. Ça fait dégourdi, quoi.

Maman, qui tournaille autour de nous à servir la soupe, prend les choses en main.

— Dis donc, toi, tu crois que c'est des mots à dire devant le petit ? Je sais pas où tu traînes ni qui tu fréquentes pour ramasser des saletés pareilles et je veux pas le savoir, mais, moi vivante, ça passera jamais le seuil de ma maison, j'aime autant te prévenir tout de suite.

Papa fait « Ma valala ! », secoue la tête et plonge dans sa soupe fumante poireaux-patates-nouilles. Maman se tourne vers moi. Ça va être mon tour. Les sourcils de maman sont pas à la rigolade.

— Et alors, toi, tu connais des mots pareils ? Et ça te fait rire ? Et tu l'encourages ? Jamais de ma vie j'avais entendu cette horreur-là. J'aimerais bien savoir qui t'apprend ces jolies choses. Sûrement pas le maître d'école ! Tu as de belles fréquentations, ma foi !

— Mais enfin, m'man, tout le monde cause comme ça. Je sais pas, moi, quand tu fais ton marché, tu dois bien entendre les gens, non ? C'est pas des gros mots, ni des saletés. C'est... c'est de l'argot, quoi.

— Que ça soit ce que ça voudra, je te laisserai certainement pas salir le pain que je mange avec ton argot de putains et de va-nu-pieds, compte pas là-dessus, ah non, j'ai trop de mal à le gagner, mon pain. J'ai peut-être les mains gercées, mais elles sont propres, mes mains, et ce qui me sort de la bouche aussi. Je peux passer partout la tête haute, moi. Tout le monde peut pas en dire autant. Je m'occupe pas de comment causent les gens, ils causent comme ils veulent, les gens, s'ils disent des saletés je les entends même pas. Et tu me feras le plaisir d'avoir un peu plus de fierté, toi aussi.

*

Eh bien, l'argot, Victor Hugo le voyait comme le voit maman : la langue crapuleuse et ordurière des apaches. C'était un gros risque qu'il prenait, en sa pudibonde époque, d'oser imprimer ces mots imprononçables, d'oser disserter dessus, d'oser même seulement évoquer leur existence. Il fit d'ailleurs scandale, je l'ai appris plus tard.

J'ai donc découvert, au Livre Septième des « Misérables », que la langue que je parle tout naturellement avec les autres galopins de ma banlieue, Victor Hugo, afin de pencher sur elle sa sollicitude érudite, est allé, s'aidant de longues pincettes, la pêcher « ... dans les bas-fonds de l'ordre social, là où la terre finit et où la boue commence, fouiller dans ces vagues épaisses, poursuivre, saisir et jeter tout palpitant sur le pavé cet idiome abject qui ruisselle de fange ainsi tiré au jour, ce vocabulaire pustuleux dont chaque mot semble un anneau immonde d'un monstre de la vase et des ténèbres... Rien n'est plus lugubre que de contempler ainsi, à nu, à la lumière de la pensée, le fourmillement effroyable de l'argot. Il semble en effet que ce soit une sorte d'horrible bête faite pour la nuit qu'on vient d'arracher à son cloaque. On croit voir une affreuse broussaille vivante et hérissée qui tressaille, se meut, s'agite, redemande l'ombre, menace et regarde. Tel mot ressemble à une griffe, tel autre à un œil éteint et sanglant. Telle phrase semble remuer comme une pince de crabe. Tout cela vit de cette vitalité hideuse des choses qui se sont organisées dans la désorganisation... Le penseur qui se détournerait de l'argot ressemblerait à un chirurgien qui se détournerait d'un cancer ou d'une verrue... L'argot n'est autre chose qu'un vestiaire où la langue, ayant quelque mauvaise action à faire, se déguise... »

Bigre !

Il dit comme maman, mais ce qu'il le dit bien, Monsieur Hugo Victor ! Là, il ne s'agit plus de mots rigolos qu'il vaut mieux ne pas prononcer à la maison, mais bien d'une langue diabolique, de messages archi-secrets entre assassins et autres terrifiants salopards. Du coup, je me sentais truand et classe dangereuse comme pas un ! Je lisais les dialogues scélérats en mimant le dur de dur, je tordais la lippe dans ce que je pensais être un rictus de gouape.

Par la suite, j'en ai lu, des écrits sur l'argot, c'est très à la mode, l'argot, et des films, donc ! « Fric-Frac », « Un mauvais garçon », tous les films avec Jean Gabin, Arletty, Pierre Brasseur, Fréhel, Andrex, toute la clique des terreurs... La nostalgie cafardeuse accordéon-bec de gaz, la loi du mitan, ça plaît, faut croire. Et tout le monde comprend, même les dames avec le chapeau et la voilette. Alors, faudrait savoir. L'argot, langue secrète ? L'argot, langue du crime ? Quelle blague !

La langue des petits mômes de mon Nogent-sur-Marne, de Montreuil, de Belleville, de Ménilmuche, de Montmartre, de la Butte-aux-Cailles, langue secrète, langue du crime ? Où que t'as vu jouer ça ?

L'argot est la langue du peuple, voilà tout. Du « menu » peuple, si tu veux. Du menu peuple de par ici, du menu peuple de Paris. C'est notre patois, à nous. Il s'est fait peu à peu, à coups de trouvailles qui ont réussi, comme se font les dialectes, comme se font les langues. Des trouvailles plutôt marrantes, la plupart. C'est le patois de Paris, cherchez pas midi à quatorze heures. Il vaut bien le basque ou le breton.

Mais l'argot est la langue des voleurs, des putes, des macs, des truands de toute sorte, brefs, des malhonnêtes ! Évidemment, qu'il l'est ! D'où sortent-ils, les truands, les putes et toute la bande ?... Du petit peuple, généralement, tu crois pas ? Plutôt de là, en tout cas, que du faubourg Saint-Honoré. Et donc ils parlent la langue du petit peuple. S'ils parlent l'argot, c'est parce qu'ils l'ont tété avec leur premier biberon. Les voleurs aristocrates, les escrocs de haut vol, sûr qu'ils ne parlent pas argot, et pourtant, comme malhonnêtes, ceux-là, hein ! Je parie que Stavisky, ce type qui a escroqué l'État et je ne sais combien de grandes banques, et qui refilait du flouze à des députés et même à des ministres, même qu'il a failli y avoir la révolution et le fascisme à cause de lui, le 6 février d'il y a quelques années, j'étais encore trop môme, je comprenais pas tout, en tout cas y a eu plein de morts et les fascistes qui coupaient les jarrets des chevaux à coups de rasoir, ça j'admets pas, bon, eh bien, ce Stavisky, je parie tout ce qu'on veut qu'il ne parlait pas argot. En Bretagne bretonnante, les voleurs de poules ne parlent pas argot, ils parlent breton, c'est leur argot à eux, et tu parles d'une langue secrète : tout le monde parle breton, là-bas !

Par contre, la marchande des quatre-saisons, qui est une bien brave femme, parle argot comme père et mère. Le facteur aussi (s'il n'est pas né à Paname, il aura vite appris !). Et le flic, donc ! Tu parles d'une langue secrète du crime que tous les flics parlent et comprennent aussi bien que les malfrats ! Et le boucher, le boulanger, le coiffeur (le merlan !), le garçon de café (le loufiat !), le mécano, le marchand de journaux, le plombier, le chauffeur de taxi...

Langue secrète ! Langue du crime ! Ils me font marrer, les Victor Hugo et tous les doctes enfants de bourgeois qui se penchent sur la chose avec sollicitude mais en se bouchant le nez ! Ils prennent le chemin à l'envers, le remontent à rebrousse-poil, confondent la cause et la conséquence.

Mais je crois qu'ils ne sont pas aussi bêtes qu'ils s'en donnent l'air. Ils ont repéré la tendance du marché. Victor Hugo, Balzac et quelques autres bonnes pommes ont été blousés par un malin de première bourre, le fameux Vidocq, forçat devenu chef de la Sûreté, qui les affranchissait sur l'argot, « langue du crime », et les cornichons se sont jetés là-dessus avec la fougue du jeune romantisme affamé de machins bien noirs et bien maudits. On accroche au cul de ça Villon, les Coquillards et toute la quincaillerie, on tricote des thèses sublimes, le bourgeois a peur, il adore avoir peur, le bourgeois, alors on lui en file pour son fric ! Voir Aristide Bruand avec ses chansons de macs et de putes.

Langue secrète ? Secrète pour qui, bon dieu ? Pour la jeune fille élevée aux « Oiseaux » ? Pas pour la police, en tout cas ! Alors, à quoi bon ? Hugo dit qu'elle change à toute vitesse. C'est pas vrai. L'argot de maintenant est celui des chansons de Bruand, j'en ai trouvé un recueil à la Bibli, le même à part quelques-mots par-ci par-là. Quand les truands veulent n'être pas compris, c'est beaucoup plus simple :

comme en général ils se groupent par origine, il leur suffit de parler leur langue maternelle, les Corsicos le corse, les Ritals un des dialectes du Sud, napolitain, sicilien..., les Manouches le gitan, les Arméniens l'arménien... Là, oui, caves et poulaille n'y entravent que dalle.

J'ai lu que, preuve du secret recherché, il n'y aurait pas un argot, mais « des » argots. Autant d'argots que de spécialités dans la truandise. L'argot des putes et des julots, celui des casseurs, celui des braqueurs, celui des roulottiers, celui des escrocs... Non. Rien du tout. Il y a un argot, un seul, mais enrichi, dans chaque « profession », de termes spécifiques au turbin. Comme partout. Évolution normale. Tout métier, honnête ou pas, se crée très vite un langage à part où les outils familiers sont baptisés de noms gentils, souvent marrants, parfois grinçants, où les gestes et tours de main, n'étant pas ceux de la vie courante, doivent être définis par un vocabulaire adapté et précis, et s'il est allusif dans le genre goguenard, voire porno-scato, c'est signe de belle humeur et de bonne santé. La « chambrière » du maçon est le bout de bois sur lequel on appuie à l'arrêt le camion à bras, la « bricole » la corde qu'on se passe autour du corps pour mieux tirer sur les brancards. La « merde », c'est le mortier. Une « bonne gâche » est sorti du bâtiment pour signifier partout une bonne place, un boulot peinard... Le comédien dit « côté cour », « côté jardin », la couturière dit « ça dégueule », le taxi appelle son compteur un « rongeur »... Ça finit, évolution fatale, par prendre des allures de langage d'initiés, les gars du métier se sentent liés par une connivence interdite à l'intrus. Chaque profession se veut un peu une espèce de franc-maçonnerie (c'est même de là qu'est partie l'idée de la Franc-Maçonnerie). C'est pas voulu à l'origine, à peine conscient, même si, par la suite, on cultive ça complaisamment. Et puis des traditions viennent s'y accrocher, tout le folklore...

Les métiers dits « de l'ombre » n'y échappent pas. Normal que les putes, par exemple, aient des expressions spéciales pour les différentes péripéties de leur boulot, des expressions qui ne pouvaient être que plus pittoresques et plus salaces encore que celles des autres argots de métiers, étant donné que leur activité s'exerce dans la zone tout à la fois maudite et fascinante des rapports humains, c'est-à-dire en dessous de la ceinture. « Descendre à la cave », « écrémer le micheton », « aller aux asperges », « prendre du rond », « mettre Mirza en balançoire »... On se disait ces choses à l'âge de la première communion, sans très bien comprendre, mais justement, ça nous excitait la curiosité.

Mais l'argot est vulgaire ! Il se complaît dans les sonorités canailles, les déformations avilissantes, les rapprochements graveleux... L'argot sonne salement à l'oreille ! L'argot pue l'obscénité et la haine ! L'argot EST obscénité et haine.

Ça, c'est du Victor Hugo, ça, Madame ! Je voudrais bien savoir si une oreille étrangère, une oreille, je veux dire, non française, entendant parler l'argot sans le comprendre, décèlerait dans sa musiquette l'obscénité, la haine et toutes ces vilaines choses. A priori, autosuggestion, frisson littéraire... L'argot est du français, sa prononciation est celle du français, avec des « in », des « on », des « an », des « u » et l'accent tonique sur la dernière sonore, tous ces détails qui font que le français est le français, une des langues les plus typées du monde et les plus vachardes pour qui n'est pas né dans le pays. Sa grammaire est française, sauf une ou deux coquetteries qui tiennent plutôt de la provocation, tels ces verbes indûment réfléchis : « Je me suis respiré une méchante avoine » (J'ai reçu une bonne correction), « Je me suis morfalé une tortore comac » (J'ai fait un repas magnifique), quelques fossiles obstinés à ne pas crever, comme les infinitifs en « aresse » : « T'as intérêt à planquaresse tes miches » (Tu ferais mieux de te tenir à l'écart), « Je m'ai fait chouravesse le morlingue » (On a volé mon porte-monnaie). Cette dernière phrase contient deux autres coquetteries : l'auxiliaire « avoir » au lieu de « être », l'article défini au lieu du possessif... Oui. Tout ça pour dire que j'ai jamais vu l'argot gêner personne de langue française, à condition de faire attention un minimum. Ce qui n'est pas immédiatement évident se laisse deviner... Villon était un demi-sel qui roulait les mécaniques. Qu'est-ce qu'ils ont dû se marrer, les Coquillards !

GARE DE LYON

— L'n'était oun, dit papa, l'n'était oun, à Groppallo, toute là-vaut sour la montagne, qué son père il le pouvait plous donner à manzer tante qu'ils étaient pauvres, sta paur' diables-là. Pourquoi là-bas, la terre, il est solement la caillasse et la caillasse, ma la bonne terre pas boucoup presque rien, et l'est même pas la terre, l'est la poussière qu'i veut rien pousser dedans. Les ses parents ils ont la maijon et oun 'tit po' dou terrain autour, et i travaillent tout la zournée et même la nvit, et qu'osse qui sorte de la caillasse ? A peine à peine pour pas mourir tout à fait. Ma valà qué sta zens-là ils ont un garchon, et encore un garchon, et encore un garchon. Trois garchons. Et quouante qué sta garchons-là i vient grands, i peut plous donner à manzer à eux pourquoi i sont des garchons fortes et qui manzent vraiment boucoup.

— Papa ? Pourquoi ils allaient pas travailler chez les autres, ces garçons ? Dans des grandes fermes, ou peut-être à l'usine, comme dans la Nièvre, mes oncles Charvin c'est comme ça qu'ils font.

Papa lève les yeux au ciel.

— 'Coute oun po'. Sta Nièvre-là, il est en France. La France, il est oun pays rice. La terre, en France, il est pas de la caillasse 'vec la poussière, no, la terre en France il est tout nvare, bien grasse, elle sente la bonne odore, la terre, et allora t'as même pas bisoin travailler 'vec la çarrue, tou zettes la graine en l'air, i tombe où qu'i veut, n'importe où à drvate à gauce, ça pousse toute sol, le blé il vient plous grande coumme moi, et il est dou grain tellement qué les Français i savent pas quoi fare, i manzent dou pain boucoup, et les gâteaux, et les crvassants, les Français i manzent boucoup boucoup pourquoi i sont rices boucoup, et même i donnent le pain aux pétites vaseaux. Et l'ousine, cez nous en Italie, l'ousine il était pas, dans ce temps-là. Si oun i veut travailler, fout qu'i vient en France.

— Comme t'as fait toi ?

— Eh, bien soûr, coumme z'ai fatte mva, pareil ! Tous i font coumme ça, i vient en France, sans ça i crèvent la faim. Allora çvi-là qué ze te dise mva, sta garchon-là, i se pense coumme ça dans la sa tête d'aller en France cercer le travail, coumme ça son père et sa mère ils ont à manzer plous, et lvi il envoie les sous, ça fait encore plous, tou comprendes ?

— Oh, oui, p'pa, je comprends, c'est pas dur.

— Allora, bon, i va var le couré de Groppallo et dit coumme ça si i veut fare la lettre pour 'vayer al son cougin qu'il est à Paris dézà et qui fa le machon, et demander à sta cougin-là si y ara dou travail même pour lvi.

— Pourquoi le curé ? Il pouvait pas l'écrire lui-même, sa lettre ?

— Eh non, i peut pas ! Pourquoi lvi, écrire, i sait pas. Dans ce temps-là, personne i sait écrire, sole-ment les rices, ma les paur' diables, no. Et bon, il attende la risposte, et quouante qu'elle arrive i se la va fare lire par le couré. Et l'est écrit coumme ça dans sta lettre-là qué le cougin il a trouvé dou travail pour lvi sour le çantier douve qu'i travaille lvi, pourquoi il le connaisse et i sa qué l'est oun bel fieu, hounnête, sériose, et qué le travail, i lvi fa pas peur, le travail. Et dans sta lettre-là il a mise oussi le papier dou patron pour fare var qu'il ara dou travail qui l'attende à peine qu'il arrive, et oussi le papier de çvi-là qu'il tient l'hôtel pour dire qué tout svite à peine qu'il arrive il a la çambre pour dourmir.

— Pourquoi tous ces papiers ?

— Pourquoi sans ça, en France, i te laissent pas rentrer. La permise de sézour, i te la donnent pas. Bon. Allora, sta garchon-là l'a s'est aceté les çoussoures pour prendre le train...

— Ah ? Parce qu'en Italie faut des souliers spéciaux pour prendre le train ?

— Cez nous, dans la montagne, les souliers, on les mette pas, on n'en a pas, on sait même pas qu'osse qué c'est. Personne. Les zens, cez nous, i marcent 'vec les pieds.

— Pieds nus ? Pourquoi ils mettent pas des sabots ?

— Sta çojes-là, on counnaisse pas ça, cez nous. A force à force, les pieds i viennent fortes, i prendent la corne pareil coumme les çevals, les caillasses pvointoues tou les sentes même plous. Ma le train tou le peux pas prendre sans les çoussoures, le train, pourquoi les zens i te 'gvardent pour traverse[1] et i te veut même pas laisser assire à couté d'eux pourquoi t'es oun chauvaze, oun paysan, oun mal éduqué, qué eux autres c'est des zens instrouits et bien habillés, tou comprendes ? Allora, si tou

1. « Gvarder pour traverse » : regarder de travers.

veux pas avar la vonte, tou t'acètes les çoussoures, ma ça sara cer de trop prendre les çoussoures neuves dans la boutique, allora tou acètes les çoussoures vieilles à oun de la ville qui reste à côté la gare pour vendre les çoussoures à çvi-là qui parte en France pourquoi il le sa, lvi, qué des çoussoures il ara bisoin, allora i reste là essprès dans la boutique. Bon. Après, sta garchon-là i s'en va la gare, 'vec les çoussoures attacées outour dou cou pour pas les ouser, il les mettra à les ses pieds solement la dernière minoute avant qu'i monte dans le train. La sa famille il est là, la mamma, le papa, les frères, les cougins, tout le monde, quva, i sont venous 'vec les pieds zousqu'à Piacenza douv' qu'il est la gare pourquoi le train, dans la montagne, i s'arrête pas, et allora i plorent, i plorent, pourquoi ils ont le çagrin boucoup qué sta garchon-là ils le verront plous. La mamma dise « Fa bien 'tenchion pas prendre le mal dans sta Paris-là qu'il est oun pays tante froide ! Manze pas le manzer de sta Français-là qué c'est rien qué des çojes mouvaises qu'a te fa vinir le mal dans la panse. Manze solement la minestra et la poulainte et oun' po dou salame[1] la dimance. Bvois solement dou vin rouze, qui te fa le bon sangue rouze, zamais le vin blanc qui te fa trembler les mains et morire. 'Gvarde bien à drvate à gauce avant traverser la roue, qué là-bas il est boucoup les vattoures qu'alles vont sans ceval et qu'alles courent plous vite coumme le train. Et sourtout, sourtout, fa bien 'tenchion pas aller promener 'vec oune Française, qué sta femmes-là l'est toutes des poutains qu'alles sont même pas bonnes fare la minestra, solement mettre le rouze sour la bouche et friser les ses ceveux...

1. Le « salame » : le saucisson (« salami » au pluriel).

— Eh bien, merci ! dit maman, depuis son baquet. Les Françaises sont des putains et des bonnes à rien, mais vous êtes bien contents de les trouver ! T'es pas le plus maigre de tous tes Italiens, ni le plus mal tenu, il me semble ! Et si je t'entends encore employer des mots pareils devant le petit, tu auras affaire à moi, j'aime autant te prévenir. Non, mais !

Papa hausse les épaules.

— Ma valala ! Mva ze raconte qu'osse qui disent eux. C'est pas mva qué ze dise ça, sont sta zens-là.

— Après, papa, après ?

— Allora, sta fieu-là l'monte dans le train, 'vec les paquets boucoup pourquoi i porte les cadeaux pour les cougins, les amis, tout ça. Dou salame, dou parmegean, dou touron[1], des fiasques de chianti 'vec la paille outour... Lvi, pour manzer dans le train, la mamma l'a donné à lvi la poulainte frvade bien 'veloppé dans le torçon.

Et bon, l'arrive la gare de Lyon. L'est bien fatigué, pourquoi dans ce temps-là le train i va pas tante vite coumme maintenant, l'a resté presque deux zours sans dourmir pourquoi dans le train, dourmir, tou peux pas, fout avar l'habitoude. Ma tout le temps i se pense coumme ça dans la sa tête à tout ça qu'on dise, là-bas au pays, de sta Paris-là qu'alle est tante belle, et tante grande, et tante rice. « A Paris, des billets de mille, il en est tellement tellement qué tou marces dessus sour le trottvar ! » Valà qu'osse qu'i se pense dans la sa tête, sta garchon-là, et allora il est toute contente d'esse arrivé.

I discende dou train 'vec toutes sta paquets et, à peine à peine i mette le pied par terre, qu'osse qu'i voit ?

1. « Touron » : nougat. « Torrone » en vrai italien.

Là, papa attend, et me regarde.

— Je sais pas, moi, papa. Qu'est-ce qu'il voit ?

Papa triomphe.

— Oun billet de mille !

— Oh, dis donc ! Ça, alors...

J'ai entendu l'histoire cent vingt-cinq fois, mais je connais le rituel.

— Si, si ! Mille francs[1]. L'a coummencé se baisser pour le ramasser, et allora l'a s'a pensé coumme ça dans la sa tête : « Heu là là ! Z'avaient raijon ! A Paris, les billets de mille, il est vraiment boucoup par terre, tellement qu'on marce dessus. Pas la peine me baisser pour ramasser çvi-là, qué dihors, sour le trottvar, il en est tellement et tellement ! » Et bon, l'a laissé sta billet-là et l'est parti.

Et moi je me dis que ce jeune gars-là, si ça se trouve, c'était peut-être bien papa en personne, pourquoi pas ?

1. D'avant-guerre !

PREMIER MAI

Un qui se mettrait pas de la gomina, ça serait un sans-soin, un malpropre, un pouilleux, pas un pote voudrait aller se balader avec cézigue, surtout le dimanche. A peine t'es plus un moujingue, aussi sec tu te tartines la gomina sur les tifs. C'est même à ça qu'on voit que t'es devenu un vrai petit coq. Ça et ton premier costard avec le futal à jambes longues, pattes d'éléphant, naturellement, t'as fait chier ta mère qui voulait pas parce que ça fait voyou et qui c'est qui raccommode, mais t'as tenu bon, grève de la faim et gueule de raie, et après tout je bosse, je me le paie avec mes ronds, quoi, merde... Le rêve c'est de connaître un mataf qui te refourgue un bénouze bleu marine fantoche de la Royale réélargi en douce du bas par des bandes taillées en pointe et insérées dans la couture comme ces mecs-là savent faire, en plus c'est le bénard à pont, sans braguette, pour pisser tu déboutonnes les deux coins et tu rabats majestueusement tout le devant comme un pont-levis devant ton donjon, les filles te demandent comment tu fais, tu leur dis

« Viens par là, je vais te montrer », là, oui, tu vannes, et pas qu'un peu, mon neveu !

Alors, voilà, tu l'as, ton bénard pattes d'él', par-devant tu vois plus tes pompes, par-derrière ça balaie le trottoir, en moins de deux l'ourlet s'effi-cloche, ça te fait la frange clodo, ta vieille gueule, elle a beau y coudre de l'extra-fort et raccourcir en loucedoc, toi tu baisses la ceinture au fur à mesure pour rattraper la distance et coller au peloton, pas avoir l'air d'un con et d'un plouc, hé là, surtout pas ! Et la cravate triple nœud, large du haut, pincé du bas, le nœud, vachement duraille à tortiller, tiens, t'en as toujours en trop ou pas assez, quand le nœud est enfin réussi, splendide, énorme, flamboyant, alors tu t'aperçois qu'il te reste à peine deux centimètres de cravate en dessous, j'en connais des qui se mordent la langue et se chipent des crampes une plombe entière devant la glace pour finir par se carrer la saloperie dans la fouille et aller se faire architecturer le nœud par le pote aux doigts de fée, exemple Roger par moi.

La gomina, son vrai nom c'est Gomina Argentine, ça s'achète dans des petits pots de verre, tu dirais de la confiture, de la gelée, plutôt, ça tremblote, c'est rose, ça sent la rose, tu t'en prends un bon paquet avec les doigts, tu te l'écrases entre les paumes et vas-y, papa, t'étales ça à pleines pognes sur tes cheveux juste après peigné mouillé. Le travail, c'est d'arriver à te coller les douilles au crâne d'un seul bloc, bien laqué bien brillant, comme si c'était pas un paquet de tifs mais un crâne nu peint couleur tifs. Une fois que ça y est, que c'est bien collé pas un qui dépasse, t'y touches plus, t'attends que la bonne gomina sèche et fasse carton. Tu peux t'être peigné les cheveux tous bien tirés en arrière sans raie — maman appelle ça « à l'embusqué », signe que ça doit remonter aux temps de la guerre, cette mode — ou bien la raie, à droite ou à gauche, les deux écoles ont leurs partisans, mais toute façon la raie doit être bien blanche bien droite tirée à la règle.

L'idéal, c'est Tino Rossi. Une vraie mandoline, son crâne, vernie au tampon, avec la fenêtre qui se reflète dedans, vachement chouette, les gonzesses grimpent aux rideaux rien qu'à mater les photos, les mecs ont beau renauder jalmince et expliquer que les photos sont retouchées à la main, qu'en vrai il a les tifs comme tout le monde, peut-être même qu'il en a pas, de tifs, et que c'est une moumoute qu'il se carre sur la tronche, ils ont beau ils ont beau, les filles, tu dis « Tino », elles tombent sur le dos.

La gomina, quand c'est pas encore tout à fait sec c'est pas assez sec, et tout de suite après que c'est sec juste bien comme il faut c'est déjà trop sec. Alors des mèches petit à petit se décollent de la masse, à l'hypocrite, et se redressent, et se redressent, les salopes, arrive un moment où que ça te fait autour du front une couronne de mèches larges du bas et pointues du bout, raides comme des poignards, t'as l'air de la statue de cette bonne femme qu'ils ont en Amérique avec ces machins piquants tout autour de la tête, naturellement toi tu te vois pas, t'y penses même pas, t'as la tête à autre chose, et naturellement les cons se marrent, c'est tout ce que ça sait faire, les cons. Si tu y as pensé avant, si tu t'es passé temps en temps la main dans les douilles vérifier la mandoline, aussitôt que t'as senti que ça commençait à rebiquer t'as vite cavalé te passer de la flotte sur la tête, ou si t'étais loin d'un robinet tu t'es discrètement craché dans les paluches et t'as dompté le monstre, t'as lissé tout le bazar bien bien. Ouf.

Mais le monstre ne s'avoue jamais vaincu. Il remettra ça. Et finalement il gagnera. Moi, de la gomina, je m'en tartine des tonnes. Résultat, une heure après j'ai l'air d'un hérisson qu'a voulu passer à travers une roue de vélo. J'ai des tifs, la vraie calamité. A ressort. C'est pas encore ça qui va me donner un peu plus de confiance en moi devant les gonzesses. Déjà avec ma culotte de golf trop courte...

Paraît que ça vient d'Argentine, la gomina, une plante qui pousse que là-bas, un truc secret, t'essaies de leur chourer la formule ils t'envoient la tronche à dache d'un seul coup de leur machette qu'est rien qu'une espèce de faucille de plouc, mais toute droite, pas en croissant comme celles d'ici, je vois pas bien ce qu'ils peuvent en foutre à part couper la tête aux mirontons curieux. La gomina et le tango, c'est tout ce qu'ils ont été foutus d'inventer, les Argentinos. Ça va bien ensemble, faut reconnaître... Bon, mais oui, avec mes crins à la con, j'aimerais bien qu'ils améliorent un peu la formule, ou alors vivement que la mode change. Je sais bien, les cheveux collés ça fait moderne, et on n'aime pas dater du temps des Gaulois, moi tout le premier, mais y a des moments où je me dis que je me les ferais bien râper en brosse, comme les scouts. Ou alors, tu me diras, la gapette. Mais justement, j'aime pas. Pas à cause que ça fait voyou, comme dit maman, non, d'abord ça fait plutôt ouvrier que voyou, mais c'est vrai que les ouvriers la portent de plus en plus plate, basculée de côté, écrasée sur l'œil, mauvais garçon comme tout, avec le clope collé en coin de rictus de vipère, c'est à cause de tous les Gabin qu'ils s'enfilent le samedi soir au Lux-Sélect de leur banlieue, l'idéal du pue-la-sueur parisien est le marlou dur-de-dur gueule de vache implacable marquée au front par le Destin et la Loi du Mitan, enfin, bon, si je peux pas piffer la casquette c'est parce qu'elle te marque. Te catalogue, te classe, te programme ton cinoche. Tu te carres une deffe sur la tronche, automatique tu te fais la gueule qui va avec.

Maman, c'est un béret qu'elle voudrait que je porte. Basque, évidemment. Parce que ça fait Français. Je veux pas faire Français. Ni Rital, ni rien. J'ai pas besoin de faire Français, de me déguiser en Français, pour être Français. Français, je le suis, bon, et à fond. C'est comme ça. Mais je vais pas me l'écrire sur la gueule, me la peindre en bleu-blanc-rouge, non ? Anonyme et libre comme l'air. Les cheveux au vent.

Parmi tous les objets cons que les hommes ont inventés pour se rehausser la merdouille, le chapeau est bien le plus con de tous. Il n'y a que le parapluie qui atteigne à ces sommets de laideur et de connerie. Encore le parapluie pouvait-il être considéré comme vaguement utile jusqu'à ce qu'on invente l'imper à capuche... De tous les chapeaux, objets cons par nature, le béret est bien le plus con. Les mômes s'enfoncent ça jusqu'aux épaules, oreilles rabattues à l'horizontale en poignées de marmite, ou oreilles collées au crâne, sous le béret. Au choix. Les jeunes gens de bonne famille et pensant droit le portent large comme une bouse, pendant de côté sur une joue, crânement, c'est l'adverbe obligatoire qui va avec « béret » : « crânement »... Nos vaillants chasseurs alpins portent crânement leur béret sur l'oreille.

Les Argentins vont l'avoir dans le derche. Y a un nouveau truc, je l'entends à la radio des voisins à travers le mur, ça s'appelle la Brillantine du Docteur Roja. C'est pas le même système. Faut un vaporisateur, pchitt pchitt. Mais alors, magique. Tel ça te tombe sur les tifs, tels ils restent. Figés. Pour l'éternité. J'y crois d'un œil. La réclame, ça exagère toujours. C'est forcé, ils sont payés pour. Roger va sûrement s'en acheter, il a toujours plein de pèze qu'il fauche à sa vieille, il me fera essayer.

*

Le vélo, quelle chouette invention ! Pour moi, c'est aussi magique que l'eau sur l'évier pour papa. Plus magique en tout cas que la bagnole. La bagnole, bon, ça va vite, tu te tapes le cul dans la moleskine sans te fatiguer les mollets, c'est le moteur qui fait tout le boulot, mais justement, moi, ça m'excite pas. On a remplacé le bourrin par un moteur à essence, mais pour l'essentiel c'est bien le même principe : t'existe pas, t'es un colis qu'on trimbale, t'as juste à tenir le volant pour tourner quand il faut, même une gonzesse peut faire ça, même un moujingue... Tandis que le vélo, pardon, c'est les bottes de sept lieux du Petit Poucet. Ça te multiplie ta propre force, là où tu faisais deux pas tu donnes deux coups de pédale, t'effaces douze mètres au lieu d'un mètre cinquante, et sans te crever le tempérament. T'appuies un chouïa de plus, tu fonces comme un zèbre. Et si tu mets vraiment la gomme tu te sens filer courant d'air, tu pèses plus rien, tes roues effleurent le bitume à peine à peine, bien serré dans tes cale-pieds tu glisses, tu voles, t'es le duvet dans la brise, c'est pas un moyen de transport, c'est un prolongement de toi, rien d'autre ne peut donner cette sentation... Ils auraient dû inventer ça il y a longtemps, rien ne s'opposait, tout ce qu'il y a dans un vélo existait déjà dans l'Antiquité, sauf peut-être les pneus gonflables, mais c'est pas l'essentiel. L'essentiel, c'est le principe même de la chose : le coup de la force centrifuge. Une roue qui tourne sur son axe a tendance à rester dans le même plan, comme un gyroscope, c'est ça. Plus la roue est grande, plus c'est difficile de la faire basculer, c'est pourquoi un vélo qui roule tient debout tout seul. Ils auraient pu observer ça, les Grecs et les Romains, et en tirer l'application que ça suggère tout de suite, c'était pas plus sorcier que le principe d'Archimède ou les bateaux à voile... Ben non, a fallu attendre jusqu'à l'époque de mon grand-père pour qu'on y ait droit, manque de pot au même moment des petits futés inventaient le moteur à essence et tout ce qui s'ensuit, et de toute façon la locomotive à vapeur était déjà là depuis près de cent ans avec ses wagons accrochés au cul, dommage. Jules César et Jésus-Christ auraient très bien pu rouler à vélo, s'en est fallu d'un poil... Je pense souvent à des conneries de ce genre, dans ma tête. Surtout quand je roule à vélo.

Les avions, pareil, ça n'arrive pas à m'exciter. Cet énorme engin, ce moteur mahousse, ce boucan terrible, tout ça pour arracher deux ou trois gus, bon, je veux bien, mais ça me laisse froid. Ah, s'ils avaient trouvé, pour voler, un truc dans le genre du vélo, là, oui, je crois que ça m'aurait plu ! Des ailes individuelles, battantes, comme des ailes d'oiseau, avec un système de chaîne et de pignons pour multiplier ta force, tu démarres d'où tu veux, tu vas où tu veux, tu fais des huit et des loopings, sans bruit, sans déranger le monde, le vent te siffle aux oreilles, tu cherches les courants, tu te laisses planer... Comme Icare, quoi. J'en rêve... Oui. Toute façon, ils aimeront toujours mieux filer à deux mille bornes à l'heure dans un autobus volant avec un gros moteur au cul que de butiner en libellules sur mon petit vélo volant, alors, hein, pas de souci à se faire.

Pas à dire, le vélo, c'est la liberté. Le jeudi, souvent on accompagne Pierrot Dupouy qui fait les livraisons pour son vieux, tailleur de montures de lunettes. Il fait ça dans le sous-sol du pavillon, il a les machines, ça schlingue dur, là-dedans, le celluloïd et la bakélite imitation écaille de tortue. Le jeudi c'est le Pierrot qui livre la production de la semaine, à vélo, chez les opticiens de Paris, nous deux Roger dans sa roue, comme de juste.

On se tape comme ça tout Paname du haut en bas et de gauche à droite, on se faufile anguilles entre les bagnoles, les bus, les camions, des fois c'est juste juste, les épaules frôlent, brève angoisse, qu'est-ce qu'on aime ! Le pavé de bois, je sais pas pour qui ils l'ont inventé, sûrement pas spécialement pour le bonheur des cyclistes, ça m'étonnerait. En tout cas, là-dessus, à vélo, quelle merveille ! A la fois lisse comme un miroir et onctueux comme une crème. C'est trop tentant, tu te sens des ailes, tu peux pas te retenir, tu files comme un pet, tu zigzagues à plaisir, le bonheur pur. Sauf les rails, attention ! Les vieux tout rouillés des tramways qu'existent plus depuis lurette, je me rappelle le tout dernier, le 120 qui faisait Château de Vincennes-Noisy-le-Grand, j'avais pas plus de quatre-cinq ans. Mais les rails sont toujours là, les saloperies vivantes, mâchoires entrouvertes à la sournoise, crocodiles dans les nénuphars, une seule seconde tu fais pas gaffe ça te happe la roue avant et te la plie en deux, tu te ramasses le gadin du siècle, et naturellement le camion du BHV t'arrive droit dans le cul. Tout Paris est comme ça, tout en beaux pavés de bois bitumés avec rails du tram fantôme au beau milieu. Nous autres on s'en fout, c'est pas un rail pourri qui nous baisera la gueule, à nous, Nogentais de Nogent-sur-Marne, et comme, sur les quelques chaussées où ils se décident enfin à ôter les rails, ils virent en même temps notre cher vieux pote le pavé de bois pour mettre à la place du petit granit hargneux disposé en éventail pour faire joli et que ce putain de granit noyau de pêche te tale les miches quand tu roules et te découpe la gueule à l'ouvre-boîtes si tu te ramasses la pelle, on est plutôt pas d'accord.

*

Le Premier Mai, il y a ceux qui vont lever le poing de la Nation à la Bastille en gueulant nos quarante heures et le fascisme ne passera pas, alternativement, et il y a ceux qui vont au muguet, juste dans l'autre sens.

Le muguet fleurit, paraît-il, vers Ozoir-la-Ferrière et Pontcarré, il y a par là une grande forêt, la forêt d'Armainvilliers, de Nogent ça fait pas très loin, une douzaine de bornes. Je dis « paraît-il » parce que les gens normaux, toi, lui, eux, tout le monde sauf moi, en rapportent des flopées, en grosses bottes blanches serrées serrées, plein le guidon, plein le panier du casse-croûte, plein le landau du môme, plein en guirlandes autour d'eux, des tonnes et des tonnes de bon muguet porte-bonheur. Du bonheur à la pelle pour toute l'année. Qu'est-ce qu'ils en foutent, de tout ce bonheur ? En tout cas, ils le cachent bien : je leur vois toujours les mêmes gueules pas tellement radieuses, muguet ou pas muguet...

Enfin, bon, eux ramènent du muguet, moi que dalle. Des mêmes coins. Je les piste. Que dalle. Eux, des tonnes. Et quand c'est la saison des champignons, pareil. Les petits Ritals en ramènent par wagons, des cèpes larges comme des meules de gruyère, moi je me fais ravager par les ronces et je marche dans toutes les merdes, et c'est tout. Je suis maudit. Ou alors, archi-miraud ultra-con. Plutôt ça. Bon, faut vivre avec.

Le soir, je rentre vanné en tirant ma grosse vache de Roger par la cravate, parce que lui, il peut même plus pédaler. Ou alors il a cassé sa chaîne, un truc comme ça. Roger non plus ne rapporte pas de muguet, mais lui c'est la flemme, et puis il méprise ces plaisirs de bons cons, il m'accompagne parce qu'on se quitte pas, mais tout du long il se fout de ma gueule. J'ai plus qu'à en acheter un brin aux merdeux des villages plantés sur le bord de la route si je veux en offrir à maman pour son Premier Mai, vachement vexée elle serait si je le faisais pas, elle dirait rien mais elle mettrait dans des petits vases les jolis muguets offerts par les enfants de ses patronnes en disant, mine de rien « Oh, qu'il est joli, le muguet que m'a offert le petit Nicolas ! Y a quand même du monde bien élevé, sur terre, et qui m'estime bien ! »

De la Nation jusqu'à Ozoir-la-Ferrière, qu'est un bled de ploucs tout mignard paumé dans les bois, depuis les aurores c'est la ruée des voraces. Ils se sont levés encore plus tôt que quand ils vont bosser pour arriver les premiers et rafler le plus beau avant que les autres soient là, rafler toute la forêt s'ils pouvaient, les morfaloux. Mais ils ont eu beau s'arracher du pieu avant le coq, à peine en route ils en croisent qui en reviennent déjà, croulant sous les bottelées de blanches clochettes. Ceux-là foncent à la Nation, ils vont vendre du porte-bonheur aux syndiqués du défilé, un brin rachitique entre deux minables feuilles, le plus cher possible, ce jour-là le peuple ne compte pas ses sous au fond de sa poche, il a la jovialité et la bonhomie, le peuple, c'est son Jour, merde, les flics se tiennent à carreau, et d'abord le Premier Mai tout le monde a le droit de vendre du muguet sans payer patente, parfaitement, un privilège qui remonte au temps des rois, peut-être bien, et aussi de gueuler l'« Internationale » et « La Jeune Garde » à plein gosier, celui-là remonterait plutôt à la Commune.

Ceux qu'ont pas de vélo, ou pas assez pour toute la famille — en général, il y en a un pour le vieux pour aller au turf, c'est marre, les femmes ne montent pas à bicyclette, en tout cas pas une fois mariées — ceux-là prennent le train à la gare du Pont de Mulhouse, la Compagnie frète même des trains spéciaux Premier Mai.

Les rupins vont en bagnole, décapotable, même, ils te crachent leurs saloperies de gaz asphyxiants à la gueule, en pleine côte, quand tu tires la langue et que tes poumons pleurent pour de l'air pur, des vrais fumiers méprisants, on espère que l'orage va leur s'abattre dessus sans prévenir, fchiâff, plein le baquet jusqu'aux yeux avant qu'ils aient eu le temps de reboutonner la capote.

Le livreur du Planteur de Caïffa — maman dit « le Caïffa », je voudrais bien savoir ce que c'est qu'un Caïffa —, son patron lui permet de garder le triporteur le dimanche, à condition qu'il l'abîme pas, naturellement, c'est un chouette bon patron, dis donc. Alors le gars, pas qu'un peu crâneur, tiens, il met la bourgeoise, les deux lardons et le cador dans la caisse du tri, couvercle ouvert, bien sûr, et hue cocotte, il arque sur les pédales, son grelot grelotte, sa femme se met un peu de côté à cause des fleurs du chapeau qui lui boucheraient la vue, les mômes vannent comme des poux devant les copains d'école qui les matent passer de sur le trottoir, voilà une petite famille heureuse et un employé modèle bien récompensé de son ardeur à l'ouvrage.

*

Il y en a, à même pas dix ans ils savent déjà rouler leurs pipes. Le cahier de Riz-la-Croix avec le tabac dans une boîte de pastilles Valda, deux prestes petits coups de pouce d'arrière en avant, un coup de langue pointue gauche-droite, la cigarette leur saute au bec, aussi belle qu'une cousue machine. Bien sûr c'est pour frimer, mais question frime c'est réussi. Babas, on en reste. J'ai essayé, j'ai pas insisté. D'abord, je fume pas. Pas vraiment. Roger non plus, Pierrot non plus. Ou alors le dimanche. On se cotise, on se paie un paquet d'High-Life (prononcer Ichelif) ou de Naja, celles-là c'est pour les bouts dorés. Quand t'ouvres le paquet ça sent vachement bon, quelque chose comme du miel avec en plus de l'encens, comme à l'église. T'allumes ta sèche, c'est plus ça. Plus du tout. Rien que de la fumée. On se retient de tousser, on ferme un œil pour pas pleurer, on mate les filles en conquérants... Je suppose qu'il faut du temps et de l'acharnement avant que ça devienne un vrai plaisir, mais je vois pas pourquoi je m'acharnerais, des plaisirs c'est pas ce qui manque, et tout de suite à portée, pas d'apprentissage à se farcir.

Des fois, Roger et moi, on se trouve des pièces de deux ronds[1] au fond d'une poche, ça nous donne l'idée d'aller s'acheter des eucalyptus. C'est des cigarettes spéciales, avec un bout en carton, dedans il y a de l'eucalyptus, pas du tabac, ça fait respirer les gens qui ont de l'asthme ou des saloperies de maladies du même genre. Tu vois, suppose, un bonhomme tout à coup qui devient bleu-noir, la bouche ouverte, les yeux qui lui sortent de la tête, il tombe sur le trottoir, il étouffe, il va crever, tu lui allumes une cigarette eucalyptus, tu lui glisses ça entre les lèvres, aussitôt il respire, il redevient rose et frais, il te dit « Mon sauveur ! Mon sauveur ! » et il te file dix balles tellement qu'il est content de pas être mort.

Les eucalyptus, ça se vend chez l'herboriste. Que là. Une boutique dans la Grande-Rue, toute petite toute petite, dedans une vieille très très vieille, branlante cradingue, c'est presque une pharmacienne mais pas tout à fait, alors elle a pas le droit de vendre des médicaments modernes, seulement des tisanes et des trucs de bonnes femmes, des ventouses, de la farine à cataplasmes, des bonbons pour la toux. Beaucoup de mères ritales aiment mieux aller là que chez le pharmacien parce que c'est rien que du naturel fait par le bon dieu, si tu fais venir le médecin c'est tout de suite des kilomètres de chimie sur l'ordonnance, ça te guérit d'un côté ça t'empoisonne de l'autre, en plus que ça coûte des sous, alors que le bon dieu a fait pousser le remède à côté du mal, il est pas si bête que ça, le bon dieu, à bien regarder, tiens, va

1. Deux ronds = deux sous = dix centimes.

m'aceter dou-é sous dé sta tisane-là qu'alle fait aller le gabinette, pourquoi ça fait quouattre zours z'ai pas été, allora la panse i coummence faire mal.

Avec Roger, on a un coup bien au point. On s'amène, ding, la cloche de la porte, la vieille dresse l'oreille derrière son comptoir, elle est en train de compter des bonbons, elle est toujours en train de compter des bonbons, étalés sur le comptoir, elle les fait passer un à un du tas de droite vers le tas de gauche du bout de son doigt gluant de vieille crasse, et elle compte. Quand la porte fait « Ding ! » elle note sur un papier le chiffre où elle en était.

— Qu'est-ce que c'est ?

La voix patouille dans les graillonnements. On sent qu'on dérange.

— On voudrait des calyptus.

— Combien ?

— Oh ben... Deux.

Elle s'arrache à son comptoir, se traîne jusqu'au mur d'en face où sont les casiers à tiroirs, deux bons mètres de voyage, ça prend du temps, une fois là faut trouver le bon tiroir, l'ouvrir, en tirer les deux cibiches, les compter, les recompter, surtout pas se gourer, hé là... Quand enfin elle se retourne, les deux pipes à la main, nous on a raflé la moitié des bonbons sur le comptoir, plus quelques poignées puisées dans les bocaux, on lui colle ses quatre sous dans sa main sale et on se tire, « R'voir m'dame ! »

C'est juste pour le sport, ses bonbons sont dégueulasses.

Une fois, Roger a eu le temps de lui faucher une espèce de grosse poire en caoutchouc rouge avec un gros embout noir et un petit truc marrant au bout.

— C'est quoi, ce machin ?

— Ben, une poire à lavement. T'en as jamais vu ?
— Oh, dis ! On t'enfile ce gros truc dans le cul ? Ça va pas, eh !
— Ah, non, t'as raison. Ça doit plutôt être un truc pour les gonzesses, j'en ai vu dans les réclames du journal, un jet rotatif ça s'appelle. Elles se carrent ça dans le machin, bien enfoncé bien à fond, elles appuient, alors l'eau gicle et fait tourner le bazar du bout qu'est fait exprès, ça leur décrasse bien partout dans les plis, le foutre met les bouts vite fait, tu comprends.
— C'est pour pas tomber en cloque ?
— Ben, je crois, oui.
Ça nous a fascinés un moment, l'idée que ce machin pénétrait des intimités de femmes. On s'est marrés un peu avec, ça faisait tourbillonner l'eau partout, superbe. Et puis on l'a échangé à je sais plus qui contre un illustré cochon plein de photos de gonzesses presque à poil.

LA CRÉATURE

Depuis quelques mois, chez nous, je veux dire dans l'immeuble, au rez-de-chaussée, juste en face la porte de la cave, il y a la créature.

C'est comme ça que maman l'appelle. La créature. Sûrement pas pour lui faire plaisir. Une créature, pour maman, ça veut dire une rien du tout. Une traînée. Pas la pute, non, pas vraiment, mais le genre de bonne femme que le mari trouve seulement rien de chaud à se mettre dans le ventre quand il rentre du travail, et alors il gueule, le mari, des mots que je me respecte bien trop pour vous les répéter, des mots que je savais même pas que ça existait, et il cogne, des poings des pieds, la bonne femme crie comme un goret, les gosses, fous de terreur, pauv' petits, c'est pour eux que c'est le plus triste, v'la ce que je dis toujours... C'est ça, une créature.

Moi, je suis dans l'âge du vice, en plein. Je pense qu'à ça, aux bonnes femmes. Avant aussi, mais avant c'était plutôt le côté jolie poupée, serments d'amour, yeux dans les yeux, enfin la petite fée bien mignonne bien lavée qu'il y a sur les affiches et dans les films, dix-sept dix-huit ans, pas plus, joues de satin, jambes de soie et voix de rossignol, chantant des choses suaves comme Deanna Durbin ou comme Danielle Darrieux dans « Premier Rendez-Vous ». L'amour avait un nœud dans les cheveux et sentait l'eau de Cologne... Il y avait bien ce qui se cache sous la jupe, ça aussi ça m'attirait, et vachement, même, mais ça se mélangeait pas. Je savais bien que ça se rejoignait quelque part, mais bon, c'étaient pour l'instant deux mondes tout à fait séparés, quand je pensais amour je pensais pas cul, les grands yeux bleus ignoraient la fente bordée de poils, il y avait les moments où l'on causait passionnément cul-con-bite-couilles avec les copains et les moments où j'essayais en rougissant de capter le regard céleste d'une fille de mon âge, ça n'avait rien à voir, strictement rien, dans les deux cas c'était exactement le même jus de mes mêmes glandes en ébullition qui me travaillait mais je voulais pas le savoir. Les joues d'ange de Gisèle Bénotet n'avaient pas encore opéré leur jonction avec les blanches cuisses de Madame Grenier.

Ça, c'était avant. Maintenant, la bête velue a grossi, grossi, elle a pris toute la place, elle a envahi tout l'amour. Et c'est bon. C'est très bon. C'est le Vice. Les yeux de ciel sont l'accès à l'antre de la Bête. Qu'elle soit cachée, la bête, et interdite, et même maudite, me la rend plus désirable. Il est bien qu'elle soit comme ça, qu'elle soit le diable. Je me l'imagine sournoise, boudeuse, méprisante, lippue, noire et humide comme des babines de chien, jamais vraiment propre même si tu la laves et tu la laves, j'ai besoin qu'elle soit comme ça : répugnante, fascinante. Un crapaud aux yeux mi-clos, tapi derrière une touffe, et qui t'attend. Son goitre palpite doucement, et il t'attend. Un crapaud tiède, et dodu, et qui sent. Qui sent très fort. Pisse de petite fille, jus de ventre, cage aux lions. Une odeur qui rugit et qui te prend par la main. D'abord t'as peur, et puis tu la reconnais, cette odeur, tu la cherchais depuis toujours. C'est l'odeur de la lionne et tu es son lionceau...

« Monceau d'entrailles, pitié douce... », c'est tout à fait ça. Rimbaud n'est pas au programme, j'ai lu ça dans un recueil sauvé de la poubelle, il a tout compris, Rimbaud.

Alors, voilà, il y a cette créature. Sa porte est toujours ouverte. Pour ces femmes-là, dehors ou dedans, c'est la même chose. La poussière qui entre ou qui sort, les mômes que tu retrouves vautrés dans le caniveau, tu parles si qu'elles s'en foutent. Si bien que tu peux pas y échapper. Même que tu voudrais pas, tu jettes un œil, obligé. Toute façon, il y a l'odeur. Elle te cueille au passage, un remugle de lit pas fait, de graillon attaché au fond de la poêle, de pot de chambre mijotant sous le lit, de culottes et de couches merdeuses oubliées dans les coins, attendant d'être assez rances pour que ça vaille la peine de les laver ou de les foutre à la poubelle... Et de femme, bon dieu, de femme... Dessous de bras, entre-nichons, entre-cuisses, entre-fesses...

La créature pointe le nez, aussitôt qu'elle entend un pas elle pointe le nez, comme un de ces chiens curieux de tout, elle se penche par l'entrebâillement, cramponnée au bouton de la porte, elle est entortillée à la diable dans une espèce de peignoir cradingue en serviette-éponge et rien dessous, l'échancrure bâillante de ce machin fait cheminée et soufflerie, la bouffée te saute droit aux narines, chaude et vivante, celle-là c'est du pur et du concentré, aisselles-nichons-cuisses-ventre-muqueuses-tripaille — oh, bon dieu ! — du concentré de femelle, de femelle foisonnante, de femelle feignante, c'est les plus femelles de toutes... Se réveiller dans les lourds effluves d'une chambre de femme, perdu dans les somptueux replis, le nez dans le crin d'une aisselle où perle la sueur... Femelle, cher boa... Oui. J'ai lu « Nana », il n'y a pas longtemps.

La créature se marre, quelque chose de vicelard et de niais. Elle a très bien vu mes yeux d'hypocrite. Ses grands pieds sales écrasent des espadrilles effilochées, étalées en bouses de vache. Son rire charrie des graviers, c'est une femme qui fume... Jamais dans mes rêves l'amour n'avait eu cette dégaine-là. Et je sais maintenant que c'est là qu'il est : dans ce paquet de tripaille arrogant, dans ces suintements et ces moiteurs. Là est la femelle, la dévorante, la désirée.

C'est qu'elle est belle, en plus. J'en demandais pas tant ! Une grande pouliche efflanquée, exténuée, peau grise, cheveu blondasse, poitrail osseux, longs membres flasques, mais une gueule pathétique, un sourire tout prêt à illuminer s'il arrivait seulement à effacer la veulerie accablée des commissures, des yeux pâles, un peu égarés, aussi, au fond de cernes mauves. Ses joues creuses — il doit lui manquer toutes les dents du fond, de chaque côté — lui font un air femme fatale, très Marlène Dietrich. Ce peignoir — ou appelle ça comme tu voudras — qui pendouille autour d'elle sait bien qu'il n'est là que pour bâiller, alors il bâille tant qu'il peut, et dans la pénombre deux nichons de fillette pendent et se trémoussent, tellement pâles que, mal éclairés comme ils sont, je les vois verdâtres, comme s'ils flottaient entre deux eaux, balancés avec les algues par le courant, et ça me trouble plus que n'importe quoi.

— Bonjour, m'dame, je dis.

Qu'est-ce que j'aurais pu dire ? Même ça, je l'ai dit avec un chat dans la gorge. Elle répond :

— Bonjour. Ça va ?

L'air de se foutre de ma gueule. Ou c'est moi qui me figure ça ! Non, elle en a vraiment l'air. Elle doit l'avoir avec tout le monde, cet air-là, avec tous les hommes, en tout cas, c'est sûr, mais pour l'instant c'est moi tout seul, et c'est moi qui rougis comme un con.

J'ai jamais été très gonflé avec les femmes, surtout depuis que je me rends compte que j'ai pas exactement une gueule de séducteur et que je me suis vu de pied en cap dans la glace d'une devanture, avec mes pantalons de golf trop courts qui ne cachent le haut de mes mollets de squelette que pour mieux mettre en évidence le bas. (Je fais le tour de mes chevilles entre le pouce et le majeur !)... Je suis persuadé d'être aussi peu attirant que le monstre de Frankenstein et, ce qui est pire, ridicule. Quand je passe devant un groupe de filles, je les entends pouffer-ricaner dans mon dos. C'est con de les aimer à ce point-là quand on est bâti comme ça, non ? Et je sens, je sais que je n'aimerai jamais rien autant. Je veux dire, pas LES femmes, mais LA femme... Enfin, bon, ça promet d'être dur... Pour l'instant, je me dandine d'un pied sur l'autre, la main sur la pomme de la rampe, prêt à bondir vers les étages.

Un reste d'œil au beurre noir qui vire au jaune lui ferme à demi la paupière du bas à droite. Je vois ça, je lui demande :

— Ça vous fait mal ?

Elle hausse les épaules, ses petits nichons manquent d'un poil de réussir leur évasion. Le sourire se fait plus niais, plus sournois. Je dirais : plus rampant.

— Pfûû... C'est l'autre con. C'est rien.

Elle glousse. Je me dis « Le genre de bonne femme qui te donne envie de cogner dessus ». J'avais jamais pensé qu'on puisse avoir envie de cogner sur une femme, sur de la femme. Et voilà que ça m'est venu tout seul. Elle cherche les coups, elle les appelle, elle les mendie. Une gueule faite pour les provoquer, un corps fait pour les recevoir... Eh bien, je grandis vite, on dirait.

— Il est con. Tout ce qu'il sait faire, c'est cogner. Je vais lui planter un couteau dans le ventre.

Elle l'a dit comme ça, sans s'énerver. La conversation devient un peu gênante. Qu'est-ce que tu veux répondre à ça ? Je peux pas la prendre dans mes bras et la consoler, là, sur le palier, pourtant c'est la seule chose que j'ai envie de faire. Je bande à en avoir mal aux couilles.

— Bon, ben, au revoir, m'dame, je dis.

Elle répond pas. Rien que ce sourire faux-derche d'un seul côté, qui n'arrive pas à effacer le pli amer, qui n'essaie d'ailleurs pas. Je me sens jaugé, étiqueté petit con et merdeux, mais ça, j'ai l'habitude.

*

Depuis qu'on a changé d'étage, je couche tout seul. J'ai hérité du lit-cage, mais j'ai pas besoin de me pincer les doigts à le replier chaque matin, on le laisse déplié, comme un vrai lit, ça fait que j'ai une chambre qui ressemble à une chambre, au moins le coin où il y a le lit avec l'édredon rouge dessus et, au mur, le casier à livres que je me suis fait avec des caisses, je les ai teintées vieux chêne, tu dirais du vieux chêne. Ma chambre est étroite, presque un couloir, éclairée par un « jour de souffrance », c'est une fenêtre toute petite à ras de plafond, munie de barreaux comme une de prison parce qu'elle donne sur la cour des voisins, alors c'est juste une tolérance, si les voisins voulaient ils pourraient la faire murer, pour tourner la poignée faut grimper sur une chaise.

C'est pas chauffé mais ça me gêne pas, au contraire. En sciences nat' on a fait l'appareil respiratoire, les poumons, l'oxygène, l'hémoglobine, tout le bazar, et qu'il faut dormir la fenêtre ouverte, même l'hiver, sinon c'est la tuberculose parce que tu respires toute la nuit ton gaz carbonique tout dégueulasse que t'as déjà recraché plein de fois, tu le respires tu le respires, à chaque fois il est un peu plus carbonique, forcément, et l'oxygène c'est juste le contraire, et alors, au bout d'un moment, de l'oxygène, là-dedans, plus une miette. Que du carbonique, qu'est une vraie saleté et un poison. Les microbes, eux, le gaz carbonique, ils adorent. Dès qu'ils en bouffent, aussitôt ils se coupent en deux avec un cri de bête, et puis ceux-là encore en deux, et encore, et encore, c'est comme ça que ça baise, ces saloperies, en moins de rien t'as des millions de milliards de microbes affamés, à peine nés aussi sec ils se mettent à te dévorer les poumons, tu te retrouves avec des cavernes comme ma tête, alors tu craches du sang avec des bouts de poumon dedans, et puis c'est le sana, et puis le cercueil. Chaque année on nous explique tout ça bien bien, au moment du timbre tuberculeux. Je sais, c'est « antituberculeux », qu'il faut dire, mais tout le monde dit le timbre tuberculeux, ça va plus vite et tu comprends quand même. Moi, j'ai jamais été foutu d'en vendre un, à part à maman et à papa. Quand je m'amène dans les boutiques, les autres sont déjà passés, soi-disant. Les gens voient bien que j'insisterai pas, ils voient bien que je suis déjà résigné, tout confus d'avoir osé, que j'ai déjà un pied de l'autre côté de la porte, alors ils se gênent pas, les gens, de loin ils me font signe « Non ! Non ! » avec la main.

Font chier, les tubards ! Z'avaient qu'à dormir la fenêtre ouverte, même l'hiver, inspirer par le nez, faire des mouvements respiratoires tous les matins, une-deu... eu... eux, une-deu... eu... eux, sortez la poitrine, rentrez les épaules, une-deu... eu... eux, quoi, merde, au lieu de se laisser choper comme des cons rien que pour enquiquiner les pauvres gosses timides avec ces saloperies de carnets de timbres qu'on te les fait payer d'avance et qu'on veut pas te les reprendre. Toujours les plus démerde qui gagnent.

Ceux qui tournent tubards, c'est des douillets, un point c'est marre. Alors, moi, hop, la fenêtre grande ouverte, par n'importe quel temps, même que quand il y a de l'orage je me retrouve au milieu d'une mare, et maman, naturellement, qui gueule :

— Mon parquet ! Non, mais, tu l'as vu, mon parquet ? Que je l'ai passé à la paille de fer et ciré à quatre pattes pas plus tard que dimanche dernier ! On voit bien que c'est pas toi qu'as le travail ! Tu vas me faire le plaisir de fermer cette fenêtre tout de suite !

Pas question. J'explique à maman que je veux pas devenir poitrinaire comme le fils Untel ou la fille de l'autre, surtout que je suis en pleine croissance, me faut de l'air pur, tu comprends, M'man ?

— Et si tu m'attrapes une bonne congexion pulmonaire, tu verras si ça te tombera pas sur la poitrine !

Je ris, je lui dis que du moment que j'ai bien

chaud au corps je peux rien attraper, d'abord c'est le professeur qui nous a dit que la tuberculose vient du manque d'air pur, et là, maman, puisque la Science a parlé, elle s'incline. Maman respecte le savoir.

Maman a donc repris sa place dans le grand lit auprès de papa. Je ne sais pas s'ils ont signé un pacte de non-agression ou si elle estime que les glandes de papa sont maintenant complètement à sec et donc ses ardeurs définitivement hors circuit. De toute façon, quand elle se couche, papa ronfle depuis longtemps... Et après tout, hein, c'est leurs oignons !

Moi, dans mon coin, repoussé par les angles durs de la grande penderie en contreplaqué et par des entassements d'autres trucs qu'ont pas pu se loger ailleurs, je me raconte que je suis dans la cale d'un énorme bateau, personne sait que je suis là, passager clandestin, je me suis fait une niche entre les caisses, les fûtailles et les ballots, la petite loupiote que j'ai bricolée avec une prise voleuse pose un rond de lumière juste sur la page que je lis, les ombres sur les murs bougent quand je bouge, j'ai le ventre au chaud dans la plume et la tête au frais, je vois passer les nuages de l'autre côté des barreaux, c'est formidable, c'est le paradis, c'est « Arthur Gordon Pym ». Exactement ça : « Arthur Gordon Pym », un bouquin que j'ai déjà lu au moins quatre fois et que je relirai toute ma vie, j'en suis sûr.

Au mur, au-dessus de mon lit, j'ai punaisé une carte de France, une grande, en couleurs, au moins un mètre et demi de haut, je sais pas trop d'où elle vient, papa m'a rapporté ça d'une démolition, il y a dessus qu'elle a été offerte par la Compagnie d'Assurances Machinchouette, c'est écrit en belle calligraphie avec des zinzins autour en plein milieu de l'océan Atlantique, le vernis est craquelé parce qu'elle est vieille et tout jauni parce qu'elle devait se trouver dans une pièce où les gens fumaient beaucoup, et aussi elle est couverte de chiures de mouches, mais pas partout, seulement là où c'est bleu clair ou bien tout blanc, ça fait que les mers profondes et les hautes montagnes neigeuses sont couvertes de dessins bizarres, tout pointillés, c'est les mouches qui ont chié là. Ces mouches qui ne daignent chier qu'à la mer ou à la montagne, comme les riches qui vont en vacances, ça a beaucoup fait rire papa, le jour où je lui ai expliqué la carte. Mais il était un peu peiné parce que l'Italie était si petite, tassée en bas dans le coin. Je lui ai dit que non, l'Italie n'est pas si petite que ça, c'est seulement que sur une carte de France on met d'abord la France, en plein milieu, tu comprends, elle tient toute la place, et comme elle est pas coupée bien droit tout autour, la France, alors ça fait qu'on voit les bouts des pays d'à côté qui dépassent. Là, c'est un petit bout d'Italie, mais là, tu vois, c'est un petit bout d'Espagne, et là-haut un petit bout d'Allemagne...

— Allora, il est des cartes douv' qu'il est l'Italie toute sole ?

— Eh oui, p'pa. Ça s'appelle une carte d'Italie.

— Et sour sta carte-là, la France, il est solement oun' ti po ?

— Bien sûr, et aussi la Suisse, l'Allemagne...

— La Geallemagne, il est plous forte lvi toute sole coumme la France et l'Italie ensemble.

— Ça, je crois pas.

— Plous forte, no, pit'êt' pas. Ma il est miçante. Sont des zens boucoup miçantes, sta Geallemands-là. Font touzours la gouerra, touzours. Mah...

J'aime les cartes. Elles me chopent par les yeux,

je m'y fonds, j'oublie tout. Je trouve toujours des détails que j'avais pas vus. Cette carte-là est gravée très très fin, tous les villages sont marqués, les ruisseaux de rien du tout, les rochers dans la mer, les plus petits tortillements des montagnes, tout, avec les noms. Les heures que j'ai pu perdre, écarquillé devant cette carte, à genoux sur mon lit ! Je ne m'invente pas des voyages ou des trucs comme ça, je me dis « Tiens, cette rivière fait un coude, doit y avoir une bosse, forcé. » Je cherche la bosse. Ou bien pourquoi ici il y a un estuaire et là-bas un delta ? On nous a expliqué ça en géographie générale, alors je regarde si ça se confirme. Ou bien il y a « Volcans éteints » et j'imagine le schproum si soudain ils se réveillaient. Les parties vert clair, je les vois en grasses prairies aux bœufs mugissants, de l'herbe jusqu'aux cornes. Les vert foncé, en noires forêts mystérieuses où glissent des serpents entre les racines monstres, où chantent des cascades, où, qui sait, s'ennuient des fées, la baguette rêveuse... Maman m'appelle à la soupe, je m'arrache douloureusement à la carte, j'ai du mal à reprendre pied, mes yeux ont mangé ma tête.

*

Se mettre au lit, l'hiver... Un bain de glace ! ça t'arrache les jambes, ton cœur s'arrête, ton zizi rétrécit rétrécit tout bleu et s'enfonce en hurlant dans ton ventre, l'atrocité de l'abomination. Pendant une seconde. Même pas. Au moment précis où le froid te mord jusqu'à l'os, tu sens déjà la bonne chaleur accourir. Miracle de la plume et de la laine. Déjà ton sang bondit des profondeurs, charriant des calories et des calories, il te déverse ça à la pelle, déjà ta peau hérissée tiédit et se rassure, déjà le drap glacé lui est fraîcheur et délices... Plaisir violent du lit d'hiver. Bientôt j'ai trop chaud, il faut qu'à coups de pied je me force un passage là-bas à l'autre bout pour que mes orteils s'épanouissent à l'air libre. Bonheur. Ce vieux copain de cœur pistonne et pistonne la bonne chaleur dans tout mon corps, l'édredon-cocon la réverbère et la multiplie tandis que l'air vivifiant des cimes caresse mon front et mes doigts de pied. Bien allongé sur le dos, immobile comme une momie, j'écoute le bien-être monter en moi. De temps en temps je bouge, juste un peu, alors une onde glacée tapie dans un repli du drap me gicle dessus, me parcourt, preste, tout du long, comme un lézard de gel, un frisson me secoue, je claque des dents, mais je sais que la chaleur vaincra, elle a déjà vaincu, alors c'est bon, c'est bon !

Je suis au lit, j'ai maintenant bien chaud, la pleine lune me regarde à travers les barreaux, je pense à la créature du rez-de-chaussée. Pas par hasard. J'avais hâte d'être couché pour penser à elle bien à mon aise, à cette grande salope, et alors j'y pense de toutes mes forces, jusqu'à l'hallucination, jusqu'à la faire vivre là, devant moi, avec sa moitié de sourire gnan-gnan-vicelard, ses joues renfoncées, sa peau d'endive, ses petits nichons de noyée ballottés mollement dans la pénombre d'aquarium. Je me concentre à m'en péter la tête. Même ses grands panards gris m'excitent, je la lèche entre les doigts de pied, oh, bon dieu ! Pour activer la suggestion, j'envoie mes doigts me récolter des odeurs sous mes aisselles, dans les moiteurs de mon trou de balle, je m'enfouis la tête sous le drap, bien concentrer les effluves magiques, je veux que ça sente le sexe de femme, le sexe de cette femme, et voilà, c'est lui, c'est elle, plus vrai que vrai, paradis, frénésie... Et bon, le rêve se termine comme se terminent ces choses à cet âge. J'avais eu soin d'embarquer mon mouchoir. Faudrait pas que maman trouve une carte de France dans le drap !

Les culpabilités arrivent en rugissant, mais elles se cassent le pif, le sommeil m'abat avant que n'arrive le remords.

*

On était dehors à déconner, Jean-Jean, son frangin Piérine, Charlot Bruschini, Raymond Pellicia, Pierrot Cendré et, naturellement, Roger. Il était tard, on s'était déjà dit « Bon, ben, salut, les mecs ! » au moins soixante-quatre fois, voilà tout à coup un cri qui part de tout près, un de ces cris comme quand le cochon sent le froid de la lame dans la chair de son cou et, en un éclair, comprend tout. A vous dresser le poil sur le dos. Comment des gars peuvent faire charcutier, ça me dépasse. On se regarde. Jean-Jean dit :

— Ça vient de là.

Il montre la fenêtre au rez-de-chaussée. Les volets sont tirés. Pierrot Cendré dit :

— Sont encore en train de se tabasser. Z'arrêtent pas de se foutre sur la gueule, ces deux-là.

Un autre cri, encore plus terrible, et puis des bruits sourds de gnons qui s'abattent sur du vivant, à chaque gnon un cri, à chaque cri un gnon, et maintenant une voix d'homme crachant la rage et la haine à dents serrées, on comprend pas ce qu'il dit, juste par-ci par-là des mots qui surnagent :

« Salope... démolir ton cul de putain... pouffiasse... crever la gueule, moi... crever la gueule... crever la gueule... » Des casseroles se décrochent et rebondissent, des litres explosent, un carreau dégringole en cascade. Les coups tombent, et tombent. La femme ne crie plus. Elle sanglote, elle hoquette : « Salaud... Salaud... » Et puis un gosse s'y met, fou de peur, il hurle « Papa ! Papa ! », et puis un autre, et maintenant un bébé. Un vrai tremblement de terre. Des fenêtres s'ouvrent, se referment. « L'est ancora sta Français 'vec sa femme. » On a l'habitude.

Cette fois, quand même, la corrida pourrait bien être en train de tourner au drame. Un fracas de ferrailles, c'est les volets-accordéon qui se rabattent à toute volée et giflent la muraille. Soudain on est dans la pièce même, en plein dedans, l'homme vocifère maintenant à gueule ouverte.

— Tu veux pas prendre la porte, saloperie ? Tu veux pas la prendre, la porte ? Je m'en fous, tu passeras par la fenêtre !

On le voit pas, sans doute il est penché plus bas que le rebord de la fenêtre, quand il se relève en pleine lumière il a en poigne tout le paquet de cheveux de la femme, il tire dessus, c'est un petit maigre chauve aux yeux de dingue, un de ces chétifs tout en nerfs et en tendons que la colère ou la biture rendent plus dangereux que des éléphants en rogne. Un mauvais fer, sûr. Son crâne brille sous l'ampoule qui se balance, on dirait la boule tango du bal Pianetti. Tout en gueulant il tire à deux mains sur les cheveux, il les tire vers la fenêtre ouverte et la femme avec. Elle crie à s'arracher la gorge. Deux gosses sont plaqués au mur, serrés l'un contre l'autre, ils hurlent et hurlent. Le bébé, on l'entend, mais on le voit pas.

Et merde, il fait comme il a dit ! Il y a un tabouret renversé près de la fenêtre, il le redresse d'un coup de tatane, grimpe dessus, tire la femme, par les tifs, vers le haut, l'empoigne à bras-le-corps et la balance dans la rue.

— Te v'la dans le caniveau, charogne, restes-y donc ! C'est ta place ! Et essaie pas de rentrer ici, ou alors, ce coup-là, je te la fais, la peau !

Il tire les volets avec une violence d'enragé, rabat le loquet, claque la fenêtre. Un autre carreau descend. On entend sa rage qui continue à se cogner aux murs. Les mômes hurlent pis que jamais.

Cette femme est donc là, en tas par terre, sur le pavé dégueulasse de la rue Sainte-Anne. Elle bouge pas. Elle a pas pu se faire très mal, la fenêtre est basse, même pas un mètre. N'empêche, elle est tombée comme un sac, son cul a cogné le pavé. On peut se casser la jambe rien qu'en descendant du trottoir, comme dit maman. Elle porte pas son éternel peignoir, aujourd'hui. Au fait, ce qu'elle porte, c'est difficile à dire, tout ça est arraché, déchiré, en loques, rien que des trous avec pas beaucoup de chiffon autour. Des trous qui me tirent drôlement l'œil, surtout ce qu'on voit à travers. Je me dis que je dois être un vrai cinglé du cul, ce qu'ils appellent un satyre, c'est pas possible. Cette malheureuse qui saigne de partout, qui va peut-être bien mourir, qu'est-ce qu'on en sait, et moi je pense qu'à tâcher de mater des bouts de peau ! Elle reste là, comme elle est tombée, repliée sur elle-même en zigzag, toute flasque, sa figure on la voit pas parce que ses cheveux retombent tout autour, sa tête tire en avant son long cou blanc, il y a un os pointu qui fait une petite bosse et un duvet de cheveux qui court le long. J'ai une de ces envies d'embrasser ce duvet, bien doucement, bien doucement...

— Merde, dit Jean-Jean, elle est pas morte ? Hé, m'dame, vous êtes pas morte ?

— Tu vois bien qu'elle est pas morte, ducon, dit Raymond, elle respire. Mate ses épaules : elle respire. Même, elle chiale, on dirait.

— Ouais, mais elle a peut-être quelque chose de cassé dans l'intérieur, va savoir. Faudrait appeler les flics.

— T'es dingue, ou quoi ? T'appelles les flics, ces cons-là ils embarquent tout le monde, aussi sec, et après démerde-toi. Hé, m'dame, vous pouvez bouger ?

Pas de réponse.

— Hé, m'dame, faut pas rester là, m'dame. Vous allez attraper du mal, et pis les flics vont vous ramasser, et pis faut vous soigner. Vous voulez pas qu'on vous emmène au pharmacien ?

— Le pharmacien, il est fermé y a longtemps, t'es con, toi, dit Jean-Jean.

— Foutez-moi la paix, petits cons, vous me faites tous chier, dit la femme.

Et elle éclate en sanglots.

On est là, bien emmerdés.

— Qu'est-ce qu'on fout ? je dis.

— Faudrait dire à son mari de la laisser rentrer, c'est chez elle, quand même, quoi, merde, dit Jean-Jean.

— T'es fou, il va la tuer, il l'a dit, eh.

— Si un flic lui dit de la laisser rentrer chez eux ou que sans ça il le fout en taule, faudra bien qu'il la laisse, non ?

— Un flic, un flic... Il connaît que les flics, lui !

— Alors, dis quoi, beau malin !

— Je sais pas, moi... Faudrait qu'un homme, ou

même deux, ça serait encore mieux, aille lui dire, tu crois pas ? On pourrait demander à nos vieux.

— Ça va pas, eh ? Au premier mot il leur claque la lourde au nez, et qu'est-ce que tu veux faire ? Pis d'abord, mon vieux il dit comme ça que les histoires de ménage faut pas s'en mêler. Et les histoires de Français, encore pire. Tu prends un chtard sur le blair, t'as beau te retenir t'as beau, le sang est plus fort, t'es un homme, quoi, alors tu lui en mets un, ça y est, c'est la bagarre, tu te retrouves au poste et ils te sucrent la carte de séjour vite fait. Voilà ce qu'il dit, mon père.

Je tire mon mouchoir, il est presque pas sale, on est que mercredi, je lui essuie le sang qui lui coule de la joue, je la touche à peine à peine, j'ose faire ça. Elle secoue les épaules comme un môme qui boude. Elle répète :

— Foutez-moi la paix, merde !

Tout au bout de la rue, une fenêtre s'ouvre, une voix appelle.

— Zin-zin ! Piarrou !

— Bon, v'la m'man qui nous appelle, dit Jean-Jean à Piérine. Faut qu'on y aille.

Deux talons décidés frappent le pavé bossu, ça monte depuis la Grande-Rue. Un pas que je connais bien. Maman apparaît dans la lumière du bec de gaz. Elle penche du côté où on l'a opérée, malgré le cabas aux sabots qui la tire de l'autre côté. Elle est blanche de fatigue.

— 'Soir, m'man ! je fais.

— Bonsoir, mon gars. Bonsoir, les enfants.

Ils disent tous « Bonsoir, madame Louis », et puis elle voit la femme par terre. D'abord elle croit qu'elle est soûle, elle s'accroche son air pincé et regarde ailleurs, mais je la prends à part et je lui dis, pas trop fort :

— C'est la dame du rez-de-chaussée.

— Oh, je l'avais reconnue !

— On sait pas ce qu'elle a, son mari l'a battue, très fort, et puis il l'a foutue par la fenêtre. On peut pas la laisser comme ça.

— Les histoires de chiens, ça rapporte que des puces, dit maman.

Maman a toujours le proverbe qu'il faut, juste quand il faut.

— S'ils étaient aussi fatigués que moi, ils auraient pas la force de se taper dessus, moi je te le dis. Bon, c'est pas tout ça, j'ai ma soupe à faire et ton père qui doit jurer tous ses « malédisse » parce que je suis en retard, dame, j'ai dû laver une lessiveuse de plus, ils avaient eu une réception, on fait pas toujours ce qu'on veut, dans la vie. Tiens, tu devrais bien me monter un seau de charbon, je vais tâcher de laver du petit linge avant d'aller au lit.

— M'man...

— Quoi donc ?

— Ben, la dame, là...

— Écoute-moi bien, François. C'est pas notre affaire. Quand elle aura fini de pleurer, elle rentrera se coucher, et tout ça s'arrangera sur l'oreiller. Te mêle donc pas de ça.

— Mais, m'man, il va la tuer, il l'a dit.

A ce moment-là, le mari se remet à brailler je ne sais quoi, on entend des bruits de baffes, les mômes hurlent. La femme, sur le trottoir, saute sur ses pieds, elle cogne de ses poings aux volets de fer et crie :

— Touche pas à mes gosses, ordure ! Touche pas aux gosses ou je t'arrache les yeux.

Flac, flac, flac, flac ! Quatre baffes énormes. Hurlements redoublés.

— Salaud, salaud ! Pas les gosses, salaud !

Elle s'abat, sanglotante. Elle voit maman.

— Ça vous intéresse, hein ? C'est pas à vous que ça arriverait, hein ? Toujours bien corrects bien hypocrites, vous autres. Sales macaronis ! Vous préférez faire vos coups en dessous.

« Macaroni », c'est juste ce qu'il faut pas dire à maman. Elle regarde la « créature » :

— C'est pour les gosses, que je le fais. Pour les gosses. Pauvres petits !

Elle pousse la porte d'entrée, décidée faut voir, elle tourne à gauche dans le couloir, la voilà devant la porte du logement de ces gens. Je l'ai suivie, à distance, les autres aussi, ils veulent rien perdre. Elle se plante devant cette porte, elle frappe comme elle seule sait frapper : des doigts en bois. On entend :

— Va te faire foutre, saloperie ! Si tu continues à m'emmerder, je t'arrache la tête. Je le ferai, je te l'ai dit.

— Ouvrez ! dit maman.

La voix le surprend, faut croire. La porte s'ouvre. Il est là, ce furieux, en maillot de corps, ses épaules maigres pointent, ses bras sont tout en cordes et en nœuds, l'exercice lui a donné chaud, il sent le cheval de labour. Mauvais comme un scorpion.

— Et alors ? Qu'est-ce que c'est ?

— Monsieur, je ne vous connais pas, je suis une voisine de la maison, j'arrive je repars, j'ai pas beaucoup le temps de voir les gens, mais je vous dis bien en face que vous n'avez pas le droit de traiter une femme comme vous traitez la vôtre, je ne sais pas ses torts et je veux pas le savoir, vos affaires de famille ça me regarde pas, je vous répète seulement que vous n'avez pas le droit de traiter une femme de cette façon, ni de séparer une mère de ses enfants, ni de les battre comme vous le faites, pauvres petits, que c'est une honte et un scandale. Allez-vous-en si vous ne la supportez pas, ou bien laissez-la rentrer chez elle, mais ne la séparez pas de ses enfants, c'est criminel, et arrêtez de cogner comme un sauvage. Je suis qu'une femme, et pas bien instruite, j'ai que mes pauv' bras pour me faire vivre, mais ce que je vous dis là, personne n'osera vous le dire, alors moi je vous le dis. Si vous continuez, j'appelle la police. Moi, elle me fait pas peur, à moi, la police, je peux passer partout la tête haute, moi. Et vous avez beau me regarder tant que vous voudrez avec vos yeux à dévorer le monde, vous me faites pas peur non plus. Vous allez laisser rentrer votre femme chez elle tout de suite, et si vous n'en voulez plus vous réglerez ça entre vous demain, vous partirez ou elle partira, en tout cas elle quittera pas ses enfants, qu'elle s'en aille ou qu'elle reste. Et si j'entends encore crier, j'appelle la police. Non, mais.

Il en revient pas. Il regarde maman du haut en bas, ses petits yeux rouges pleins de méchanceté, enfin il tord la gueule et crache :

— Je t'emmerde !

La porte claque à la volée, la rampe de l'escalier se met à vibrer en musique depuis le bas jusqu'en haut, une espèce d'onde, c'est une rampe comme ça, et maman se retrouve devant cette porte en bois, avec son cabas et ses sabots, l'air con pas qu'un peu.

— Ah, ma foi, c'est bien honnête ! dit maman. Y a des gens, je vous jure, je suis bien bête de perdre mon temps à essayer de les aider, c'est même pas du monde, c'est pis que des bêtes. Je ferais mieux de monter faire ma soupe.

Elle empoigne la rampe et monte comme ça deux

trois marches. Je l'attrape par la manche. Je lui dis :

— Et elle, m'man ?

Je fais signe du menton vers la rue. Maman reste un pied en l'air-un pied en bas, sourcil froncé.

— On peut pas la laisser comme ça, je dis.

Madame Cendré est sortie de sa loge. Elle fait celle qui est très en colère.

— En voilà des façons de me casser ma maison ! C'est bien joli de claquer les portes et de casser les fenêtres, mais qui c'est qui se fait engueuler, après ? C'est que je suis responsable, moi. Vous croyez peut-être que le propriétaire me paie pour regarder les locataires lui casser sa baraque ? Enfin, quoi.

— C'est pas nous, m'dame Cendré, je fais.

— Qui que ça soye que ça soit, je veux pas qu'on me casse ma maison. Si seulement j'avais le téléphone, j'aurais déjà appelé les flics. Toi, Pierrot, tu vas me faire le plaisir de rentrer, allez, ouste ! Ah là là, y en a, je vous jure... Bonsoir, madame Louis.

— Bonsoir, madame Cendré, dit maman.

Elle reste là, une jambe en l'air, et ce sourcil de plus en plus froncé. Qu'est-ce qu'elle a l'air fatigué ! Blanche comme la craie. Elle hoche la tête à droite à gauche, marmonne je ne sais quoi du coin de la bouche, et la voilà qui redescend les marches. J'entends pas ce qu'elle dit mais je peux deviner : elle s'engueule d'être si bête.

Elle ressort dans la rue. La créature n'a pas bougé de place. Elle ne pleure plus. Elle regarde d'en dessous de ses cheveux, l'air d'un chien qui se demande s'il va recevoir un sucre ou un coup de pied.

— Vous pouvez pas rester là, dit maman.

Sa voix de tous les jours est déjà pas une voix tellement douce, à maman, mais là elle a carrément sa voix de quand elle épluche mon carnet et que j'ai zéro de conduite. La créature hausse les épaules.

— C'est pas une réponse, ça. Si vous voulez pas causer à une pauvre bonne femme de lessives comme voilà moi, c'est votre affaire, seulement moi j'ai pas l'habitude de laisser les créatures du bon dieu crever dans le ruisseau sans leur-z-y tendre la main. Même un chien, je le laisserais pas. Allons, levez-vous de par terre. Ou faut-y que je vous lève ? C'est que je suis bien fatiguée, vous savez. Je viens de tirer une sacrée journée.

La « créature du bon dieu » ne répond rien, elle se met péniblement à quatre pattes, et puis elle se lève debout en s'appuyant sur le rebord de la fenêtre. Elle fait la grimace, on voit bien qu'elle a mal. Elle ramène ses loques sur sa poitrine et croise les bras dessus pour pas que ça se rouvre, elle sent bien que ça plairait pas à maman que ses nichons mettent le nez dehors.

— Bon, ben, vous voyez, vous en êtes pas morte. Faut déjà voir les dégâts, et vous laver tout ça, et vous trouver quelque chose à se mettre. Dame, ça sera pas commode, vu que je suis pas moitié aussi haute que vous, mais je dois avoir là-haut des choses que ma patronne m'a fait cadeau, elle est bien grande comme vous, ma patronne, oh, c'est tout propre, elle me donnerait rien sans que ça soit lavé repassé, d'abord c'est moi qui lave. Passez devant, je vous suis, si vous tombez je vous retiens. Allons, ouste !

On a grimpé à la queue leu leu jusqu'au troisième, d'abord la créature, maman après, et moi derrière tout le monde. Papa était dans la cuisine, il avait mis la table, il passait le temps en s'enroulant du chatterton autour des crevasses de ses doigts. Il a eu l'air plutôt surpris, mais il l'a pas dit. Il est très courtois, papa. Il questionne jamais. Si on lui raconte, bon, il écoute, si on raconte pas c'est bien aussi. Chacun voit.

Papa a posé sur la table le chatterton et les ciseaux, il s'est levé et il a dit :

— Bonzour, madame.

Elle a fait un petit signe de la tête, elle est déjà moins bête sauvage, elle sent que papa est bon, c'est ce qu'on sent tout de suite quand on voit les yeux de papa. Maman a dit :

— Sors d'ici un instant, Louis. Et toi aussi, François. Tenez, asseyez-vous, madame. Ah, François, avant de t'en aller, remplis-moi le faitout au robinet et mets-le à chauffer sur le gaz. Et apporte-moi le grand carton qu'est sur le dessus de l'armoire. Et aussi deux serviettes propres avec un gant, tu sais où ça se trouve. Et la bouteille d'alcool à quatre-vingt-dix. Et l'ouate. Dépêche-toi.

Je me suis pas trop dépêché, j'ai fait des bruits d'un qui cherche et qui remue des choses, je me disais que si j'attendais que l'eau soit chaude je pourrais peut-être la voir à poil, au moins le haut, et ça me chauffait drôlement la tête, cette idée. Maman a crié « Alors, ça vient ? Qu'est-ce que tu fabriques donc ? », j'ai crié « Voilà, voilà ! » et je m'amène dans la cuisine, il y fait chaud plein de vapeur, elle est debout devant l'évier, comme maman quand elle fait sa toilette du soir, ses grands panards sont dans la bassine en galvanisé et maman verse dessus de l'eau chaude qu'elle puise dans le faitout avec la petite casserole qu'on a exprès pour ça.

Pour le jeton de mate, je suis refait, elle a gardé sa jupe ou enfin ce truc qu'elle a en bas, c'est plein de trous mais je sais pas comment elle se démerde, on voit quasiment rien. Juste ses jambes, parce qu'elle s'est relevé ce bazar au-dessus des genoux pour les laver, des vaches de belles jambes, merde ! Le haut, elle l'a retiré, mais elle me tourne le dos, alors, pour les petits nichons valseurs, tintin. Oui, mais rien que son dos vaut drôlement le coup ! Elle est maigre et pas maigre. On voit les côtes, et en même temps on sent que ça doit être tout dodu dans la main. On lui prendrait la taille entre le pouce et l'index mais ça serait pas de l'os, au contraire : tendre et fondant comme un petit poulet. Et cette peau, si blanche, si blanche...

Oui, bon... Maman me dit « A quoi tu rêves ? Pose ça là et fiche-moi le camp. » Je pose. Je fiche.

Je rejoins papa dans la chambre. Je lui raconte l'histoire. Il écoute, gravement.

— L'est oun miçante, c't' homme-là. Ça se voit qu'il a les yeux miçantes. Paur' gosses !... Pit'êt qu'il les va battre, pourquoi maintenant la mère il la peut pas battre, allora i va battre les gosses. Les miçantes, i font coumme ça, les miçantes, pourquoi i sont miçantes.

— Y a qu'à ouvrir la fenêtre, papa, on entendra bien s'ils crient.

J'ouvre la fenêtre. Aucun cri de gosse dans la nuit.

— Pit'êt' qu'i sara fatigué pourquoi il a golé boucoup, allora, maintenant, i dorme. Et les gosses oussi, i dorment. Tant mio, paur' gosses.

Au bout d'un moment, maman nous appelle, on revient dans la cuisine. La soupe poireaux-pommes de terre-coquillettes fume dans les assiettes, la créature est assise à table, toute rose de s'être lavée, tu la reconnaîtrais pas. Elle porte une robe de la patronne à maman, ça doit être une grosse patronne, celle-là, la créature flotte dedans, le col à frous-frous lui bâillerait jusqu'au nombril si elle avait pas mis une épingle de nourrice pour fermer. Elle a une serviette-éponge autour de la tête, pas attraper froid quand t'as les cheveux mouillés, y a rien de plus mauvais, ça lui fait un turban comme dans les « Mille Nuits et Une Nuit ». Elle a repris du poil de la bête. Je regarde ses yeux cernés et son sourire vicelard — vicelard, si ça se trouve, uniquement dans ma tête —, ma queue bondit et vient se cogner le nez contre mon ventre. Je baisse le mien sur ma soupe, de nez.

Une qui m'épate, c'est maman. Elle qui mange toujours debout, coincée dans les cinquante centimètres entre la table et le fourneau, voilà qu'elle trône, qu'elle fait la dame qui reçoit ! Elle hume le bouillon de sa soupe par le côté de la cuillère, comme elle m'a toujours appris mais que moi j'arrive jamais à faire sans un répugnant gargouillis de canard qui barbote dans la vase, elle se tient bien droite, elle fait la gracieuse, mais oui !

— Mangez, madame. Il faut manger. Peut-être que ça ne vous plaît pas ? Ah, dame, chez nous, c'est très simple, j'ai pas le temps de faire de la grande cuisine, mais ça réchauffe et ça tient au corps. Mangez donc. Vous avez peut-être peur que je vous empoisonne ?

La créature proteste :

— Oh, non, je sais bien que vous feriez pas ça ! Mais voyez-vous, j'ai pas faim. Je me demande s'il va penser à faire manger les enfants. Et il y a le biberon du petit...

Elle a un accent de la campagne, un accent qui ressemble à celui de par chez grand-père. Elle continue :

— Oh, je pense qu'il l'aura fait... Vous savez, au fond, c'est pas le mauvais type. Il les aime bien, ses petits. Seulement c'est un nerveux, vous comprenez, il a les nerfs plus forts que le sang, et quand les nerfs prennent le dessus, dame. Surtout quand il a bu un coup.

Elle prend un air contrit :

— Ce soir, je l'avais un peu cherché, je dois dire.

— C'est pas une raison pour taper sur des enfants. Vos histoires entre vous, bon c'est une chose, encore qu'il y aurait beaucoup à dire... Mais les enfants, ah, non ! C'est innocent, les enfants, ça connaît pas le mal. Et ça peut pas se défendre. Taper sur des enfants, y a rien de plus lâche. Un homme qui fait ça, moi je dis que c'est pas un homme. Oh, mon Dieu, si mon bonhomme avait seulement levé la main sur mon fils ! J'aurais voulu voir ça, tiens ! Je te jure que t'aurais pas recommencé une deuxième fois, mon vieux !

Papa sursaute.

— Heu là ! Qu'osse z'ai fait, mva ?

Maman est lancée.

— J'aurais fait ni une ni deux, je lui aurais cogné dessus avec mon hachoir à viande, et puis j'aurais pris mon fils et je l'aurais planté là, le bonhomme, ah oui, alors ! Et t'aurais eu beau me courir après et me supplier à genoux jusqu'à la saint-glinglin, jamais tu m'aurais revue, tu m'entends ? Jamais !

Voilà que c'est papa le coupable ! Il n'a pas bien vu comment ça s'est fait, mais il n'est pas d'accord, et il le dit :

— Ma qué ? Qu'osse tou racontes ? Qué mva, oune zifle ze l'ai zamais donnée, mva, même pas oune. L'est pas vrai, Françva ? Dis m'oun po' si ze t'en ai donné oune, zifle, même oune sole, dis m'oun po' !

— Non, p'pa, jamais. En tout cas, je me rappelle pas.

— Les zifles, c'est tva qué tou les donnes, les zifles ! Vi, madame.

— Parce que tu t'intéresses même pas à ce qu'il fait ! Si c'était que toi, il peut bien tourner voyou et assassin, toi tu vois rien, tu laisses faire, tout va toujours très bien !

Papa comprend qu'une fois de plus il aura pas la loi.

— Ma valala !

Il reprend de la soupe.

— Mangez, madame, dit maman. Mangez un tout petit peu, faites un effort, faut pas vous laisser aller. Après, on ira voir si votre époux est de meilleure humeur... Sans vouloir vous questionner, madame, d'où est-ce que vous êtes ?

— Je suis du Cher, un petit village près de Sancoins.

— Sancoins ? Ça me dit quelque chose. Ça doit pas être tellement loin de chez nous, j'ai entendu ce nom-là quand j'étais placée à Sauvigny à garder les cochons. Je me disais aussi, à vous entendre causer : cette dame n'est pas d'ici.

— On était six gosses, mon père travaillait dans les fermes à droite à gauche. Je me suis mariée à seize ans, mon mari faisait le bûcheron dans les bois, et puis il a voulu monter à Paris pour gagner plus, mais il a pas de qualification, alors il fait le manœuvre. Moi, j'étais bien contente, pensez, la campagne, je la connais que trop, la campagne, je l'avais assez vue, je me disais Paris c'est vivant, il y a le cinéma, le bal, enfin, des sorties, quoi. On se fait des idées... Ce qu'il y a, c'est que j'ai pas de santé. J'ai déjà été deux fois en sana, faut pas que je me fatigue, ils ont dit que la troisième fois j'y laisserais la peau.

— Et vos petits, qu'est-ce qu'ils deviendraient ? A l'Assistance, voilà où qu'ils iraient ! Il faut y penser, à ça, madame, et bien vous soigner. Pour commencer, prenez ma tranche de jambon, moi faut pas que je mange trop, le soir, ça me reste sur l'estomac. Si, si, mangez, je vous dis, faut prendre des forces.

Et bon, elle a mangé, elle se forçait, je la regardais à la dérobée, elle avait de très longs cils pâles qui rebiquaient du bout, je me disais « Elle est tubarde, comme la Dame aux Camélias. Paraît que ça baise comme des dingues, les tubards, le microbe leur fout le feu au cul », tout de suite après j'avais honte de penser des trucs pareils, enfin je m'efforçais d'avoir honte, mais me venaient en tête ses longues blanches cuisses, son blanc corps sans os, je me l'appliquais ventre à ventre, tiède, docile, consentante, s'en foutant. Un cataplasme en femme vivante. On a mangé le dessert, c'était des pommes au four, et puis maman a dit :

— Allons voir si monsieur votre époux est mieux disposé.

Elles descendent, moi un étage en arrière, parce que « c'est pas des choses de mon âge » a dit maman, mais j'allais pas rater ça, ah non.

Maman frappe à la porte. Fort et sec. Pas de réponse. Elle remet ça. Et encore. Toujours rien. La créature lui pose la main sur le bras.

— Écoutez.

Elles écoutent.

— Il ronfle. C'est toujours comme ça. Quand il a piqué une crise, après il s'écroule, le canon le réveillerait pas.

— Et les petits ?

— Je les entends pas. Il a dû les coucher. Ils dorment aussi.

Elle essaie de tourner la poignée. La porte est verrouillée.

— Très bien, dit maman. On peut pas vous laisser

dehors. Vous dormirez dans le lit de François, lui dormira avec son père.

— Ben, et toi, m'man ?

— Oh, moi, t'en fais pas pour moi, je dormirai par terre, ça me rappellera mon jeune temps, quand je couchais dans l'écurie.

— Ah, non, m'man ! Moi, par terre.

— On verra ça. Restons pas là dans les courants d'air, ça avance à rien. On verra clair demain.

J'ai quand même obtenu de dormir par terre, dans la chambre des parents, au pied de leur lit, c'est le seul endroit possible. Mais dormir, pas question. Je me dis que cette femme est là, dans mon lit, juste de l'autre côté de la cloison, dans mon lit où je me suis tellement surmené l'imagination pour la faire exister, et voilà, elle est là, dans mon lit, en vrai, oh merde, en vrai, elle respire, elle bouge, elle sent ses odeurs, et moi, là, par terre, comme un con... Je suis sûr qu'elle se marre, c'est pas possible, elle a bien senti mes yeux sur elle, mes yeux de puceau affamé... Ou peut-être qu'elle m'attend, hé ? Oh, nom de Dieu, peut-être qu'elle m'attend, c'est possible aussi, ça ! J'ai le cœur qui se met à cogner, à cogner... J'y vais ? Rien que d'oser y penser, la trouille me ravage. Allez, dès que j'entends papa ronfler bien régulièrement, je m'en fous, j'y vais ! Elle gueulera pas, elle connaît les hommes, elle voudra pas me faire des emmerdes, en supposant que je me trompe, qu'elle m'attende pas. Elle se foutra de ma gueule, sûr, mais sans bruit. J'aime mieux risquer ça que de pas avoir tenté le coup. Et puis, qu'est-ce que je lui veux ? Juste la prendre dans mes bras, mettre ma joue contre sa joue, l'embrasser dans le cou, dans les cheveux, sur les lèvres... Je viens pas pour tirer un coup, j'y pense même pas. La toucher, la sentir, la serrer bien doucement... Un pied se pose sur ma figure. Et pèse de tout le poids de ce qu'il y a généralement au-dessus d'un pied. Je fais « Hé ! ». Mais le pied a déjà, si j'ose dire, lâché prise, aussi surpris que moi.

— Mah ! dit papa, à voix contenue, ze me souis oublié qué tou dormes là par terre. Ze t'ai pas fait dou mal, no ?

— Non, non, ça va. Pourquoi tu te lèves ?

— Ze me croive d'avar entendou quoualqué çoje, dihors.

Il va jusqu'à la fenêtre, qui se découpe, pleine d'étoiles. Il l'ouvre sans faire de bruit. Je me lève et je viens auprès de lui écouter la nuit.

— Tiens, Françva, tou l'entendes ?

J'écoute de toutes mes forces, et, oui, j'entends.

— C'est un gosse qui pleure, ça, tu crois pas ?

— Si. La vienne de l'hangar al marçand de patates. Fout aller var.

On s'habille en moins de deux. Papa dit :

— Fa 'tenchion pas réveiller ta mère, qu'il est bien fatiguée.

— Oh, y a longtemps que je le suis, réveillée ! Je me suis même pas endormie. Si tu crois que je peux dormir après des émotions pareilles ! Je vais avec toi, Louis.

*

Le hangar se trouve juste en face notre maison, au fond d'une cour fermée par une grande porte cochère à demi déglinguée. Cette porte est verrouillée mais tu lui donnes un coup d'épaule, elle s'ouvre, tous les mômes de la rue savent ça, on s'y faufile pour jouer à la pelote le long du mur ou se faire des batailles rangées à coups de patates sur la gueule.

On entend mieux le gosse qui pleure, ça vient de tout au fond du hangar. Papa frotte une allumette — « Pourquoi tou m'as pas fait penser porter la bouzie ? » — ça sent la patate, là-dedans, et le sac à patates, et la poussière qu'il y a autour des patates. Le gosse ne pleure plus, il nous a entendus, il a peur.

— Di-iou te stramaledissa !

C'est papa qui se brûle les doigts.

— Tais-toi donc, que tu vas lui faire encore plus peur ! Où es-tu, mon petit ? N'aie pas peur, je vais te mener à ta maman.

Mais rien, même pas un reniflement. Soudain un fracas de ferraille.

— Orrca la Madonna !

C'est papa qui s'est abattu sur la bascule à peser les sacs de patates. Il frotte une autre allumette. Et voilà, ils sont là, sur un tas de sacs vides. Le plus grand a les yeux ouverts, la figure barbouillée de larmes, de morve et de poussière de sac à patates. Il nous regarde approcher, il se demande s'il peut s'arrêter d'avoir peur ou s'il faut, au contraire, redoubler dans l'épouvante. Les deux autres dorment, le bébé enveloppé dans une grosse couverture, à peine le nez qui dépasse. Maman n'en revient pas.

— Faut-y qu'un homme soit cochon et salaud pour faire ça ! Jeter ses propres enfants à la rue ! J'aurais jamais cru ça possible ! Même dans le journal ils oseraient pas raconter des choses pareilles ! S'ils ont pas pris le froid de la mort, ça sera un miracle. Allons, venez, mes petits.

Elle prend le bébé sur un bras, le grand par la

main, et moi je porte l'entre-les-deux, il pèse vraiment pas lourd.

Ils ont fini la nuit avec leur mère, tous les quatre dans le lit-cage, oui.

J'ai mis du temps à m'endormir, maman tenait tout haut des discours véhéments contre ces hommes que c'est même pas des hommes, même pas des chiens, parce que les chiens aiment leurs chiots, rien que des dégoûtants que tout ce qui les intéresse dans une femme c'est lui grimper dessus et prendre leur sale plaisir — pouah ! —, mais les conséquences ils s'en foutent pas mal, et c'est toujours sur la malheureuse que ça retombe, ah là là, des hommes de merde comme ça je sais pas ce que je leur y ferais, moi, faudrait que ça soit eux, les bonshommes, qui les portent neuf mois dans le ventre, tiens, peut-être que ça leur-z-y ferait comprendre... L'amour, qu'ils disent ! L'amour, c'est tout joli tout beau tant qu'ils ont pas ce qu'ils veulent, et une fois qu'ils l'ont, ils se renculottent et bonsoir, ou bien ça tourne le nez vers le mur et ça ronfle...

Et moi je me dis que, c'est vrai, de l'avoir vue avec ses gosses, elle a plus le même goût. J'arrive plus à m'exciter l'imagination. Rien à faire : une mère, c'est pas de la femme. Ou alors faut arriver à oublier les gosses et tout le bazar. Quand on rêve à une femme, c'est pas aux chiées de lardons qu'elle a en stock dans le buffet qu'on pense. On se la veut pour soi tout seul, on est son gosse, on a le droit de la farfouiller partout, de téter ses nichons... Penser qu'elle est rien qu'une machine à pondre des mômes, et qu'après ça sera les couches, l'école, des connards qui grandissent plus vite que leurs fringues... Rien de tel pour te calmer la bandaison. Je m'endors.

Quand je me suis réveillé, j'étais tout seul dans le logement, plus trace de rien, maman avait même lavé les bols. Je me suis dit que mon lit devait être encore tiède d'elle, je suis allé y chercher son odeur. Mais maman avait déjà changé les draps.

*

Ils ont continué à se taper sur la gueule, et puis un jour ils n'étaient plus là, à la place il y avait un type tout seul, un Rital qui débarquait de la gare de Lyon.

L'ŒIL DU LAPIN

Dans mon sommeil, j'entends maman bousculer des ferrailles dans la cuisine. Ça veut dire qu'il est l'heure. L'heure de me lever. Maman, elle, est levée depuis longtemps, elle a déjà abattu un tas de boulot, mais tout ça, jusqu'ici, en silence. Elle ne se laisse aller à sa nature, qui est de tout faire valdinguer en fanfare, que lorsqu'est arrivé le moment où je dois me préparer pour l'école. Là, ce tintamarre de cataclysme, c'est les ronds concentriques du dessus de la cuisinière qu'elle vient de cueillir l'un après l'autre du bout du tisonnier et de flanquer sur le côté afin que les flammes lèchent directement le cul du faitout. Les ronds se dandinent trois petits tours avant de s'affaler, fonte sur fonte, sabbat d'enclumes en folie. Par là-dessus la voix grondeuse de maman qui ronchonne et commente au fur et à mesure, pour elle-même ou pour la cantonade, ce qu'elle est en train de faire, qui houspille les choses et la vie, qui se houspille elle-même, avec ce terrible sépulcral accent morvandiau qui me fait toujours penser aux noirs prophètes de malheur de mon Histoire Sainte.

— Eh, tiens donc, saloperie, te vas-t'y bouillir, oui ? Je sais vraiment pas ce qu'a la cheminée, ce matin, elle veut pas tirer, rien à faire ! C'est cette saloperie de temps pourri, aussi, tout est trempé, tout pisse l'eau, les feux veulent pas tirer, et moi qui suis pas en avance, et la patronne qui m'a justement demandé de venir plus tôt parce que c'est grand nettoyage, et ma lessive qui veut pas sécher, pensez, d'un temps pareil, que voulez-vous que ça sèche, de la toile de maçon, qu'il y a rien de plus épais rien de plus dur à nettoyer, je le sens assez dans mes pauv' bras, et après ça veut même pas sécher, mais qu'est-ce que j'ai fait au bon Dieu, qu'est-ce qui m'a pris de prendre un bonhomme avec un métier pareil, et encore si seulement ça se rendait compte du mal que ça donne, mais je t'en fiche, lui c'est l'oiseau sur la branche, il arrive, tout de suite les pieds sous la table, si c'est pas fin prêt ça vous ronchonne dans son jargon que j'y comprends seulement rien, et à peine la dernière bouchée avalée, hop, au lit, et tout le mal c'est pour la bonne femme. Ce qu'on peut être bête, quand on est jeune et qu'on connaît pas la vie ! Ah, elle est belle, la vie ! Si c'était pas pour mon fils, comment que je te laisserais tout tomber, moi, le bonhomme et ses chemises pleines de ciment et de jus de chique que rien que de les voir j'en ai le cœur soulevé... Ce que t'as donc pu être bête, ma pauv' Margrite, faut-y, faut-y !... Allons, marche donc, vieille bête, marche !

Les monologues de maman se terminent toujours par « Marche donc, vieille bête ! » (Prononcer « Marrch'don, viéle béte ! »), et en effet, elle marche. Le fracas se fait plus martial, ses savates talonnent le carrelage, tout valse autour d'elle, d'une main elle verse du charbon dans le feu, de l'autre elle donne un coup de torchon à la table... Un tourbillon, maman. Ah, dame, personne pourra dire qu'elle est une feignante !

La voilà qui cogne à la cloison.

— François ! Tu vas être en retard ! Tu vas encore t'en aller sans manger, qu'il y a rien de plus mauvais pour la santé, surtout quand on travaille de la tête.

— Ouais, m'man. J'arrive !

Et puis je me souviens. On est jeudi ! Pas d'école aujourd'hui. Oh, que c'est bon, ça ! Surtout quand ça vous revient juste au dernier moment.

— Hé ! C'est jeudi, m'man ! Y'a pas d'école !

— Déjà jeudi ! Mon Dieu, que le temps passe donc vite ! Jamais j'arriverai à faire tout ce que j'ai à faire... Bon, ben, fais tes devoirs, travaille bien, tâche de me rapporter un carnet un peu moins mauvais à la fin du mois, t'as ton café sur le feu, rajoute du charbon que t'aies bien chaud, et surtout va pas dehors m'attraper du mal, qu'il fait un froid de chien.

La porte claque, l'immeuble sursaute, j'entends maman descendre l'escalier, c'est-à-dire j'entends les terribles coups de talon qu'elle donne à chaque marche, ah mais, c'est qu'elle a du sang de Française dans les veines, maman, et faut que ça se sache.

J'aimerais bien traîner au lit, il y fait bon tiède, quand je remue cette tiédeur fait des ondes et me caresse partout, mais, dès que je suis réveillé, si je ne me lève pas bien vite le mal de tête me prend, et aussi une espèce de cafard sournois. Je m'habille, je me traîne jusqu'à la cuisine, mon bol est sur la table, mes tartines beurrées bien épais, la casserole de café au lait sur le coin de la cuisinière avec sur le dessus cette épaisse peau ridée qui tremblote. Je vide la casserole dans le bol, je mets plein de sucre, je cale contre la casserole vide « Les Mille Nuits et une Nuit », un gros bouquin que j'ai emprunté à la bibliothèque municipale, c'est le bonheur. Je ne sais pas encore qu'au long de ma vie mes plus solides instants de bonheur me seront donnés par la paresse crapuleuse et par le travail frénétique, alternativement, je ne le sais pas encore mais je m'y abandonne d'instinct. Pour l'instant, c'est la paresse.

Je trempe mes tartines dans le café au lait sans quitter le livre de l'œil. J'ai un appétit de loup, mais lire passe avant manger. Je pourrais pas me mettre à table sans avoir de quoi lire, si j'ai pas un bouquin en train je cherche partout n'importe quel bout de papier imprimé avec quelque chose d'intéressant dessus, car en plus il faut que ça m'intéresse. Je lis comme un fumeur enragé fume, j'ai pas les doigts jaunis par le tabac mais noircis par l'encre grasse. Je tourne les pages du bout de l'index, je les effleure à peine à peine, je fais bien attention que des gouttes de café au lait n'aillent pas sauter sur la magique surface large offerte, je supporte pas qu'on souille ce qui se lit. S'il est pour moi au monde un objet sacré, c'est bien le livre.

Je mâche consciencieusement à grosses bouchées spongieuses, on nous a dit à l'école, en cours de sciences nat', qu'il faut mâcher les aliments jusqu'à ce que la salive ait commencé à les digérer, ça me va tout à fait, ça prolonge le tête-à-tête avec le livre, je rumine pesamment tandis que mes yeux courent sur les petits tortillons noirs bien alignés, de gauche à droite, de gauche à droite, et que ma tête vole sur les ailes de l'immense oiseau Rokk au-dessus de cités fabuleuses hérissées de minarets d'or.

Je liche le fond du café au lait froid où dérivent des bribes de pain gonflées comme des noyés, je m'arrache aux « Mille Nuits et une Nuit » après avoir marqué la page d'un bout de journal — il y a des sauvages qui cornent les pages ! Quand j'en rencontre une, j'essaie d'effacer le pli... — et puis, penché sous le robinet de l'évier, je me passe un filet d'eau sur la figure, c'est bien assez, je vais pas à l'école !

*

Si je m'écoutais, je m'affalerais sur mon lit avec les « Mille Nuits... », mais la trouille du prof, et aussi de maman, est là qui me mord au cul. Non, pas tellement la trouille. Plutôt le besoin de faire ce qui doit être fait, d'être un mec normal, bien à sa place, pas en porte à faux. Mon boulot, c'est d'étudier, j'ai gagné une bourse pour ça, déjà que les garçons de mon âge sont depuis longtemps au travail sur les chantiers, dans les garages ou à l'usine et me font sentir leur mépris de travailleurs responsables pour l'espèce de moujingue prolongé qui va encore à l'école... J'ouvre mon cartable, j'installe encrier et porte-plume sur le coin de la table de la cuisine, je fais le point sur mon emploi du temps bariolé aux crayons de couleur... Merde ! Demain, c'est le jour du devoir de maths ! Ça fait deux semaines que j'ai les énoncés, et voilà, une fois de plus j'ai remis, j'ai remis... Moi qui voulais me lancer dans la rédac à rendre après-demain... Bon, ben, faut y aller.

Un devoir de maths, ça doit être présenté impeccable, rédigé en bon français, si possible élégant, les démonstrations non abrégées, les figures règle-compas-tire-ligne... Et la solution exacte, bien sûr. J'en bave. J'adore les maths, c'est plus beau que tout, plus même que le français, parce que, là, ça parle directement à l'esprit, sans passer par le langage, ses coquetteries, ses tactiques, ses ruses, ses appels au trémolo, ses soucis esthètes. L'implacable beauté d'une démonstration ric et rac me transporte d'aise, la vérité m'éblouit, j'ai vu fonctionner un rouage du grand Tout, je les ai donc tous vus car tous procèdent de la même logique, tout se tient, tout est nombre, le nombre exprime tout. Ça, au moins, je l'ai bien compris. Hélas, j'aime les maths, les maths ne m'aiment pas. Ne m'aiment plus. Le divorce s'est fait, va savoir comment, va savoir pourquoi. Jusqu'aux sections coniques, à l'équation du deuxième degré à une inconnue, « $ax^2 + bx + c = 0$ », c'était la voie royale. La révélation de ce que cercle, ellipse, parabole, hyperbole et même ligne droite ne sont que les produits successifs d'un cône coupé par une série de plans m'avait ravi tout d'abord, et puis satisfait, comme quand tu tombes enfin sur la paire de chaussures qui te va juste bien aux pieds. J'y voyais un aspect éloquent de la structure intime de cet espace où nous ramons, une conséquence fatale des lois qui le gouvernent, c'était lumineux, il ne pouvait pas en être autrement... Et puis, peu à peu, bien que ma gourmandise, ma curiosité et mon besoin que tout tienne bien ensemble soient demeurés aussi vivaces, mes progrès s'étaient enlisés dans un marécage visqueux, de plus en plus visqueux... Les logarithmes, je crois bien. Et la trigonométrie. Ça devenait de la technique, une espèce de cuisine supposée nous faciliter la tâche, et moi, j'ai eu beau vouloir me cramponner, j'ai décroché. Les maths n'avaient plus le même goût. Peut-être la puberté. L'enfant surdoué trahi par le jus de ses couilles... Enfin, bon, le marécage s'est fait mur, un mur contre lequel j'ai buté, et je me suis laissé aller. Je n'étais qu'un « littéraire », j'avais atteint les limites de mon petit outil à raisonner, il me faudrait me contenter de faire joli avec des mots et ce qu'on appelle des idées, c'est-à-dire des paradoxes habilement maniés. Ça, je sais faire.

N'empêche, j'avais connu le jardin enchanté, j'en avais été chassé mais j'en gardais la nostalgie. Un littéraire, bon, puisque mieux ne puis, mais pas un charlatan. Il me faut de la logique et de la rigueur, les idées doivent s'enchaîner l'une à l'autre, impeccablement, comme des théorèmes. Du style, soit, du romantisme, de l'image, de la fougue, et même de la rage, et même du rire, mais au service de l'Idée, qui ne saurait être que de cristal.

Avant d'attaquer la corvée de maths, je lis le sujet du devoir de compo française, il m'est tombé sous l'œil, c'est une disserte.

« Qu'évoque pour vous la commémoration de l'Armistice du 11 novembre 1918 ? Si une nouvelle nation de proie menaçait la paix du monde, seriez-vous prêt à faire le sacrifice de votre vie pour sauver votre patrie et la civilisation ainsi que l'ont fait vos aînés ? »

Oh, mais, dis donc ! Chouette sujet ! Celui-là, je le possède à fond, celui-là ! Ils nous filent ça comme rédac parce que ça va bientôt être l'anniversaire de l'Armistice et qu'on vient juste de faire cadeau de la Tchéco à Hitler pour pas qu'il nous rentre dans le chou, et maintenant on se demande si on n'a pas fait les cons, vu que, Hitler, il est aussi grande gueule qu'avant... Oh, mais, j'ai des tas de trucs à dire, moi ! Des tas de trucs qui tournaillent dans ma petite tête depuis pas mal de temps, qui se cognent aux murs et voudraient bien trouver la sortie. Ben, la voilà, l'occasion ! Du coup, ça me démange de m'y mettre. Et merde, tant pis pour le devoir de maths, je le ferai cette nuit, ou pas du tout, ça me fera un zéro, un de plus, encore des angoisses, aïe, on s'y habitue jamais, aux angoisses...

*

J'attaque la rédac. Ça va vachement bien, ça galope. Ça galope tellement que ça se bouscule, ni queue ni tête, je me paume dans les chemins de traverse, faut mettre de l'ordre dans tout ça. Oui. D'abord, la liste des « idées ». Tout ce qui me vient, comme ça vient, à la queue leu leu. Ensuite, le plan. Tel qu'on m'a appris pour le certif, introduction, milieu, conclusion. C'est vrai que ça aide vachement. Quand t'as pas d'idées, ça te les fait venir. Quand t'en as trop, que t'es excité comme un pou, comme voilà moi en ce moment, ça te les met en place. Voilà, c'est fait, je vois tout à fait clair, je jubile, ça va gicler.

C'est là que Roger fait son entrée. Placide. Hilare.

— Tu t'amènes ? On va faire un tour de marché.

— Ben... J'ai du boulot.

— Oh, dis, eh, fais pas chier. T'as toute la journée.

On traîne sur le marché. On mate les camelots, le soldeur de literie, douze grands draps, douze taies d'oreiller, douze serviettes-éponges grand luxe, douze gants toilette assortis, une nappe, douze serviettes table, douze torchons cuisine, douze serpillières, et tiens, comme prime et comme cadeau, sans supplément de prix sans que je vous demande un rond de plus, le dessus-de-lit à volants imitation satin, couleur au choix, et tiens, je peux plus m'arrêter, les deux coussins pur velours de soie avec sujet artistique brodé couleurs au choix « Fleurs des Champs » ou « Chatons » qui transformeront votre chambre à coucher en salon de la marquise, pour cette superbe collection d'une valeur marchande de vingt mille francs et je pèse mes mots, vingt grands billets, mesdames, je pense que vous êtes d'accord, vous êtes connaisseuses, ça les vaut, mais oui, madame, vous avez raison, je m'adresse aux vrais connaisseurs, à ceux qui savent reconnaître la belle marchandise, les autres je les ignore, eh bien, pour toute la magnifique collection qui fera honneur à votre foyer et à votre bon goût je ne vous demanderai pas vingt mille francs, je ne vous demanderai pas dix mille francs, je ne vous en demanderai pas cinq mille, pas deux mille, pas mille, je ne vous demanderai que la ridicule somme de neuf cent quatre-vingt-quinze francs, c'est complètement dingue, je sais pas ce qui me prend, c'est parce que j'en ai marre, j'arrête, je liquide, je bazarde, profitez-en avant que je me reprenne, et tiens, je m'en fous, j'ajoute en plus, en hommage aux beaux yeux de la première personne qui me fera signe, cette adorable poupée, cheveux naturels, jupe plissée soleil, paillettes or dix-huit carats, que vous mettrez sur votre superbe dessus-de-lit entre vos deux magnifiques coussins, allons, mesdames, qui m'appelle ? Allons !

Plus loin il y a le casseur d'assiettes, plus loin le marchand de loupe-microscope-binocle-longue-vue dans le volume d'un couteau de poche...

On s'en lasse pas, mais on n'est plus des mômes, on mate que d'un œil, l'autre scrute et traque la gonzesse, la créature de rêve perdue dans la foule qui, rien que de l'imaginer, nous fait d'avance cogner le palpitant. Quand on en aperçoit une, une dans nos âges, sans sa mère au rempart, ce qui est assez rare, on se pousse du coude. A vrai dire, on n'ira pas beaucoup plus loin. Mes quinze ans sont d'une connerie paralysante devant la femme et son mystère, quant à Roger, qui n'en a que douze mais fait beaucoup plus, il en est encore à leur plaquer la main au prose en rigolant de bon cœur, elles se retournent, la baffe prête, et puis fondent dans le rayon vert et s'en tirent en haussant les épaules avec accompagnement de moue méprisante, la bête est ferrée, suffirait d'un coup de poignet, mais on est vraiment trop cons, on reste là à ricaner, puceaux à ce point-là c'est pas permis.

— Merde, déjà une heure ! Faut que j'y aille, je vais me faire ramoner, mon vieux veut que je l'aide à lessiver un plafond, c't'aprèm'.

Le père de Roger est peintre en bâtiment. Je trouve maman en train de manger, elle avale sa viande hachée et ses nouilles debout, elle a presque fini. Elle allume le gaz sous mon bifteck, me remplit l'assiette de nouilles qu'elle arrose de jus de je ne sais quoi mais qui sent bon, elle lave son assiette tout en mâchant la dernière bouchée, finit son verre de vin coupé d'eau chaude qu'il y a rien de meilleur pour la santé, elle ôte de son cabas de toile cirée tout râpé ses savates du matin, savates pour les ménages, et les remplace par ses sabots de lessives, son tablier en toile de bâche et sa pèlerine de laine noire parce que, le soir, le froid vous tombe sur les épaules, y a rien de plus traître.

— Tiens, je t'ai acheté des belles pêches au marché. Elle me les avait mises de côté exprès. Y a quand même du bon monde. T'as aussi des bananes. Travaille bien. Laisse pas mourir le feu, que j'aie bien chaud en rentrant. Tu diras à ton père que la soupe est prête, il aura qu'à la mettre à réchauffer, aujourd'hui je vais boulevard de Strasbourg, je vais pas rentrer de bonne heure et je serai tellement crevée que je sais pas si j'aurai envie de manger.

Elle a la main sur la poignée de la porte, elle hésite, se tourne vers moi et dit :

— Si des fois...

Je la vois tout embarrassée.

— Quoi, m'man ?

— Je voulais dire... Oh, et puis, non. T'as ton travail à faire. T'occupe pas de ça. Allez, à ce soir.

— Mais non ! Dis-moi. Qu'est-ce qu'il y a ? Tu voudrais que je vienne te donner un coup de main boulevard de Strasbourg, c'est ça ?

— C'est tellement dur, cette mécanique ! Bien trop dur pour une femme. Et ça me fait perdre un temps !... Et après me faut dix minutes pour que mon cœur arrête de me sauter dans les côtes comme une vieille chèvre.

— A quelle heure tu veux que je vienne ?

— A cinq heures, c'est là qu'il faut pomper. Mais pas plus tard, parce que ça serait plus la peine, je l'aurais fait toute seule. Mais te dérange donc pas, je veux pas que ton travail d'école soit pas fait à cause de moi.

— T'en fais pas. J'y serai à cinq heures.

Cette fois, elle est partie. Coup de canon de la porte du palier, coups de talons sur chaque marche de l'escalier, coup de canon de la porte des chiottes qu'une saloperie de feignant a laissée grande ouverte, commentaires à voix vengeresse de cet incident le long des trois étages, coup de canon de la porte sur la rue, elle est vitrée, celle-là, l'immeuble sursaute une dernière fois sur ses fondations, maman est en route.

*

Ma rédac, ça galope. J'ai toujours eu plaisir à écrire. Enfin je veux dire, une fois que j'ai réussi à me mettre en train. C'est ça le plus dur : se forcer à s'y mettre, à s'asseoir devant le papier. Et après, la première phrase. Oh, les heures devant la saloperie de feuille quadrillée, les sales heures desséchantes, les porte-plume mordillés, hachés, les petits dessins dans tous les sens — toujours de longs trucs pointus : épées, brins d'herbe, cornes de licornes, paratonnerres, je commence par un trait, bien droit bien droit, et puis un deuxième, tout près, presque parallèle mais pas tout à fait, je les prolonge je les prolonge, ils finissent par se rencontrer, ça ne fait plus qu'un seul trait que j'essaie de rendre de plus en plus fin, et après, ce long machin pointu, je lui mets à l'autre bout une poignée d'épée, ça fait une épée, ou une tête de cheval, ça fait une licorne, ou une petite maison, ça fait un paratonnerre, un paratonnerre vingt fois haut comme la maison, ou je l'épanouis en pieds de tour Eiffel, ou j'en fais plein d'autres à côté, ça fait une touffe d'herbe, tout ça en pensant complètement à autre chose, hélas à des conneries, à des rêvasseries, pas à ma rédac. De temps en temps j'émerge, je me dis merde, encore une heure de foutue, j'ai rien fait, rien de rien, oh, merde, merde, merde... Horrible. Jamais je démarrerai, jamais. Je sais de quoi je veux parler, j'ai tout ça bien en tête, bien en main, mais le démarrage, merde, le démarrage... Et puis je me retrouve, trois heures après, devant un fouillis de feuilles de brouillon couvertes de mots qui se courent au cul et de ratures exaltées, va savoir comment ça s'est fait, et je gribouille et je gribouille, impossible de m'arrêter, j'en ai toujours à dire, en pleine transe en plein galop je suis, ça s'enclenche l'un derrière l'autre à toute vibure, tagada, je grimace, je mime, je jubile, je me fends la gueule tout seul de ce que ça marche si bien... Je sors de là pompé, complètement lessivé. Aussi crevant qu'une grosse branlette, sauf qu'au lieu du remords qui te bouffe le ventre j'ai la grosse puissante giclée d'orgueil du gars qui a écrasé la gueule au monstre. J'ai gagné, bon dieu, j'ai gagné ! Je comprends rien à comment ça s'est fait, j'ai même pas vu à quel moment ça a pris le vrai départ, l'impression que c'est pas moi, que j'y suis pour rien, le contact main-cerveau s'est enclenché tout seul, je me réveille, et voilà, le boulot est fait, il est plus à faire, et l'enfant est beau, parfaitement.

Mais aujourd'hui, le démarrage, il me démangeait la pogne, l'encre me dégoulinait au bout des doigts. Aujourd'hui, ah, aujourd'hui j'ai pas dessiné d'épées ni de licornes, j'ai pas sué l'angoisse sur le papier à gueule de raie. Aujourd'hui, c'est tout de suite parti en bombe, j'ai tout balancé, qu'est-ce que je leur ai mis !

J'ai pas gardé le brouillon. Est-ce que j'ai fait un brouillon, seulement ? Me rappelle même plus. Mais j'ai tout là, dans ma tête, si pas les phrases exactes, au moins ce qu'elles racontent. Parce que, ces temps derniers, justement, j'ai compris une chose, une chose qui était au fond de moi, silencieuse et vigilante, depuis longtemps, sans doute depuis toujours, mais qui restait tapie dans le noir et qui maintenant est montée en pleine lumière, et veut absolument sortir, et se cogne aux murs de ma tête.

Cette chose, c'est l'épouvante que j'avais quand ma tante, placide, souriante, arrachait d'un couteau preste l'œil du lapin vivant pendu par les pattes au-dessus de la bassine, PARCE QUE C'EST MEILLEUR : il faut que le lapin soit vivant jusqu'au bout afin que les veines se vident bien de tout leur sang. Le lapin gigotait, ma tante le maintenait, pas que le sang s'égoutte ailleurs que dans la bassine, saprée sale bête, va ! Et moi je hurlais, je courais loin loin, je courais, mais ce lapin était dans ma tête, je l'emportais avec moi, je courais et il gigotait dans ma tête, au bout de ses pattes de lapin qu'étirait la ficelle, je n'étais qu'horreur et hurlement, je comprenais pas qu'on PUISSE faire ça, je comprenais pas qu'on puisse avoir vu ça et vivre, sûr que j'allais mourir, et mes cousins qui se foutaient de la gueule du Parisien aux nerfs de fillette, qui me couraient au cul et me traquaient dans le trou où je m'étais abattu, tremblant de tous mes membres et m'arrachant les joues de mes dix ongles, et qui me chantaient, les lourds connards :

C'est l'Françoué,
Bigadoué,
Qu'a d'la marde au bout des doués,
Il les torche après les murs
Et dit que c'est d'la peinture !

Et aujourd'hui, je sais. JE HAIS la mort. Voilà. C'est tout. Je suis un sensiblard, une gonzesse, je suis le Françoué Bigadoué qu'a d'la marde au bout des doués, et je hais la mort. Je hais ceux qui la donnent, ceux qui la donnent légèrement, ceux qui la donnent distraitement, ceux qui la donnent pour que la sauce du civet soit meilleure, ceux qui la donnent pour faire joujou, ou pour se prouver qu'ils sont des hommes et qu'ils ont des couilles au cul, ou pour la Cause (il y a toujours une Cause qui vaille qu'on tue, et qu'on meure), ceux qui la donnent parce que c'est le seul moyen, ceux qui la donnent pour le sport, pour la gourmandise, pour la coquetterie, pour tuer le temps... Ceux qui la donnent pour le fric, ceux qui la donnent pour l'honneur.

Toute mort est ma mort, qu'on écrase l'escargot ou qu'on achève les blessés, qu'on chasse le canard sauvage en devisant aimablement ou qu'on bombarde l'hôpital...

Je hais ceux qui l'acceptent et ceux qui l'exaltent, ceux qui l'honorent comme « l'autre face de la vie, son complément obligatoire » — paradoxe miteux ! — et ceux qui la parent des prestiges de l'héroïsme du « don suprême »... La mort est une saleté, un point c'est tout. La mort est l'horreur absolue. Savoir que toute vie n'est que prélude à la mort ne peut que faire hurler de rage tout être conscient. Si un dieu a vraiment CRÉÉ ça, je hais ce Dieu, je lui réserve la totalité de ma capacité de haine et je le haïrai à chaque seconde de ce piège à con qu'est ma putain de vie mortelle... Mais un dieu ne PEUT PAS avoir VOULU une telle insanité. Il n'y a pas de dieu. Seuls des hommes, des petits hommes dévorés de peur, ont pu imaginer dans leur esprit tordu, dans leur impuissance à comprendre et à admettre, qu'un dieu tout-puissant ait pu vouloir ça, un dieu à leur image, à leur sale merdeuse image, un dieu capable d'attacher le lapin vivant par les pattes de derrière et de lui arracher l'œil pour que la sauce du civet soit bien réussie.

Il n'y a pas de dieu. Heureusement.

Mais il y a les hommes. Hélas.

Je hais les phraseurs, ceux qui osent habiller la mort, cette hideur grouillante, de mots menteurs, ruisselants de pourpre et de dorures. Je suis et je serai, je me le jure, ce qu'ils appellent un lâche. Car ce sont des cons et des salauds. Pour employer le mot lâche, pour oser le jeter sur quelqu'un, il faut être un con et un salaud.

Tout au long de ma scolarité, on a exalté le courage. On m'a conditionné au courage. Eh bien, on a échoué. Le Cid et sa « mystique de l'honneur », rien à foutre. « A moi Auvergne, voilà l'ennemi ! », rien à foutre. Chacun veut que tous les autres soient courageux pour faire autour de lui un rempart de héros, et aussi pour l'aider lui-même à n'avoir pas trop peur... Le courage n'est ni une vertu, ni un truc sublime. Le courage peut être utile en certaines circonstances, nuisible en d'autres, beaucoup plus souvent nuisible. Pour la survie de l'individu concerné, je veux dire.

Ah, mais non ! Ah mais, pas du tout ! L'individu n'est rien, le groupe est tout. Pourquoi ? Parce que. Cela va de soi, monsieur le raisonneur, monsieur l'égoïste, monsieur le trouillard. Cela ne s'explique pas, ne se raisonne pas, ne s'ergote pas. Cela se SENT. Quand on a du cœur au ventre et des couilles au cul. La Patrie transcende l'individu. Tu lui dois tout, à commencer par ta vie. Ou la Cité, comme disaient les Grecs, ou l'Humanité, ou la Cause, ou la Révolution, le Progrès... Ah, j'oubliais : ou Dieu, qui ne t'a donné la vie que pour voir si tu sauras la vouer à Sa plus grande gloire et au besoin la sacrifier pour Lui plaire...

Et moi je dis non, non. Je suis là par hasard, j'ai appris que je ne suis qu'un infime atome perdu dans l'espace et le temps, que des milliards de milliards d'êtres vivants et de combinaisons de hasard m'ont précédé, qu'un tout petit hasard en plus en moins et je ne serais pas moi, que je vais vivre brièvement, difficilement, tragiquement, et qu'après moi, sur mon fumier, l'évolution continuera, je sais tout ça ET JE M'EN FOUS. Je ne suis qu'un maillon de la chaîne, et je m'en fous. Je suis MOI. Et personne d'autre ne l'est, ne le fut, ni ne le sera. Je ne suis sûr que de mon existence à moi. Je n'ai aucun devoir envers la chaîne, je n'ai rien demandé, je suis là, pas pour longtemps, ça m'amuse et même ça me passionne d'apprendre comment tient ensemble et fonctionne l'Univers, comment il a évolué, comment la vie, puis la conscience et la pensée, y sont apparues, mais je ne me sens en rien responsable de tout ça, ni solidaire des autres hommes. Je suis une bête solitaire (là, je suis content de moi : « bête solitaire », ça a de la gueule, merde. Du Vigny !).

Ce qu'évoque pour moi l'Armistice du 11 novembre ? De la boue. Toute mon enfance a été baignée dans cette guerre de boue. Les monceaux de « L'Illustration » des années de guerre que j'ai dévorés, ces sinistres photos de « poilus » et de tranchées, ces arbres éclatés, ces déserts de gadoue semés de cadavres (de cadavres boches !) où l'eau croupissait au fond des trous d'obus... Et puis j'ai lu Barbusse, Dorgelès, « A l'Ouest, rien de nouveau »... Eh oui, mes professeurs, c'est vous qui me les avez conseillés. J'ai découvert les numéros spéciaux d'un journal de rescapés des tranchées, le « Crapouillot », parce que les titres me disaient que, là, je trouverais la vérité : « Le Sang des Autres », « La Guerre Inconnue », « Les Fusillés pour l'Exemple », « Les Marchands de Canons »[1]. Cela éclairait pour moi les souvenirs de ma mère, qui avait vécu la guerre à Paris et en parlait trop, et les silences de mon père, qui l'avait vécue au front et ne voulait pas en parler. Je trouvais révoltants, injurieux, obscènes, ces superbes portraits en couleurs de « nos glorieux généraux » offerts en hors-

1. Il s'agit, bien entendu, du « Crapouillot » des années trente. Rien à voir avec ce qui se cache derrière le titre actuel !

texte, ces têtes posant à la virile pour la photo, ces képis ceints de lauriers, ces médailles, ces moustaches bien cirées, et même ces cadres dorés imprimés autour afin que les pauvres gens les accrochent au mur à côté du crucifix. Les pauvres gens, ceux dont l'homme du foyer croupissait de peur dans la merde et les poux, et ne reviendrait peut-être pas.

Mon horreur grandissait, et ma rage, et mon dégoût. Toujours l'œil du lapin. Des hommes FONT ça. Des hommes ACCEPTENT ça. Ceux qui n'acceptent pas, on les laisse gueuler tant que ça n'a pas d'importance. Le jour où ils gênent, on les tue. Comme Jaurès. La guerre, au fond, ILS AIMENT ÇA. Ils proclament le contraire, mais ils mentent, ou ils ne se connaissent pas vraiment. Ils aiment ça. Ils aiment gagner, ils aiment risquer, ils aiment avoir peur, ils aiment s'exciter la gueule tous ensemble, en foule, et perdre les pédales, et laisser la responsabilité aux chefs, et quitter la femme, les gosses et le travail chiant, ils aiment se faire des souvenirs formidables pour quand ils seront vieux, ils aiment les médailles et les cérémonies, ILS AIMENT LA MORT.

S'ils étaient sincères, s'ils déploraient vraiment l'épouvantable tuerie qu'a été la guerre de 14-18, alors le 11 novembre serait un jour public de deuil et de honte, la honte de n'avoir pas été capables de construire un monde d'où la guerre serait bannie. Or, qu'est-ce que le 11 novembre ? Qu'est-ce, officiellement ? LA FETE DE LA VICTOIRE ! Hypocrites ! Ils feignent d'honorer les morts, ils déposent des gerbes, ils inclinent des drapeaux, ils minutent des silences, et vite, vite, le défilé, la fanfare, la liesse ! On a gagné, nom de Dieu ! On leur a mis dans le cul ! On a arraché l'œil au lapin, on va pas bouder le civet ! Vive la France !

Ils aiment la mort. C'est pourquoi, le 14 juillet, fête du peuple, en principe, puisque anniversaire du jour où tomba le symbole de l'oppression, tout ce qu'on trouve à leur offrir de plus excitant comme distraction c'est le défilé des armées avec leurs engins les plus destructeurs fièrement astiqués !

Je hais la guerre parce que je hais la mort. Il n'y a pas de guerre juste, il n'y a pas de guerre du droit. Les Léonidas aux Thermopyles se racontent des histoires. Ils ont besoin de l'approbation des autres, ils sont poussés au cul par cette fièvre malsaine que les faiseurs de guerre savent si bien faire naître. « La Patrie en danger ! »... L'Autre, l'ennemi, est toujours une ordure. Mais, pauvres idiots, croyez-vous donc que chaque Boche était convaincu d'être un immonde salaud, un conquérant, un pillard, un assassin qui se jetait sur une innocente proie ? Croyez-vous vraiment que c'est ça que leur racontaient leur empereur, leurs curés, leurs journaux ? Ne pouvez-vous un instant imaginer qu'on les gonflait avec les mêmes boniments pourris qu'on versait à pleins seaux dans vos propres cervelles : le Droit était de leur côté, les Français voulaient bouffer la terre entière, les Français étaient des fourbes, des lâches, des coupeurs de mains de petits enfants, leurs femmes des salopes et leurs fils des apaches... Et si l'Allemagne avait gagné, eh bien, aujourd'hui c'est elle qui remercierait Dieu d'avoir donné la victoire au Droit et à la Civilisation, eh oui.

Je hais la guerre. Elle est la preuve hurlante que nous ne sommes que des sous-hommes, aussi arriérés mentalement qu'à l'âge des cavernes, des brutes avec en main de formidables moyens de destruction. Je ne sais plus qui a dit qu'un pays qui a besoin de héros est un pays fichu, ou quelque chose comme ça. Il est vrai que cet auteur se dépêchait d'ajouter, pour la symétrie et pour rattraper le coup : un pays qui n'en a pas est aussi un pays fichu. Non. On n'a pas besoin de héros. On a besoin de dirigeants qui ne nous mettent pas dans le cas d'en avoir besoin. Or, toute la politique entre pays est dominée par la guerre. Elle est là, silencieuse, elle ne dit rien, mais elle pèse de tout le poids de son gros cul, elle est le Suprême Recours, elle est le Chantage.

La guerre est une institution parmi nos institutions, elle est un métier, un métier plus qu'honorable, un métier prestigieux. Elle s'enseigne dans des écoles spéciales. C'est la guerre qui procure la gloire la plus haute, c'est à des généraux vainqueurs qu'on dédie nos plus belles avenues. Ils aiment la mort.

Il semble bien qu'en ce moment même, novembre 1938, une nouvelle guerre soit inévitable. Les journaux et la radio nous y préparent, nous la martèlent avec des trémolos et des « hélas, hélas ! » hypocrites. Cette guerre, on a fait tout ce qu'il fallait pour qu'elle se produise. Depuis vingt ans. En pleine guerre, en 1917, exactement, les buts de guerre avaient changé. Il ne s'agissait plus d'écraser l'Allemagne et l'Autriche pour se partager colonies et marchés, mais bien d'écraser la révolution bolchevique ou tout au moins de l'empêcher de contaminer les ouvriers du monde entier. Mais ça, on ne l'a pas dit. On ne s'en est pas vanté. On a fait semblant de continuer comme avant mais, une fois l'Allemagne vaincue, on a préparé la future croisade, dont l'Allemagne serait le fer de lance. C'est pourquoi le traité de Versailles a complètement démoli l'empire d'Autriche, qui n'avait qu'une armée d'opérette, et a très peu puni l'Allemagne prussienne, tout en s'arrangeant pour que le peuple allemand se croie puni très fort et soit très en colère. On espérait utiliser cette colère contre les bolcheviks, le moment venu. Il semble bien que le moment est venu. Les Allemands, gonflés par leur Hitler (si ce n'était pas lui c'en aurait été un autre), ont déjà envahi l'Autriche et la moitié de la Tchécoslovaquie. Il n'y a plus de ligne de forteresses entre eux et la Russie bolchevique. Il leur faudra passer par la Pologne, notre alliée... Y aura-t-il la guerre ? La France, ma patrie, y sera-t-elle mêlée ? Froncera-t-elle un vertueux sourcil ? Déclarera-t-elle la guerre à l'Allemagne, pour la forme, tout en la laissant dévorer l'ogre rouge ? Je ne suis qu'un écolier, je ne puis répondre à cela.

Suis-je prêt à faire le sacrifice de ma vie ? La réponse est simple, directe et immédiate : non. Rien au monde ne vaut que qui que ce soit sacrifie sa vie. La vie n'est pas un bien, une possession, un accessoire qu'on peut sacrifier, comme on sacrifie de l'argent, une maison ou même un membre. La vie n'est pas, comme on le proclame, le premier des biens. La vie n'est pas un « bien ». Il y a d'abord la vie, et puis il y a, ou il n'y a pas, des biens. La vie, c'est exister. C'est se rendre compte qu'on existe. « Je pense, donc... etc. » Je ne suis plus, je ne pense plus. Je veux ETRE, c'est tout. Si je ne suis plus, rien n'est plus, et prouve-moi le contraire.

« Plutôt mourir dans l'honneur que vivre lâche. » Voilà le poison qu'on nous fait entrer dans les réflexes. On fait de nous des machines à tuer et à mourir. La mystique de l'honneur... L'œil du lapin, oui ! Et moi, j'affirme que quand on est mort on est mort, et que rien ne peut être pire. Alors que vivre lâche, infâme, bourrelé de remords... C'est sans doute inconfortable, mais ça vaut le coup d'essayer. Rien que pour voir. Il sera toujours temps de me suicider si vraiment c'est insupportable. Le maréchal Bazaine, à ce que j'ai appris en cours d'histoire, après avoir trahi de la façon la plus répugnante et avoir certainement causé volontairement, par pure ambition merdeuse, la défaite française de 1870 avec toutes ses épouvantables conséquences, est mort tranquillement dans son lit. Le général Bernadotte, après avoir trahi la France et participé activement à l'écrasement de Napoléon à Leipzig, a été honoré en France même et a fini ses jours comme roi de Suède, un bon roi, paraît-il... Il semble donc bien que l'épouvantable remords du traître ne ronge que les simples soldats.

Je n'ai aucune vocation à trahir, simplement je ne veux pas me battre. Je préfère vivre esclave, humilié, mutilé, volé, vaincu, battu, cocu que ne pas vivre. Les gens parlent légèrement de la mort, de leur mort, parce qu'ils ne l'imaginent pas. Pas vraiment. Ils se voient étant morts, honorablement morts, ils oublient qu'ils ne verront rien du tout. Ils dégustent d'avance leur « belle » mort. Ils se voient criant « Vive la France ! » juste au moment de la salve (si la salve est en retard, t'as l'air fin !)...

Leurs guerres, ça ne me regarde pas. S'ils remettent ça, c'est leurs oignons. Ils font leurs petits Machiavel, s'emmêlent les pieds dans leurs calculs tordus, et après c'est « La Patrie en Danger ! Aux armes, citoyens ! » Il ne te reste plus qu'à être un merveilleux sublime héros ou un ignoble répugnant lâche, pas de milieu. Tu n'as d'ailleurs même pas le choix : pour les lâches, le poteau et douze balles.

N'ayant aucune vocation à l'héroïsme ni rien à prouver, n'ayant aucune attirance pour les attitudes symboliques, si l'on me force à aller me battre, j'irai. Ma peau avant tout. Mais ne me faites pas dire que j'irai de bon cœur, ah, ça, non ! Et, bien sûr, si je suis acculé au fameux dilemme « tuer ou être tué », je tuerai. Enfin, j'essaierai. Mais ne me faites pas chanter ça comme une victoire. Ayant tué, je pleurerai toutes les larmes de mon corps, je pleurerai sur l'œil du lapin.

Mais, ne manquera-t-on pas de m'objecter, que tu le veuilles ou non, tu fais partie de la société humaine, tu es membre d'une communauté, qu'on l'appelle patrie ou autrement, elle t'apporte le travail des autres, leur science, leurs techniques... Tes besoins satisfaits, ton confort, ta sécurité, tu les dois à la vie en commun. Tu dois donc en partager les devoirs, et d'abord le plus sacré de tous : donner ton sang pour la survie du clan.

Oh, mais non ! Mais pas du tout ! (Ça, c'est moi qui contre-objecte.) Les avantages qu'elle m'apporte, la société, je les paie en lui donnant à mon tour mon travail, mes talents si j'en ai, en m'instruisant pour être à même de lui donner le meilleur de moi-même. Tant que cette association Société-Moi est avantageuse pour chacun des deux partenaires, c'est parfait, je ne triche pas, je participe, je me dépense de bon cœur et je jouis de la lumière électrique, de l'eau courante et du métro en toute bonne conscience : j'ai fait ma part, je touche ma part. C'est mon Contrat Social à moi. Mais si l'on exige soudain de moi qu'en échange de ces petits avantages je donne mon droit à l'existence, ça ne va plus... L'eau courante ne vaut pas ça. Marché de dupes. Quand je dis « la vie », ça peut être les deux jambes fauchées, ou la gueule arrachée, ou les yeux perdus, ou... C'est payer trop cher la lumière électrique et les tartines du petit déjeuner, que j'estime avoir déjà amplement payées par mon travail.

Mais si tu ne tues pas les méchants, ce sont eux qui te tuent !

Si un méchant m'attaque, c'est mon affaire. Si l'on me dit qu'il y a en face soixante millions de méchants et qu'ils m'attaquent moi, personnellement, je demande à voir. Ils ne m'attaquent pas, ils attaquent un monstre abstrait qui s'appelle « l'ennemi ». Ils sont comme moi, ils doivent obéir et faire semblant d'être furieux et enthousiastes. Sinon, douze balles. Sans doute y a-t-il parmi eux, comme parmi nous, des professionnels de la guerre, des militaires, pour qui une guerre est l'occasion de gagner des médailles et du galon, et peut-être son nom sur une plaque de rue. Sans doute il y a aussi des excités, de la graine de héros, des enragés du risque, des amoureux de la mort donnée et reçue, des romantiques à deux ronds qui se gargarisent de mots comme : « panache », « défi », « crâne », « glorieux fou », « risque-tout », « honneur », « gloire », et autres tintamarres flatteurs.

Ils en arrivent à se persuader que ce qui fait mal et qu'on est forcé de subir est une friandise délicieuse. Que la virilité se prouve en marchant à la rencontre des mitrailleuses et en enfonçant sa baïonnette dans un ventre tout chaud. J'ai lu dans les journaux que les combattants de la guerre d'Espagne, aussi bien de droite que de gauche, ont pour fière devise « Viva la Muerte ! », ce qui veut dire « Vive la Mort ! » Vantardises. Rodomontades. Guili-guili à la tête de mort. Panache, toujours. La vérité, c'est que les vaillants combattants de 14-18, on les soûlait à mort avant l'assaut, et même on y mettait de l'éther et d'autres trucs qui les rendaient dingues, c'est mon père qui me l'a dit. Sans parler des officiers veillant, revolver au poing, à ce qu'aucun ne reste en arrière... C'est ça, l'héroïsme ?

Les héros, ce sont les journaux qui les fabriquent, après coup, et les discours devant les monuments aux morts. La guerre est une monstruosité, une honte que rien, jamais, ne justifie. Tous les gouvernements, sous prétexte de défense, préparent la guerre, comme ils l'ont toujours préparée, et ils la feront, comme ils finissent toujours par la faire, toujours, toujours. On nous disait : « Après la terrible tuerie de 1914, les hommes ne seront plus jamais assez fous pour faire la guerre. Elle serait trop épouvantable. 14-18 fut vraiment la Der des Ders, notre sacrifice n'aura pas été vain. »

Pourquoi, alors, les nations de l'Europe n'ont-elles jamais été aussi formidablement armées qu'actuellement ? Il se peut que la prochaine soit la fin de la civilisation, et peut-être de l'espèce humaine, mais ELLE AURA LIEU. Une guerre a lieu quand l'un des adversaires est persuadé, à tort ou à raison, qu'il PEUT la gagner. En général, les deux le sont. Pourtant, il y a toujours un vaincu. Donc, quelqu'un s'est trompé. En 1914, chaque belligérant était, au départ, persuadé de la victoire. Pourtant, l'Allemagne, l'Autriche et la Turquie ont été battues. Le tsar de Russie y a laissé son empire et sa vie. Et les vainqueurs ne sont pas si vainqueurs que ça puisque nous voilà de nouveau en pleine menace de guerre, et contre les vaincus d'hier !

Je suis un lâche. Je ne dis pas : « ... et j'en suis fier », je n'ai pas le goût du paradoxe mondain. Je suis un lâche, j'aime ma peau par-dessus tout, je suis douillet, avant même que l'on commence à me torturer je donne tous les noms. Je suis imperméable à la « religion de l'honneur » qui n'est qu'un attrape-nigaud destiné à faire de nous de la chair à canon docile et même enthousiaste. Mon échelle des valeurs n'est pas la vôtre. Si les imbéciles qui nous gouvernent s'emmêlent les pieds dans leurs lourds machiavélismes et si l'épouvante recommence, je me ferai rat. Seuls, les rats survivent. Vivent les rats !

La vie, ma vie, le fait que j'existe et que je sois là à le constater, m'est un perpétuel étonnement, un émerveillement. Et qu'il y ait tant de vie autour de moi, tant et tant de vie ! Que je vois ou que je ne vois pas, mais je sais qu'elle est là. Du microbe à l'éléphant, du poisson à l'hirondelle, et papa, et maman, et mon pote Roger, et les filles, toutes ces filles... Incroyable, non ?

La mort est inévitable ? Soit. Je crèverai. Le plus tard possible. Et pas de bon cœur. Ah, ça, jamais. Si un Créateur a vraiment créé la mort, cette horreur raffinée, qu'il sache que je lui crache à la gueule.

P.S. : Je croyais m'être éloigné du sujet mais, à la relecture, je m'aperçois que non, tout ça se tient, je pourrais remplir encore quelques pages mais il faut savoir s'arrêter.

Point final.

*

Ça m'est sorti tout d'une traite. Je lève le nez, ça clignote, les oreilles me brûlent, je dois être tout rouge. Enfin, disons, un peu abricot. Une de ces envies de pisser ! Au moins trois heures que je me retiens, sans même m'en rendre compte ! Je suis content. En même temps, j'attends la baffe. Qu'est-ce que je leur mets ! Ça va faire scandale. Non, plutôt, le père Bernadac, le prof' de français, va me rendre ça du bout des doigts, comme un papier-cul merdeux, et me coller un méchant zéro. Oui, c'est sûrement ça qu'il va faire. Lui, la guerre, il en revient, comme tous les profs et les instits que j'ai pu avoir, et naturellement faut pas la lui dédorer, sa guéguerre. Ils en ont tous bavé, le prof d'hist' nat' a eu les jambes fauchées par une mitrailleuse, il se traîne entre deux béquilles, on l'appelle « Bamban ». Le dirlo, le père Hachet, on l'appelle « Phalo », va savoir pourquoi, y a laissé un bras, le gauche, ils lui en ont mis un en fer, il porte ça très noblement, n'empêche qu'on l'envie pas. On l'appelle « Bras-de-Fer », aussi. Enfin, bon, ma rédac, je suis content de la leur balancer en pleine gueule, même si ça doit me faire virer ou s'ils décident de ne pas me présenter au Brevet. C'que j'en ai à foutre, du Brevet ? Je veux pas devenir bureaucrate. Et d'abord, j'aurais dû le passer l'an dernier, le Brevet, mais j'étais en avance d'un an, rien à faire pour avoir une dispense, seize ans c'est seize ans, alors en attendant mes seize ans je redouble. Et je m'emmerde. Plein le cul, de l'école. Les maths veulent plus de moi, en histoire-géo et sciences on refait le même programme, tu parles si c'est excitant...

Allez, demain je rends la rédac, plus qu'à attendre les remous. De toute façon, j'ai dit ce que je pense, et merde, une fois de temps en temps, ça fait du bien.

*

Avec tout ça, il est cinq heures, et moi qui ai promis à maman que j'irais lui donner un coup de main ! Vite mon blouson, mon cache-nez, je prends mon vélo chez le père Moreau, le bourrelier, y'a que là qu'on risque pas de me le voler, la chienne Diane les boufferait, et vas-y que je pédale vers le boulevard de Strasbourg.

C'est dans une cave. Il fait sombre, juste une ampoule au bout d'un fil au-dessus du bac à laver. L'ampoule fait ce qu'elle peut du haut de ses quarante watts pour percer le gros brouillard, mais elle a vite compris. Il fait étouffant, là-dedans, un bain de vapeur, et moite, tu respires du coton mouillé chaud qui fait tampon dans ta gorge. Et ça sent fort, fort et fade, cette vieille odeur de crasse bouillie et de cristaux de soude qui est l'odeur des lieux de travail de maman comme l'odeur du ciment frais est celle des chantiers de papa. Tout à l'heure, ça sentira l'eau de Javel du dernier rinçage. Cette odeur-là, je l'aime. Peut-être parce que maman répète toujours que l'eau de Javel y a rien de plus sain, ça tue le microbe, on l'a même étudiée en chimie, à l'école, mélange de chlorure et d'hypochlorite de sodium, ça dégage du chlore qui est un antiseptique puissant et un actif décolorant, la science donne raison à maman, et donc pour moi l'odeur de l'eau de Javel évoque des idées de pureté, de propreté, d'antisepsie, de linge bien blanc plié repassé, de chemise fraîche qui glisse sur moi après la douche... Peut-être aussi que l'eau de Javel, pour moi, c'est maman, depuis tout petit cette odeur accompagne maman, la précède, l'annonce, le soir à la Maternelle, quand je restais le dernier que tout le préau était éteint sauf une lampe et que la grosse Madame Casse bougonnait « Toujours les mêmes ! Et moi, j'ai ma soupe à faire, moi ! Moi aussi, je travaille, moi ! » et me faisait peur avec sa moustache, soudain j'entendais les pas, et en même temps je sentais l'odeur, l'odeur de Javel... « Maman ! » Je courais à elle, elle m'enlevait dans ses bras, elle était tout essoufflée, elle disait à Madame Casse qu'elle avait bien cru qu'elle finirait jamais, et que ça glissait dans les rues, elle avait failli tomber vingt fois, des choses comme ça. Et moi je serrais maman très fort, je prenais sa main et je la portais à mon nez, je respirais bien à fond l'odeur de la Javel qui sortait des plis, ses mains étaient toutes ramollies d'être restées si longtemps dans l'eau, toutes molles et toutes blanches, avec des plis très profonds et tout tortillés, comme si il y en avait beaucoup trop, de la peau, et que la main était trop petite dans toute cette peau molle.

Maman me dit « T'es donc venu ? Fallait pas. » Mais je vois bien qu'elle est à bout de fatigue. Les mèches lui sortent du fichu et collent à ses joues, la sueur lui dégouline, elle a encore une grosse lessiveuse qui bout sur le fourneau, elle doit finir ça avant ce soir, lavé, rincé, passé au bleu, étendu sur les fils... Je sais ce que j'ai à faire. Au mur il y a une roue, une grande roue de fonte avec une poignée, et cette roue actionne une pompe qui va sucer l'eau je ne sais où dans les profondeurs et puis la recrache dans le grand bac en ciment. C'est vrai que cette mécanique est lourde comme le diable, une fois lancée elle t'entraîne, si tu ralentis l'eau s'arrête complètement, il ne faut surtout pas descendre au-dessous de la bonne vitesse sinon t'es bon pour réamorcer la pompe, et ça c'est la galère.

Je m'accroche à la roue, et vas-y que je te pompe. Même pour moi, qui suis jeune, pas pourri et pas fatigué, c'est vite essoufflant. Je me dis que maman fait des trucs pareils tous les jours. Je la regarde, elle est en train de prendre les draps dans la lessiveuse avec deux bâtons, et puis elle les fait tomber dans le bac. Les draps sont bouillants, une vapeur énorme sort de la lessiveuse, l'odeur de crasse recuite et de soude me prend à la gorge. Quand elle a retiré le plus gros, elle attrape la lessiveuse par les deux poignées de côté et la voilà qui t'empoigne ça à bras-le-corps et qui te porte tout le bazar fumant bouillant jusqu'au bac et le renverse cul par-dessus tête en s'encourageant à coups de « Marche donc, viéle béte ! » de charretier. Elle est à la fois le cheval et le charretier. Je crie :

— Tu pouvais pas me demander ?

— Toi, tourne-moi c'te mécanique et t'occupe pas du reste. A chacun son métier, les vaches seront bien gardées, comme on dit chez nous.

— Et ton ventre, t'y penses, à ton ventre ?

J'ose pas dire « ton éventration », le mot me fout la trouille, un flot de tripaille qui se répand, un ventre béant, vide.

— T'en fais donc pas, tant que mon corset me tient bien, pas de danger.

Son petit corset rose acheté sur le marché...

— Les deux bacs sont pleins, m'man. T'en faudra encore ?

— Oh, je crois que ça ira comme ça. Merci, mon grand, tu m'as fait gagner du temps, je suis bien contente. T'as bien travaillé ?

— Ouais, m'man, ça va.

Je me dandine un bout de temps d'un pied sur l'autre. Roger doit être rentré de son chantier. Envie de passer le prendre, on irait voir au coin de chez Sentis s'il y a Brascio, Vapaille et les autres, c'est toujours là qu'ils traînent, le soir, le cul sur leurs vélos, ils déconnent et sifflent les gonzesses...

Je dis :

— Bon, ben, je vais y aller.

Maman me fait :

— Tu m'attends pas ? J'en ai plus pour très

longtemps. Tu me donnerais un coup de main pour tordre ces bon dieu de draps.

— Ben...

— Oh, je comprends que t'as à faire. Perds pas ton temps, j'y arriverai bien toute seule, va, j'ai l'habitude.

Merde, que c'est dur d'être un salaud ! Surtout dans les petites choses. J'entends pas, je veux pas entendre ce qu'il y a dans sa voix. Je veux pas comprendre que rentrer ensemble à la maison, elle à mon bras, moi portant son cabas, serait pour elle un cadeau qui effacerait la fatigue. Je veux pas, je veux pas.

— Ben, tu vois, m'man, faut que je passe voir Fousse pour lui demander un énoncé de problème que j'ai oublié de recopier, alors...

— Va, mon grand, va. Et fais bien attention avec ta bécane, va pas te faire écraser par un de ces fous en auto.

Une bouffée de honte me monte aux joues. C'est trop facile à étrangler, quelqu'un qui tend le cou de bon cœur. C'est trop facile à étrangler, une mère.

J'embrasse sa sueur et ses mèches collées, elle me serre fort dans ses bras, elle dit :

— Va, mon grand chéri. A tout à l'heure. Dis à ton père, pour la soupe.

Et puis :

— Oh, je t'ai tout mouillé !

— C'est rien, m'man.

Je me suis sauvé. Quatre à quatre.

*

Bernadac rend les devoirs de compo française. Il

commence par les notes les plus basses, les gugusses dont les devoirs font marrer la classe, il lit des extraits, et puis il continue en remontant le palmarès, la meilleure note est pour la bonne bouche. La meilleure note, c'est moi. A tous les coups. Pas de surprise. Ah, cette fois, si, surprise. Il a annoncé l'avant-dernière note, c'est-à-dire le presque meilleur devoir mais pas tout à fait le meilleur, c'est Vaidis, là non plus, pas de surprise, ou c'est Vaidis ou c'est Alerme, aujourd'hui c'est Vaidis. Le dernier devoir, il l'a devant lui, il le tient à pleines mains, c'est un gros devoir, un vrai matelas. J'en reviens pas. J'ai pondu tout ça, moi ? Je me sentais plus, ma parole !

Bernadac tire une drôle de gueule. Triste, je dirais. Peinée. Et solennelle. La dame qui constate que le chat a encore fait caca sur le beau tapis. Je m'attends au pire. Je me recroqueville, mes bras meurent d'envie de se lever devant ma figure pour parer la baffe. Et puis je me dis que, merde, je l'ai écrite, cette rédac, je savais ce que je faisais, je savais ce qui arriverait, et bon, voilà, ça arrive, il va pas me faire un trou au cul, le père Dadac, le pire qui puisse m'arriver c'est le Conseil de Discipline et la porte. Eh bien, s'ils me foutent dehors, je me ferai embaucher comme garçon maçon, j'ai pas la trouille, qu'est-ce qu'ils croient ?... Oui mais, et maman ? Foutu à la porte de l'école, c'est le déshonneur, c'est la honte devant les voisines ricanantes en dessous, c'est la fin du rêve de son François devenu un monsieur dans un bureau et la vengeant de tout... C'est pas simple, la vie, faudrait naître orphelin, comme dit Poil-de-Carotte, on l'a étudié cette année.

Bernadac estime que le douloureux réprobateur silence a assez duré. Il a produit son effet. Toute la classe se pousse du coude, chuchote et glisse vers moi des regards curieux. Ils ont tous eu leur note, alors celui qui reste ne peut être que moi. Bernadac se décide.

— J'ai là, devant moi, un devoir que je n'ai pas noté. Je n'ai pas cru avoir le droit de le faire, ni la compétence. En effet, ce devoir, tout en restant dans le cadre du sujet proposé, revêt un caractère polémique, je dirai même délibérément provocateur, qui ne permet pas d'en juger objectivement la forme, le style, sans tenir compte des opinions émises, si l'on peut toutefois qualifier d'opinions un tel condensé d'injures, de contre-vérités et de violence verbale.

Il me regarde. Lui, c'est un concentré de sévérité et de dégoût qu'il se met sur le masque. Pas un instant ses sourcils ne se défronceront. J'espère pour sa famille qu'il y arrivera avant de rentrer à la maison. En attendant, je ressens ce que ressent l'araignée qui voit la semelle de la godasse s'abattre sur elle.

— Jusqu'ici, dit Bernadac, les lâches avaient du moins honte d'être des lâches. Ils rampaient, rasaient les murs, se terraient, en tout cas se taisaient. Ou bien se déguisaient hypocritement en braves à tout crin. Eh bien, voici du nouveau : le lâche fier de l'être, le lâche se proclamant lâche, le lâche arrogant.

Il marque un temps, que la classe profite bien de la belle introduction. J'ose :

— Pas fier, m'sieur. Pas arrogant. Je décline toute référence à des notions telles que la fierté, la dignité, l'honneur, la honte...

J'ai la voix pas très sûre, mais j'ai réussi à dire ça. J'avais préparé la phrase dans ma tête, je savais qu'il mettrait la chose sur ce terrain-là : fierté contre honte, honneur contre infamie et tout ça.

Bernadac n'en revient pas. Il me le fait à l'ironie supérieure. C'est pas dur, quand on est sur l'estrade, du bon côté du cahier d'heures de colle.

— J'ai pu constater que vous savez manier les sophismes !

— Les quoi, m'sieur ?

— Les sophismes. Lisez Rabelais, mon ami. Bref, je n'ai pas l'intention de m'abaisser à discuter du bien-fondé des « idées » que vous défendez avec tant de véhémence. Je me contenterai de vous faire remarquer que vous insultez les anciens combattants, et ça, je ne peux pas le laisser passer.

La classe émet un « Oh... » incrédule et prolongé.

— Je fus moi-même un combattant du front, je me permets de vous le rappeler. Je me sens insulté par vous, monsieur Cavanna, avec tous mes camarades des tranchées, avec tous ceux qui sont morts pour que vous puissiez vivre, pour que vous soyez libre, pour que vous jouissiez du bonheur de vous instruire, monsieur Cavanna !

Il s'excite, il s'excite... C'est pas pour des prunes qu'il appuie sur ses « monsieur Cavanna ». Mine de rien, au cas où la classe aurait tendance à l'oublier, il n'est pas inutile de débusquer le métèque sous le blasphémateur.

— Je les ai pas insultés, m'sieur. J'ai écrit qu'ils étaient des victimes, qu'on leur avait bourré le mou, que si on leur avait demandé leur avis...

— Vous avez écrit « pauvres cons », monsieur Cavanna. J'en demande bien pardon à vos camarades, je n'ai pas pour habitude d'employer de tels mots en classe, mais ils sont là, noir sur blanc.

La classe est un énorme cul de poule qui fait « Ho... ».

— L'avez-vous écrit, oui ou non ?

— Oui, mais...

— Vous l'avez écrit. Ce n'est pas par l'injure que l'on nourrit la polémique, monsieur Cavanna. L'injure est l'argument de ceux qui n'en ont pas.

— Moi, je trouve que ça aide bien, m'sieur.

— En ma qualité de professeur spécialement chargé de vous enseigner l'usage et les beautés de la langue française, vous me permettrez de ne pas partager ce point de vue. Passons... Quant au fond, vous méprisez les héros, vous rabaissez le courage à un simple réflexe « plus souvent nuisible qu'utile pour l'individu » (je vous cite), vous ramenez la Grande Guerre à une sordide empoignade de mercantis et le Traité de Versailles à je ne sais quelle tortueuse magouille visant essentiellement à préparer le prochain massacre. C'est bien cela ?

Je baisse le nez. A quoi bon... ? Ils sont juste comme tu prévois qu'ils seront. Décourageant. Je dis :

— Guynemer était le dieu de ma mère. Donc, le mien, autrefois. J'ai lu des tas de « Vie de Guynemer ». Eh bien, à travers ces récits tout dégoulinants d'adoration, j'ai compris que Guynemer était un tueur-né, un assassin. IL AIMAIT TUER. C'est une chance que la guerre lui ait donné l'occasion de le faire avec l'approbation générale, sinon...

— Il est des circonstances où ce qui serait dangereux devient salvateur, et même sublime.

— Je n'emploie pas de mots comme « sublime ». Dites « utile », c'est plus vrai. Et plus franc.

— Guynemer a fait son devoir, plus que son devoir, comme tant d'autres l'ont fait. Il est mort en plein ciel de gloire, et je ne vous permets pas...

— Ça y est ! « Ciel de gloire » ! « Champ d'honneur » ! Ouvrez le ban ! Quand il a été abattu, son adversaire vainqueur est venu survoler sa tombe et faire un petit salut avec ses ailes, ou balancer une couronne, je me rappelle plus bien, enfin, une connerie symbolique de ce genre... On appelle ça « un geste chevaleresque »... La « grande chevalerie du ciel »... Et les bons cons ont la larme à l'œil...

— Vous êtes... Non, je ne vous dirai pas ce que je pense de vous.

— Guynemer était un voyou et Jeanne d'Arc une cinglée !

C'est que je m'énerve aussi, moi. La classe fait « Hou, hou... », un chahut s'amorce. Desmeules me file des coups de coude : « Ta gueule, merde, tu vas te faire virer ! »

Bernadac cogne de sa règle sur le bureau. Ça se calme.

— Quoi qu'il en soit, je ne noterai pas ce devoir. Je le transmets à Monsieur le Directeur, qui décidera des sanctions à prendre.

*

Dans le bureau du dirlo. Bras-de-Fer, raide comme son bras. Il est assis, je suis debout. Ses yeux aussi sont de fer.

— Huhmm... Ceci explique bien des choses, mon ami... Votre comportement depuis quelques mois. Votre visible désintérêt, je dirai même votre ostensible mépris pour les matières enseignées ici. Vous êtes sur la mauvaise pente. Si les études vous pèsent, que ne nous quittez-vous pour entrer dans la vie active ? Je vous rappelle toutefois que vous bénéficiez d'une bourse d'études et que, au vu de vos résultats au concours et des dispositions que vous manifestiez alors, nous avions fondé sur vous des espoirs que vous avez bien déçus... Peut-être une brillante carrière vous attend-elle dans la politique, dans un de ces partis extrêmes dont le programme consiste à détruire la société ? En tout cas, je vous préviens, vous ne serez pas admis à vous présenter à l'école à la rentrée prochaine. C'est tout ce que j'avais à vous dire.

Ça signifie qu'il faut que je réussisse mon Brevet du premier coup et que je ne pourrais pas préparer le concours de Normale, si des fois j'en avais envie. Ça tombe bien, j'en ai pas envie.

*

Oùi, mais le dirlo envoie une lettre à la maison, priant mon père de passer le voir. Par la poste, il l'envoie. D'habitude, on confie la lettre à l'élève. Il se méfie, la vieille vache ! Naturellement, c'est maman qui ouvre la lettre, bien obligée. Elle demande une heure à sa patronne, et nous voilà dans le bureau de Bras-de-Fer, moi debout, elle assise du bout d'une fesse, écrasée de respect, se demandant ce que peut bien lui vouloir Monsieur le Directeur, sur ce point c'est pas moi qui l'aurais affranchie !

Le dirlo commence par s'étonner que mon père n'ait pas daigné. N'a vraiment pas pu se rendre libre ? L'avenir de son fils ? Enfin, enfin... Maman doit expliquer qu'il est étranger, ne parle pas bien le français, tout ça, tout ça... Ah, ah... Je vois. Il voit : je suis EN PLUS un pas-tout-à-fait Français. Même pas la reconnaissance du ventre... Il n'insiste pas, du tact jusqu'au bout des ongles. Eh bien, votre fils, madame... Des facilités que je suis le premier à reconnaître... Les dons ne sont rien sans le travail... (Ça, ils n'admettent pas : que les « dons » du ciel aillent à des têtes brûlées, jamais aux petits gars bien convenables. On leur donne des dons, confiture aux cochons !)... Fantaisiste... Responsabilité... Sens du devoir... Il est des choses sacrées, madame... Je ne sais quel ferment d'anarchie... Mauvaises lectures... Fréquentations... Ceux qui sont tombés pour que plus jamais ça... Le ton monte, le bras de fer s'abat sur le bureau. Maman, pétrifiée.

De tout ce discours elle ne retiendra qu'un mot, maman, un mot terrible : anarchie. Pour elle, c'est l'horreur et l'abomination. Les anarchistes, elle a connu. La bande à Bonnot, Ravachol, les bombes dans tous les coins, c'est son jeune temps, les journaux en étaient pleins. J'ai pas fini de l'entendre !

— Alors t'es rien qu'une graine d'anarchisse, un fouteux de feu, un Ravachol ? C'est pour ça qu'on s'est usé les sangs à te donner de l'instruction, avec ton père ? Pour arriver à ça ? C'est pourtant pas les exemples que t'as à la maison ! Oh, mais, je me doutais bien que quelque chose tournait pas rond, depuis quelque temps...

Et ça continue...

Une fois de plus, je lui ai fait de la peine. C'est tout ce que je sais faire : de la peine. Que je m'y prenne comme je veux. Je hais le dirlo et tous ces vieux cons. Ils ne voient pas la différence, ces bourgeois. Maman n'est pas une « mère d'élève », une dadame pour qui la scolarité de son gosse n'est qu'un problème parmi ses problèmes. Ils ne voient pas, ils ne peuvent pas voir qu'ils lui écrasent le rêve, à la petite Margrite gardeuse de cochons. Que si elle ne croit plus en son gars, elle est foutue. Elle n'a que ça, elle : moi. Elle a besoin de croire qu'au bout de toutes ces lessives et ces pailles de fer il y a ma réussite. L'idée qu'elle se fait de la réussite. Qu'elle puisse voir au loin pour moi un avenir radieux de receveur des Postes ou de sous-chef de bureau la paierait de tout.

Moi, ce que je veux devenir, j'en sais rien. Rien du tout. Mes idées « anarchistes », jamais j'en parle à la maison, pour ne pas faire de peine, justement. Mais j'ai raison. C'est la raison qu'ils m'ont eux-mêmes mise dans la cervelle qui me démontre que j'ai raison, aussi vrai, aussi clair que le théorème de Pythagore. Pas de ma faute si eux ont la trouille d'aller jusqu'au bout de leur raison.

PETIT LEXIQUE ABRÉGÉ PAPA-FRANÇAIS
à l'usage de ceux qui ne comprendraient pas spontanément certaines tournures du langage de Vidgeon

Bisoin qué... : Il faut que... (it. « *bisogna* »).

Brave : Capable, qui connaît bien sa partie.

Bon : Même sens que « brave ». Ex. : « T'es bon sauter zousqué là-vaut ? » : Tu peux sauter jusque là-haut ?

Coute oun po' : Écoute un peu.

Coula-li, cousta-qué : Celui-ci, celui-là (it. « *quello-li, questo-qui* »).

Diou te stramaledissa ! Que Dieu te supermaudisse ! (le plus classique juron des vallées piacentines).

Esse : Être (it. « *essere* »).

Fieu : Fils (s'emploie beaucoup pour « type », « gars ». Ex. : « Coul' fieu-li » : Ce gars-là. « E oun bel fieu » : C'est un brave type).

Fout qué... : Il faut que...

L'me fieu : Mon fils (se prononce « fieu » ou « fi-ieu », ça varie d'une vallée à l'autre).

L'me piston : Mon fiston. En italien, l'adjectif possessif est toujours précédé de l'article (sauf pour la famille proche, mais en dialetto on met l'article même pour la famille).

L'me cougin : Mon cousin.

L'tou pare, l'tou mare : Ton père, ta mère.

L'ma bourzoige : Ma bourgeoise (évidemment !).

Loui, lvi : Lui (eh oui, papa ne prononce pas toujours le même mot de la même façon ! Des fois, pour dire « Oui », il dit « Si », d'autres fois « Vi »).

Gvarder : Regarder (it. « *guardare* »).

Oun : Un (prononcer même carrément « on »).

Mva, tva... : Moi, toi... (le « oi » français passe mal).

Tante : Tant, tellement (it. « *tanto* »).

Quouante : Quand (it. « *quando* ») mais peut aussi être « combien » (it. « *quanto* »). Ex. : « Quouante qu'i vienne... » : Quand il viendra. « Quouante qué t'n'as fatte ? » : Combien en as-tu fait ?

Sta...-là : Ce. Ex. : « Sta vaseau-là » : Cet oiseau. « Sta messieur-là » : Ce monsieur.

Tourner : Retourner, ou revenir, ou devenir (it. « *tornare* »). Ex. : « Ze tourne la maijon » : Je rentre à la maison. « Quouante qué tou tournes » : Quand tu reviendras. « I tourne miçante » : Il devient méchant.

Je n'ai pas voulu trop compliquer, il faut que ça reste compréhensible au premier coup d'œil. Je n'ai donc pas transcrit « G'l'oum » : Je l'ai, « Ch'oum » : Je suis, qui feraient venir la larme au coin de l'œil des enfants de Ritals mais seraient trop rébarbatifs au lecteur français pur jus.

Le « dialetto » des vallées piacentines, vieux parler latin déformé par des gosiers celtes (Gaule cisalpine), présente des sons semblables aux sons français : le « u », le « eu », les nasales « on », « an », « ain ». Les « o » italiens deviennent des « ou », les « ou » deviennent des « u ». Ex. : « polenta » devient « poulainte », « cognato » (beau-frère) devient « cougna » et même « cugna », « buco » (trou) devient « buse »...

Et puis il faut bien que je laisse au lecteur le plaisir de déchiffrer, au moins un peu, non ? Faut-il vraiment vous traduire « I se prende la colère » ou « L'm'a'gvardé pour traverse » ? Bon, ces deux-là, d'accord, et après ça ira tout seul. Voilà : « Il se met en colère ». « Il m'a regardé de travers ». Ça ira comme ça ?

QUELQUES EXPRESSIONS NARQUOISES QUI ÉTAIENT TOUTES NEUVES DANS LES ANNÉES TRENTE

pour tirer une larme attendrie aux ceusses qui ont connu ces insoucieuses années

« C'est toujours ça de pris, comme disait ma grand-mère ! » (*Avait pris définitivement le pas sur* « Encore un que les Boches n'auront pas ! » *Les jeunes générations entraient résolument dans un avenir où les mots de « guerre », d'« ennemi », de « Boche » n'avaient aucun sens.)*

« Est-ce que je te demande si ta grand-mère fait du vélo ? » *(Décidément, la grand-mère tenait le coup au hit-parade des répliques de confection !)*

« T'occupe pas du chapeau de la gamine ! » *(Ça pouvait aussi bien vouloir dire* « Te fais pas de bile, tout est prévu » *que* « Mêle-toi de tes oignons ». *Ça dépendait du contexte.)*

« Y a de quoi se la prendre et se la mordre ! » *(Sans commentaire.)*

« Ta bouche, bébé, t'auras une frite ! » *(Pour dire* « Ferme-la ! », *mais plutôt gentiment.)*

« C'est pas la mort du petit cheval ! » *(Le gars vraiment dans le vent répondait automatiquement :* « ... dans les bras de sa mère ! » *Et de rire.)*

« Ça te quittera avant que ça me reprenne. » *(Consolation d'un vieux à un jeune après un chagrin d'amour.)*

« Pleure pas, tu la reverras, ta mère ! »

« Va te faire empapaouter chez les Grecs ! »

« Va dégueuler dans ta cour ! » *(Les gens polis disaient plutôt* « Va faire ça dans ta cour ! »*)*

« Marche en France ! » *(Le jour où le type dont j'écrasais le pied m'a dit ça, j'étais tellement ravi de la beauté de la chose que j'oubliai de descendre du pied.)*

« T'en fais pas, Bouboule ! » *(Tiré d'une chanson de Milton, comique alors très populaire. Le gars à la page ajoutait :* « Te casse pas la boule ! »)

« Tout va très bien, Madame la Marquise. » *(D'après la chanson créée par Ray Ventura et ses Collégiens, qui connut un succès fantastique : je l'ai entendue chanter — en russe ! — par des déportés soviétiques...)*

« Ça vaut mieux que d'attraper la scarlatine ! » *(Autre succès monstre de Ray Ventura.)*

« Redis-le moelleux. » *(Scie lancée par Pierre Dac dans son hebdo « L'Os à Moelle ».)*

« Refeuleumeuleu. » *(Probablement dérivé du précédent, ainsi que « Redileumeuleu ».)*

« Oh, dis donc, Mimi, tu te rends compte ? »

« C'est plus fort que la vitesse du vent ! » *(A quoi il est de bon ton d'ajouter :* « ... et que la flexibilité de la queue de la vache. »*)*

« Démarrer au quart de tour... » *(... de manivelle, bien sûr.)*

« Et un Pernod pour Arthur ! » *(Slogan publicitaire qui eut son heure de gloire.)*

« Vachement »... « Vache »... « Vacheté »... *(Équivalents 1930 de* « Sensass », « Super »*...)*

« Sans faux-col ? » *(Sans charrier.)*

« C'est pas de la tarte. » *(Variantes :* « du millefeuilles », « du baba ».)

« Si t'aimes pas ça, on peut faire monter de la bière. »

Et le définitif « Et ta sœur ? » *qui coupait court à toute discussion. Il ne restait plus à l'interlocuteur qu'à sauver l'honneur par un* « Elle bat le beurre ! » *sans illusions. Mais s'il voulait vraiment la bagarre, il ajoutait* « ... quand elle battra la merde, je couperai le bâton en deux et je te garderai le bout merdeux ! » *Là, c'était le duel à mort, obligé.*

La première fois qu'un gars m'a dit, gentiment, « Ça boume, p'tite tête ? » *j'ai vraiment cru que j'avais le crâne trop petit, tellement trop petit que c'était ce qu'il y avait de plus visible en moi. J'ai couru regarder dans la glace, et, bien sûr, j'avais une toute petite tête ridicule, ce type avait raison... Il m'a fallu longtemps pour m'en remettre.*

Œuvres de Cavanna
dans Le Livre de Poche

Les Ritals 5383

Les Ritals de Cavanna, ce sont les natifs d'au-delà des Alpes attirés par l'appât du travail et fixés en banlieue est, à Nogent-sur-Marne — rue Sainte-Anne et alentours, entre 1930 et 1940, soit approximativement entre les six et les seize ans de l'auteur.

Récit d'enfance donc, placé dans la bouche du gosse de ce temps-là, le fils d'un maçon italien et d'une Morvandelle, qui grandit au milieu des purs Ritals, saute avec eux du temps des gamineries dans celui des jeux de l'adolescence, se paie une fugue et s'en repent, cherche sa place dans un monde soumis aux tentations des chemises rouges, noires ou brunes...

Les Russkoffs 5507

« Le petit Rital a grandi. Septembre 1939 : il vient d'avoir seize ans.

Cette fois encore, c'est le jeune gars de ce temps-là qui parle, avec ses exacts sentiments de ce temps-là, ses exacts sentiments tels que sa mémoire les lui fait revivre. Il n'est pas forcément triste là où il devrait l'être, ni joyeux là où d'autres le seraient. La guerre, ça n'a pas le même goût pour tout le monde.

Ce livre est dédié à tous les pauvres cons qui ne furent ni des héros, ni des traîtres, ni des martyrs, ni des bourreaux, mais simplement, comme moi-même, des pauvres cons. »

CAVANNA.

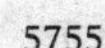

Bête et méchant 5755

Après la banlieue des *Ritals*, l'Allemagne et la Russie des *Russkoffs* et de la guerre, Cavanna rentre à Paris. Il faut survivre, sans argent et sans relations. Maria, la femme tant aimée, perdue en Russie, continue de hanter François. Il rencontre Liliane, « petite chèvre aux cornes agacées ». Après des travaux temporaires et beaucoup de portes claquées au nez, ce sont les débuts de *Hara-Kiri* avec Choron et les copains. La langue de Cavanna est crue mais le cœur est infiniment tendre et bienveillant. Son prodigieux humour atténue la violence et la bêtise des luttes quotidiennes. Un extraordinaire troisième volet de la vie de Cavanna.

Les Yeux plus grands que le ventre 6036

« Trente-cinq ans. L'âge des ogresses qui rôdent, claquant des mâchoires. L'âge des mantes religieuses. Les redoutables divorcées de trente-cinq ans. Petit homme triste qui rêve d'un gros doux cul pour y poser ta tête, petit homme triste, si tu en vois une à l'horizon, fuis à toutes jambes, fuis ! »

Le héros des *Ritals*, des *Russkoffs*, de *Bête et méchant* raconte comment on devient un amoureux impénitent. Les femmes et Cavanna, ce n'est pas triste, même si c'est, quelquefois, tragique.

Maria 6317

« Le présent ouvrage est, entre autres choses, un essai d'autobiographie-fiction, le premier essai d'autobiographie-fiction de tous les temps. L'histoire racontée est le récit d'événements non encore advenus dans la vie de celui qui les raconte mais qui découlent presque fatalement de ce que nous savons de lui, de ses antécédents, de son caractère, d'après les épisodes antérieurs de sa biographie. »

Nous sommes en 1989...

Les Écritures 5903

Cavanna ne se résigne pas à l'injustice, à la violence et à la cruauté des hommes créés par Dieu. Alors il relit l'Ancien et le Nouveau Testament et les commente à sa manière, verset par verset, dans « Les Aventures de Dieu » et celles « du Petit Jésus ».

La Bible de Cavanna est certes corrosive, d'une irrévérence gaillarde, mais elle est aussi remplie d'humour, franchement drôle, et contient une grande tendresse pour notre pauvre humanité.

... Et le singe devint con 6186

En vingt-cinq leçons magistrales, les origines et le développement de l'humanité, racontés et dessinés par Cavanna.

Le Con se surpasse 6426

« Le Singe est devenu le Con. Maintenant, il fait le fier. Il regarde de haut les autres créatures... »

En vingt-cinq cours magistraux... plus un tableau récapitulatif, *Le Con se surpasse*, raconté et dessiné par Cavanna.

Les Fosses carolines 6556

« Les temps où se fit l'Europe des Bâtards. Notre Europe. Nous sommes tous des bâtards. Tant mieux pour l'Europe.

On s'y bat férocement. On y baise furieusement. On y aime à en mourir d'amour.

Voilà. C'est un roman. Un roman d'aventures. »

CAVANNA.

Composition réalisée par C.M.L., Montrouge.

IMPRIMÉ EN FRANCE PAR BRODARD ET TAUPIN
Usine de La Flèche (Sarthe).
LIBRAIRIE GÉNÉRALE FRANÇAISE - 6, rue Pierre-Sarrazin - 75006 Paris.

ISBN : 2 - 253 - 04851 - 8 30/6577/8